Les noces de la passion

Laura Lee GUHRKE

Les noces de la passion

*Traduit de l'américain
par Nellie d'Arvor*

Titre original
THE MARRIAGE BED

Éditeur original
Avon Books, New York

© Laura Lee Guhrke, 2005

Pour la traduction française
© Éditions J'ai lu, 2006

1

Londres, 1833

Lorsqu'il était question de lord et lady Hammond dans la bonne société londonienne, un consensus se dégageait généralement pour affirmer que le vicomte et sa femme ne pouvaient se supporter.

Colporté dans les conversations de salon, ce jugement semblait aussi indiscutable que l'éternelle pluie anglaise ou les sempiternels troubles irlandais. La rumeur ne pouvait que spéculer sur le pourquoi de la brouille du couple, six mois à peine après les noces. Il était cependant certain qu'au bout de huit ans cette union demeurait stérile, la vicomtesse n'ayant pas donné d'héritier à lord Hammond, tout comme il était avéré que les époux vivaient leur vie chacun de leur côté. Même la plus inexpérimentée des hôtesses ne leur aurait *jamais* adressé une invitation conjointe.

En dépit du danger que faisait courir sur l'avenir de la vicomté l'absence de descendance directe, aucune des deux parties ne paraissait décidée à mettre un terme à cette brouille conjugale. Du moins, jusqu'à ce que tombe la nuit du 15 mars 1833, date à laquelle une lettre changea radicalement la donne – pour le vicomte plus que pour son épouse.

Transmise par courrier express, la missive arriva à la résidence de lord Hammond à Londres aux alentours de dix heures du soir. Le vicomte ne s'y trouvait pas. Puisque la saison battait son plein, John Hammond, à l'image de nombre d'hommes de sa condition, sacrifiait à la sainte trinité de la débauche masculine : alcool, jeu, chasse au jupon.

De bons amis à lui, lord Damon Hewitt et sir Robert Jamison, l'assistaient de bon cœur dans cette tâche. Après quelques heures passées dans leur tripot favori, ils étaient arrivés chez Brooks un peu avant minuit. Là, tout en sirotant du porto, ils discutaient de l'endroit où ils allaient passer le reste de la nuit.

— À un moment ou à un autre, soutint sir Robert, il nous faudrait faire une apparition au bal de lady Kettering. Juste pour une heure ou deux. Lord Damon et moi lui avons promis que nous passerions, et je n'ai pas besoin de vous expliquer, Hammond, quel scandale elle fera si vous ne vous joignez pas à nous.

— Dans ce cas, répondit John en saisissant la carafe de porto pour se resservir, je vais devoir vous laisser. Viola a accepté l'invitation de lady Kettering, ce qui m'a conduit à la décliner. Sans doute savez-vous que ma femme et moi ne participons jamais aux mêmes mondanités !

Lord Damon acquiesça.

— Qui plus est, Emma Rawlins sera là, elle aussi. Inutile de vous expliquer, Robert, l'effet que l'apparition de John produirait sur ces dames…

John joignit son rire à celui des autres, mais le sien était amer. Le fait d'avoir à côtoyer sa dernière maîtresse en date, contrairement à ce que s'imaginaient ses amis, ne susciterait chez son épouse que ce dédain glacial qu'elle lui témoignait depuis des années. Un bien triste constat s'il se remémorait la jeune femme amoureuse qu'il avait épousée, mais les mariages étaient rarement heureux, et il avait depuis longtemps renoncé à la stupide illusion que le sien ferait exception.

— Mlle Rawlins est une bien jolie créature… reprit sir Robert. Je comprends que vous ne souhaitiez pas la revoir. En posant de nouveau les yeux sur elle, vous pourriez regretter d'avoir mis fin à votre liaison.

John fit la grimace en songeant à la jalousie maladive d'Emma, défaut rédhibitoire chez une maîtresse, qui avait causé leur rupture deux mois auparavant, après qu'il lui eut versé de confortables compensations financières.

— J'en doute, marmonna-t-il. Notre séparation fut tout sauf amicale.

Élevant son verre, il en but une gorgée et ajouta :

— Je crois que j'en ai soupé des femmes pour un bon moment !

— Combien de fois avons-nous entendu cette rengaine ! s'exclama Damon en riant. Vous ne la chantez jamais très longtemps. En ce qui concerne les femmes, vous devriez être turc, Hammond, et posséder tout un harem…

— Une femme à la fois me suffit amplement, lord Damon ! Surtout lorsqu'elles sont du même acabit que mes deux dernières maîtresses. À elles seules, elles m'ont guéri des amourettes pour longtemps.

Celle de ses maîtresses qui avait précédé Emma, la cantatrice Maria Allen, lui avait valu d'être blessé en duel, deux ans auparavant, par son mari outragé. Celui-ci, après avoir négligé son épouse durant des années, avait décidé brusquement qu'il ne supportait plus les infidélités de sa femme. Chacun des deux hommes avait expédié une balle dans l'épaule de l'autre, et l'honneur avait été sauf. Les retrouvailles des époux n'en avaient pas pour autant été heureuses. Allen avait finalement décidé de partir pour les Amériques ; quant à Maria, elle était pour l'heure la maîtresse de lord Dewhurst.

Emma Rawlins, pour sa part, ne paraissait pas pressée de se trouver un nouveau protecteur. Depuis le cottage qu'il lui avait offert dans le Sussex, elle l'abreuvait de lettres insupportables et enflammées, le suppliant de lui revenir. Ses fermes tentatives pour lui faire entendre raison n'avaient apparemment pas suffi. Mais, même si elle s'était crue autorisée à le suivre jusqu'à Londres, il n'avait aucune intention de la revoir.

En fait, depuis leur rupture orageuse, John se cantonnait dans une expectative prudente. Sans trop savoir pourquoi, il se découvrait peu enclin à sombrer dans les bras d'une nouvelle maîtresse. De son point de vue, une relation de ce type se devait de rester simple, franche et purement physique. C'était hélas rarement le cas, et sans doute cela suffisait-il à expliquer ses réticences. Depuis toujours, il détestait les scènes mélodramatiques. La crainte de se retrouver mêlé à un nouvel imbroglio sentimental suffisait à le refroidir.

Naturellement, ce n'était pas le genre de considérations qu'il pouvait partager avec ses amis – ce que ceux-ci, gentlemen avant tout, ne lui demanderaient pas. S'ils s'y étaient néanmoins risqués, quelque remarque astucieuse ou quelque pirouette habile aurait suffi à détourner leur attention.

— Non, mes amis… conclut-il enfin en secouant la tête. Les femmes ont beau être de charmantes et fascinantes créatures, leur fréquentation assidue se révèle d'un coût trop élevé – et pas seulement d'un point de vue financier. J'ai la ferme intention de laisser s'écouler l'année sans prendre de maîtresse.

— Toute une année! s'exclama lord Damon, incrédule. Mais nous ne sommes qu'en mars… Je suppose, cher ami, que vous plaisantez. Vous aimez trop les femmes pour vous passer de maîtresse aussi longtemps.

John s'adossa à son siège et leva son verre à sa santé avant de répondre:

— Ai-je fait vœu de chasteté? Ne pas avoir de maîtresse ne signifie pas nécessairement ne plus aimer les femmes…

Ses compagnons saluèrent par de joyeux éclats de rire cette sortie, et tous se joignirent à lui pour trinquer. Aussitôt vidés, les verres furent de nouveau remplis, et il fut décidé qu'une série de toasts était le moins que l'on pût faire en l'honneur du beau sexe. En cinq minutes à peine, la carafe fut vide et il fallut en commander une autre.

— Regardez, Hammond… lança soudain lord Damon, redevenant sérieux. Ce valet de pied, à l'entrée: ne serait-ce pas l'un des vôtres?

John leva la tête. Effectivement, encadré dans la porte d'entrée, l'un de ses serviteurs parcourait des yeux la salle, une expression anxieuse sur le visage. Quand il eut repéré leur tablée, il parut soulagé et se hâta de les rejoindre.

— Ceci vient d'arriver du Nord, milord... annonça-t-il en lui tendant une lettre. Comme c'était un courrier envoyé en express, M. Pershing m'a demandé de vous trouver pour vous la remettre sans tarder.

Un courrier de ce genre amenant rarement de bonnes nouvelles, John songea immédiatement à quelque problème survenu à Hammond Park, son domaine familial du Northumberland. Mais l'écriture sur l'enveloppe n'était pas celle de son régisseur. En y regardant de plus près, il reconnut celle de sa cousine Constance et redouta qu'il fût arrivé malheur à l'un de ses proches.

Avec une appréhension grandissante, il brisa le sceau et déplia le simple feuillet qu'il trouva à l'intérieur. Celui-ci ne portait que quatre lignes, dont l'encre avait été détrempée par les larmes. Quatre lignes qui annonçaient une nouvelle bien plus désastreuse encore que ce qu'il avait redouté. Pourtant, alors qu'il relisait le billet encore et encore, il lui fut impossible d'en appréhender toute la portée. Son esprit engourdi renâclait, butait sur les mots, incapable d'accepter leur funeste signification. Cela ne pouvait tout simplement pas être – cela ne *devait* pas être. Percy... songea-t-il, le cœur en cendres. Oh, mon Dieu! Percy...

La douleur, enfin, parvint à briser l'engourdissement qui s'était emparé de lui. John tenta de se concentrer sur ce que cette missive impliquait, sur ce qu'il avait à faire, mais la seule chose qui lui vint à l'esprit fut qu'il avait laissé passer toute une année sans revoir son cousin et meilleur ami, et qu'il était à présent trop tard.

— Hammond? fit la voix inquiète de lord Damon, le forçant à se ressaisir.

Soigneusement, il replia la lettre et la glissa dans sa poche. Luttant pour afficher un visage impassible, il se tourna vers le valet de pied qui attendait ses ordres.

— Faites amener ma voiture tout de suite.

— Bien, milord.

Une fois le domestique reparti, ses amis continuèrent à le dévisager avec inquiétude. Nul ne lui demanda quelle était la nature du problème, mais la question semblait flotter dans l'air. Ramassant son verre sur la table, il en avala d'un trait la dernière gorgée, regrettant déjà la torpeur qui avait amoindri sa peine un instant auparavant. Plus tard, se promit-il, il pourrait laisser libre cours à son chagrin. Mais, pour l'heure, il lui fallait penser aux menaces que cette disparition faisait peser sur son titre. On pouvait l'accuser de mener une vie dissolue, mais il n'avait jamais négligé ni ses terres ni son devoir, qui comptaient pour lui plus que toute autre chose.

— Gentlemen, dit-il en écartant sa chaise pour se lever, je vais devoir vous laisser. Un devoir urgent m'appelle. Pardonnez-moi.

Sans laisser aux deux hommes le temps de réagir, John tourna les talons et traversa la salle d'un pas aussi digne et tranquille que possible. Sa voiture l'attendait devant l'entrée de l'établissement, et il ordonna au cocher en s'y installant de se rendre tout d'abord à sa résidence de Bloomsbury Square.

Vingt minutes plus tard, Stephens, son valet de chambre, faisait déjà ses bagages en prévision du voyage dans le Shropshire, pendant que lui-même se rendait au bal de lady Kettering. Viola devait être mise au courant, même si l'entrevue menaçait d'être orageuse. Sa femme se laissait volontiers gouverner par ses passions, la plus violente d'entre elles étant la répugnance qu'elle éprouvait pour lui. Elle la lui faisait sentir à chacune de leurs rares rencontres. Et comme sa vie allait être affectée par la nouvelle qu'il avait à lui annoncer, il pouvait être sûr de la voir monter sur ses grands chevaux.

John se doutait que son arrivée inopinée au bal des Kettering causerait quelques remous. Il y avait belle lurette que Viola et lui ne prenaient plus la peine de sauvegarder les apparences. À leurs yeux comme aux yeux du monde, leur union était purement formelle et dénuée de sens. Cela faisait huit ans que perdurait cette situation mais, en faisant halte pour déposer son manteau dans le vestibule, il se promit de faire en sorte que cela change.

En dépit de la foule qui emplissait la grande salle de bal brillamment éclairée, il repéra immédiatement sa femme. Pour l'occasion, elle avait revêtu une robe de soirée en soie d'un rose profond mais, même si elle n'avait pas choisi de porter sa couleur favorite ce soir-là, il aurait localisé son épouse au premier coup d'œil. Il en avait toujours été ainsi depuis qu'ils se connaissaient, et les années passées à vivre loin l'un de l'autre et à dormir dans des lits séparés n'y avaient rien changé.

Sa chevelure aurait suffi à expliquer ce phénomène. Les cheveux de Viola brillaient comme dans la lumière des chandeliers, aussi dorés et éclatants qu'un rayon de soleil.

Elle lui tournait le dos et il ne pouvait voir son visage, mais il en connaissait chaque détail de mémoire – une face en forme de cœur, de larges yeux noisette protégés par d'épais cils recourbés, la bouche petite et charnue aux commissures profondes, et cette charmante fossette qui se creusait dans sa joue droite chaque fois qu'elle souriait… Il ignorait pourquoi il gardait ce souvenir, étant donné qu'elle n'avait pas daigné lui sourire depuis des années, mais il s'en rappelait. Le sourire de Viola avait toujours eu le don d'ouvrir grandes devant lui les portes du paradis. Elle avait également la faculté d'envoyer un homme en enfer d'un simple froncement de sourcils. Il était arrivé plus d'une fois à John d'emprunter l'une ou l'autre de ces destinations.

Les invités, occupés à danser ou à discuter par petits groupes, ne remarquèrent pas immédiatement son arrivée. Quand ce fut fait, une certaine pagaille gagna les quadrilles de la contredanse en cours, les uns et les autres se souciant plus du nouveau venu que de la rigueur de leurs pas. Tant et si bien qu'au bout de quelques secondes, les musiciens eux-mêmes cessèrent de jouer. Les conversations se tarirent abruptement, puis des murmures chargés de stupeur et d'excitation s'élevèrent à travers la pièce. Sachant ces réactions inévitables, étant donné que l'on n'avait plus vu depuis des années lord et lady Hammond en public, John fit de son mieux pour rester de marbre.

Enfin, il vit sa femme se tourner lentement vers lui et retint son souffle, saisi comme toujours par sa beauté et par la perfection de son visage. Bien qu'une année se fût écoulée depuis leur dernière rencontre, il la retrouvait telle qu'il l'avait gardée en mémoire. Une pâleur inquiétante gagna ses joues quand elle le reconnut et, quoique éduquée depuis l'enfance pour ne rien montrer de ses émotions en société, il lui fut impossible de masquer son ébahissement.

Lorsqu'il se mit en marche pour la rejoindre, elle n'eut cependant d'autre choix que de se ressaisir et de remplir son rôle de vicomtesse. Elle le fit en l'accueillant avec son habituelle politesse glaciale.

— Hammond… dit-elle en le gratifiant d'une révérence.

— Lady Hammond… répondit-il en inclinant la tête.

Il prit dans la sienne la main gantée qu'elle lui tendait, effleura du bout des lèvres ses doigts à travers le tissu, puis se plaça à côté d'elle et lui offrit son bras. Après un court instant d'hésitation, Viola se décida à y prendre appui. Elle le touchait si peu qu'il la sentait à peine, mais cela suffisait à donner le change. Ils le savaient tous deux, elle n'avait d'autre choix que de jouer en société les épouses dociles. Mais, en privé, elle était loin d'être aussi arrangeante, comme pouvait se le permettre la sœur d'un duc.

Son frère, justement, ne se trouvait qu'à quelques pas, et John pouvait sentir le regard hostile du duc de Tremore peser sur lui. Sans se laisser intimider, il hocha la tête pour saluer son beau-frère qui ne daigna pas lui répondre. Cela n'était pas pour le surprendre. Tremore voyait en sa sœur un ange de vertu et de bonté. John était quant à lui en position d'avoir un autre point de vue. Un halo doré avait beau entourer la tête de sa femme, elle était de nature on ne peut plus humaine…

Sur le plan matrimonial, le duc était de l'avis de John plus chanceux que lui-même. Bien qu'elle ne fût pas la plus jolie des femmes, la duchesse, d'un calme et d'un tact à toute épreuve, était l'une des plus agréables de ses relations. Le fait qu'elle se montrait bien mieux disposée à son égard que son aristocratique époux n'y était sans doute pas pour rien.

— Hammond… dit-elle en lui tendant poliment sa main.

— Duchesse.

Il s'inclina vers ses doigts gantés avant d'ajouter en se redressant :

— J'ai été ravi d'apprendre que votre fils était arrivé en ce monde en pleine santé.

— Oui, marmonna Tremore entre ses dents. Cela fait exactement dix mois de cela…

Cela ressemblait bien au duc de souligner le fait que, depuis la naissance de son neveu, John n'était pas venu lui rendre visite – pas même à l'occasion du baptême. Il était vrai que, peu enclin à tendre les verges pour se faire battre, il évitait autant que possible toute visite à sa belle-famille.

— Un enfant sain et vigoureux est une bénédiction pour un homme, dit-il en soutenant sans ciller le regard du duc. Qui plus est, un fils garantit la pérennité de votre titre et de votre patrimoine. Tremore, vous êtes le plus heureux des hommes.

L'allusion au fait que lui-même n'avait pas d'héritier était claire, et le duc détourna le regard. Sentant la main de Viola se crisper sur son bras, John se laissa entraîner par elle.

— Que diable faites-vous ici ? chuchota-t-elle vivement tandis qu'ils longeaient bras dessus bras dessous l'un des murs de la salle de bal.

— Je ne peux vous le dire en deux mots dans une pièce bondée, répondit-il sur le même ton. Souriez, Viola… ou feignez au moins l'indifférence. Tout le monde nous regarde.

— Si cela vous dérange, allez-vous-en. Je suis sûre qu'il y a d'autres endroits à Londres beaucoup plus à votre goût.

Qui plus est, vous montrer au bal de lady Kettering après avoir décliné son invitation est du plus parfait mauvais goût.

Ils passèrent devant une jolie rousse vêtue de soie verte qui lança à John un regard implorant. Comme si de rien n'était, il la dépassa sans la regarder, mais il n'en fallut pas plus à Viola pour présumer du pire.

— Je comprends tout, à présent! lança-t-elle dans un souffle. C'est Emma Rawlins qui vous amène ici… Ainsi, la rumeur qui vous disait séparés était fausse. Seigneur! Cela vous amuse donc tellement de m'humilier en public?

— Je ne vis que pour ça! se moqua-t-il.

Les reproches acides de sa femme avaient toujours le même effet sur lui: ils exacerbaient sa rancœur, le poussant à user du ton le plus sarcastique.

— Pour tout vous dire, ajouta-t-il, je préfère arracher les ailes des mouches. Quoique, à la réflexion, torturer des chatons innocents soit nettement plus jouissif!

Viola laissa fuser entre ses lèvres un soupir exaspéré et fit mine de retirer sa main. John la prit de vitesse en la glissant sous son bras, qu'il maintint serré contre son flanc. Une querelle avec elle risquait de lui faire perdre le contrôle de ses émotions.

— Arrêtez de me chercher noise et écoutez-moi bien! chuchota-t-il avec un sourire crispé. Je dois me rendre dans le Nord séance tenante, mais il me faut d'abord discuter avec vous de ce qui m'y amène. Allons dans un salon. Nous y serons plus tranquilles pour parler.

— Vous voir en privé! s'insurgea-t-elle. Sûrement pas.

De nouveau, elle effectua une tentative pour soustraire sa main à son emprise, mais il ne se laissa pas surprendre.

— C'est de la plus extrême importance, Viola! insista-t-il. Et cela vous concerne.

Elle le dévisagea un moment, avant d'acquiescer d'un hochement de tête.

— Très bien! lâcha-t-elle à regret. Il va cependant vous falloir patienter. Je suis engagée pour la prochaine danse. À présent, lâchez-moi, je vous prie!

Cette fois, John ne fit rien pour la retenir lorsqu'elle retira vivement sa main. Il la regarda s'éloigner. Songeant au contenu de la lettre qui se trouvait dans sa poche, il se prit à espérer qu'elle ne le haïssait pas au-delà de tout espoir de réconciliation. Sans quoi, sa vie allait vite devenir un enfer.

En s'efforçant de donner le change à son cavalier, Viola ne cessait de s'interroger sur les raisons de la présence de son mari en ces lieux. Elle se sentait inquiète et déstabilisée. Cela faisait des années que John n'avait plus éprouvé le besoin de discuter de quelque sujet que ce soit avec elle. Qu'avait-il à lui annoncer, et pourquoi devait-il le faire ce soir précisément?

Autant que le lui permettaient ses évolutions sur le parquet de danse, elle s'efforçait de ne pas le perdre de vue dans la foule, comme pour s'assurer que sa présence n'était pas le fruit de son imagination. Il lui avait assuré que l'affaire qui l'amenait était grave et urgente, mais comme d'habitude ni son attitude ni l'expression de son visage ne trahissaient quoi que ce soit. Au milieu d'un groupe de convives, il discutait et souriait aimablement, aussi à l'aise et insouciant que s'il n'avait pas eu la moindre raison de s'en faire. Viola savait cependant que, si tel avait été vraiment le cas, il aurait été n'importe où sauf là où il était certain de la rencontrer. Et n'avait-elle pas perçu, dans le ton de sa voix, une tension et une urgence tout à fait inhabituelles chez lui?

Renonçant à l'observer plus longtemps, elle tenta de se concentrer sur les pas complexes de la danse. Elle le savait pourtant depuis longtemps, il ne servait à rien de chercher à comprendre John, tant ses motivations étaient obscures et ses actes dénués de toute logique. À cette idée, une pointe de souffrance ancienne se ranima au fond de son cœur, ce qui l'étonna. Ne s'était-elle pas résignée à la faillite de son mariage depuis bien longtemps?

Même si la situation n'avait rien d'habituel, conclut-elle pour elle-même, elle ne devait pas se départir de sa glaciale réserve, cette coquille derrière laquelle elle se protégeait des mensonges et trahisons de son mari volage. Mais elle eut beau s'y efforcer, il lui fut impossible d'ignorer ce qui se passait autour d'elle. À cet instant dans la salle, il n'était pas difficile d'imaginer quel devait être le principal sujet de conversation. Quant aux habituelles commères de salon, leurs regards avides ne cessaient d'aller et venir d'elle-même à John et à Emma Rawlins. Tant et si bien que lorsque le quadrille prit fin au bout de vingt minutes, Viola n'était plus qu'une pelote de nerfs tendus à craquer.

Elle avait à peine regagné sa place près d'Anthony et Daphné, son frère et sa belle-sœur, que John se dressa de nouveau devant elle pour lui présenter son bras. Résignée, sous les regards étonnés et les murmures des invités, elle le suivit jusqu'à la bibliothèque des Kettering, dont il referma soigneusement les portes derrière eux. Grâce à Dieu, il ne fit pas durer le suspense plus longtemps. Aussitôt qu'il se fut adossé à la double porte refermée, il posa sur elle son regard grave.

— Percy est mort. Son fils également.

Sous l'impact de cette terrible nouvelle, Viola écarquilla les yeux et porta la main à sa bouche.

— Comment? murmura-t-elle. Comment est-ce arrivé?

— Scarlatine, répondit-il de manière laconique. Elle fait des ravages actuellement dans le Shropshire. J'ai appris la nouvelle par un courrier il y a une heure à peine.

Viola secoua la tête comme s'il lui était impossible d'y croire. Percival Hammond, le cousin et meilleur ami de son mari, était mort… Spontanément, elle le rejoignit et posa la main sur son avant-bras.

— Je suis désolée… dit-elle, sincère comme elle ne l'avait plus été avec lui depuis très longtemps. Je sais qu'il était comme un frère pour vous.

D'un geste brusque, il se détourna pour faire quelques pas dans la pièce. Blessée par son attitude, Viola le suivit des yeux. En contemplant son large dos, elle se demanda pourquoi elle avait pris le risque de lui exprimer sa sympathie. Elle aurait pourtant dû savoir qu'il n'en aurait que faire…

— Je dois me rendre à Whitchurch pour les funérailles, lança-t-il par-dessus son épaule.

— Naturellement. Voulez-vous…

Viola ne put achever sa phrase. L'idée qu'il pût être là pour lui demander de l'accompagner était stupéfiante. Il lui fallait pourtant en avoir le cœur net :

— Êtes-vous ici pour me demander d'entreprendre ce voyage avec vous ?

Pivotant sur ses talons, John fit volte-face.

— Grand Dieu, non !

Il avait lancé cette réplique avec tant de violence qu'elle tressaillit, même si une telle réponse n'avait rien d'imprévisible. La voyant pâlir sous l'affront, il laissa fuser de ses lèvres un long soupir et précisa d'un ton radouci :

— Vous vous méprenez. Je n'entendais pas ces mots tels que vous les avez compris.

— En êtes-vous si sûr ?

— J'en suis certain ! La violence de ma réaction n'avait pour origine que le souci de votre sécurité. Vous n'avez jamais eu la scarlatine et vous pourriez l'attraper.

— Oh… fit-elle, troublée. Je pensais…

— Je sais ce que vous pensiez ! l'interrompit-il en se passant une main lasse sur le front. Mais je ne suis pas ici pour vous chercher querelle… ni pour vous inviter à me suivre dans le Shropshire.

L'air soudain très fatigué, John laissa retomber sa main contre son flanc et reprit sa déambulation sans but dans la pièce. Viola ne pouvait s'empêcher de se sentir soulagée mais, sachant qu'il lui restait à apprendre pourquoi il était là, une inquiétude sourde continuait à l'habiter. Si son seul but avait été de lui faire part du décès de son cousin, il aurait pu le faire en lui laissant une lettre avant son départ, et ce d'autant plus qu'elle connaissait à peine Percival Hammond. Dans l'attente de ce qui allait suivre, elle dévisagea son mari, mais celui-ci demeura silencieux, le regard perdu dans le vague.

— Est-ce la raison pour laquelle vous êtes venu ce soir? s'enquit-elle enfin, n'y tenant plus. Pour m'annoncer cette triste nouvelle de vive voix?

Tiré de ses pensées, John tourna la tête vers elle et soutint son regard.

— Le fils de Percy est mort, lui aussi, Viola. Cela change tout. Vous devez vous en rendre compte…

Ces mots eurent autant d'impact sur elle qu'un coup de poing. Cette fois, elle commençait à comprendre où il voulait en venir.

— En quoi cela devrait-il changer quoi que ce soit? Vous avez un autre cousin. Bertram, que je sache, est un Hammond lui aussi. Il est en position d'hériter de votre titre et de vos domaines à la place de Percy.

— Bertie! s'insurgea John avec une moue éloquente. Ce crétin serait incapable de nouer sa cravate tout seul…

Les mains jointes dans le dos, il se remit à arpenter le tapis comme un lion en cage. Viola sentit l'appréhension céder le pas en elle à la panique.

— À cause de notre… éloignement, j'étais résigné à ce que la charge de la vicomté revienne après ma mort à Percy, reprit-il. Je sais qu'il se serait occupé de mes domaines aussi soigneusement que moi-même, et son fils avait la carrure pour en faire autant. Bertie n'a absolument pas l'étoffe d'un vicomte. C'est un bon à rien et un panier percé, aussi dénué de qualités que l'était mon père. Il gèlera en enfer avant que je lui permette de devenir le prochain lord Hammond! Jamais je ne le laisserai faire main basse sur Hammond Park ou Enderby, ni aucun de mes autres domaines…

— Cette discussion ne peut-elle attendre votre retour? intervint Viola, dans un ultime effort pour gagner du temps afin de pouvoir réfléchir à la situation. Votre cousin est mort. Ne pouvez-vous pas le pleurer en paix? Pourquoi tant d'empressement à discuter de votre succession, alors que le corps de ce pauvre homme n'a pas encore été porté en terre?

L'expression d'une volonté implacable passa sur son visage, aussi rare et surprenante chez un homme connu pour son charme et son hédonisme qu'un nuage noir dans un ciel d'été. C'était un aspect de l'homme qu'elle avait épousé que Viola avait oublié, mais auquel elle avait maintes fois succombé durant les six premiers mois de leur mariage.

— Mon premier devoir est d'assurer la pérennité de mon titre, décréta-t-il. Bertie ne ferait que causer sa ruine. Il dépenserait le dernier des souverains amassés dans mes coffres et anéantirait le résultat d'années de dur labeur. Jamais je ne laisserai faire une chose pareille, Viola.

Pendant quelques secondes, ils se défièrent du regard. En constatant dans les yeux couleur d'ambre de son mari que sa résolution semblait sans faille, Viola se sentit glacée d'effroi.

— À mon retour du Shropshire, conclut-il, je veux que notre séparation prenne fin. Vous serez de nouveau ma femme, aussi bien sur un plan physique et moral que légalement.

La fureur et le désespoir lui firent serrer les poings. Elle vint se camper devant lui.

— Vous êtes mal placé pour me donner des leçons de moralité! fulmina-t-elle. Ce petit discours est-il censé être drôle?

— J'ai la réputation de ne pas manquer d'esprit, mais je ne suis pas d'humeur à plaisanter ce soir. Dans ces circonstances, il ne peut être question que de devoir, ce qui est rarement amusant.

— Pouvez-vous me dire en quoi ce sens du devoir qui vous honore me concerne?

Bien que connaissant déjà la réponse – hélas, oui, elle la connaissait! – Viola n'avait pu s'empêcher de formuler la question.

— Il vous concerne parce que vous êtes ma femme et la vicomtesse.

Un signal d'alarme retentit sous le crâne de Viola. Le cœur battant à se rompre, les jambes faibles, elle craignit de défaillir pour la première fois de son existence.

— Je réalise à quel point doit être intolérable à vos yeux la perspective de mes caresses… conclut-il sans la quitter des yeux, comme s'il lisait en elle à livre ouvert. Mais j'ai désormais désespérément besoin d'un fils, Viola. Et je suis déterminé à ce que vous m'en donniez un.

2

Durant un long moment, réduite au silence, Viola ne put que dévisager son mari. Ses paroles résonnaient au fond de son crâne comme l'appel d'un tambour. John Hammond voulait un héritier. Aujourd'hui, après toutes ces années, il voulait qu'elle lui donne un fils légitime. Stoïquement, elle avait enduré la souffrance, l'humiliation, la réprobation sociale qui rejaillissaient sur elle pour ne pas lui avoir donné de fils. Et à présent, après avoir été chercher dans les bras de toutes ces femmes ce qu'il n'aurait dû trouver que dans les siens, il avait le culot de revenir partager sa vie et sa couche…

— Jamais de la vie! répliqua-t-elle enfin en s'apprêtant à quitter la pièce.

John la retint en posant ses mains sur ses épaules.

— Il est dorénavant crucial pour nous d'avoir un fils, Viola, et vous le savez autant que moi.

— Un fils? répéta-t-elle en se libérant de son emprise. Vous en avez déjà un. Le cadet de lady Darwin est votre fils. Tout le monde sait cela.

— Je sais que telle est la rumeur. Mais, en l'occurrence, la rumeur est fausse.

En réponse à son claquement de langue agacé, il insista :

— Et même si elle était vraie, cela ne changerait rien au problème. C'est d'un fils légitime dont j'ai besoin.

— Pourquoi devrais-je me soucier de ce dont vous avez besoin?

— Que cela vous plaise ou non, vous êtes ma femme, je suis votre mari, et les circonstances nous obligent à faire ce que notre position réclame de nous.

— Vos circonstances et votre position ne m'obligent à rien du tout! Je ne suis pas votre jument reproductrice... Notre mariage est une farce et l'a toujours été. Je ne vois aucune raison d'y rien changer.

— Aucune raison? Vous oubliez que vous êtes la sœur d'un duc et la femme d'un vicomte. Vous connaissez mieux que quiconque les règles qui gouvernent nos vies, Viola.

Sans ciller, elle soutint le regard de son mari avec une détermination égale à la sienne. Si leurs volontés avaient été des sabres, on les aurait entendues s'entrechoquer.

— Je suis peut-être votre femme au regard de la loi, lâcha-t-elle enfin, mais je ne me sens pas dans l'obligation de l'être dans les faits. Allez au diable, vous, vos principes et vos règles!

— Envoyez-moi au diable tant que vous voudrez, mais préparez-vous à rejoindre le domicile conjugal, où je compte vous trouver dès mon retour. À vous de déterminer si vous préférez rester dans votre villa de Chiswick ou si vous voulez emménager dans mon hôtel de Bloomsbury Square. Si vous choisissez cette solution, faites-le savoir à Pershing qui fera en sorte d'organiser votre déménagement en mon absence.

— Vous et moi sous le même toit? railla-t-elle avec un rire caustique. Vous déraisonnez...

— Le même toit, Viola. La même table.

Il la gratifia d'un regard lourd de signification avant d'ajouter:

— Le même lit!

— Si vous croyez... Si vous imaginez que... que vous...

Trop furieuse pour ne pas bégayer, Viola préféra se taire. L'idée qu'il puisse lui faire l'amour après s'être vautré dans le lit de toutes ces femmes lui était tellement intolérable qu'elle en perdait tout sang-froid. Fermant les yeux, elle prit le temps d'inspirer profondément pour se calmer et fit une nouvelle tentative.

— Si vous croyez que je vous laisserai de nouveau me toucher un jour, vous avez perdu la raison.

— Que je sache, on n'a pas encore trouvé d'autre moyen pour avoir des enfants que de faire l'amour. Il n'y a rien de fou là-dedans. Les couples mariés le font tous les jours, et à dater de mon retour, c'est ce que nous ferons également. Ce qui n'est pas trop tôt, si vous voulez mon avis... Nous n'en serions sûrement pas là, tous les deux, si nous n'avions pas cessé de partager le même lit.

Sur ce, il s'inclina galamment vers elle, tourna les talons et gagna la porte. Les poings serrés, Viola ne put que s'adresser à ses larges épaules pour s'écrier :

— Dieu, que je vous méprise !

— Merci de m'en informer, très chère ! lança-t-il sans se retourner. Je ne l'avais pas remarqué.

Posant la main sur la poignée, il se figea et pivota légèrement vers elle, de profil, la tête baissée, une mèche de cheveux châtains lui caressant le front. Il demeura ainsi un moment, pensif, et lorsqu'il s'adressa enfin à elle, Viola fut surprise de n'entendre ni réplique cinglante ni pirouette verbale.

— Je n'ai jamais eu l'intention de vous blesser, Viola. J'aimerais que vous puissiez me croire.

S'il n'avait pas été un aussi fieffé menteur, elle aurait presque pu le croire. Mais il était ce qu'il était : un goujat, un manipulateur, qui ne l'avait jamais aimée.

— Vous ne pouvez être sérieux. Sachant à quel point je vous déteste, comment pouvez-vous attendre de moi que je vous ouvre mon lit ?

— Un lit est l'endroit le plus confortable pour ce que nous avons à faire, répondit-il en soutenant tranquillement son regard. Mais si vous avez d'autres suggestions, je ne demande pas mieux. Je sais que cela remonte à loin, mais autant que je me rappelle, trouver de nouveaux lieux insolites pour nos ébats était l'un de nos passe-temps favoris...

Tant d'arrogance arracha à Viola un cri outragé. Sans lui laisser le temps de répliquer, il sortit, la laissant seule avec son dégoût et sa révolte.

Écumant de rage, elle se mit à faire les cent pas dans la pièce. Son animosité à l'égard de son mari était si forte qu'il lui était difficile de croire que ses sentiments à son égard avaient été autrefois tout autres…

La première fois qu'elle avait rencontré John Hammond, neuf ans plus tôt, tout s'était passé comme dans un roman. À travers une salle de bal bondée, il avait posé les yeux sur elle, lui avait souri, et toute la vie de Viola en avait été bouleversée.

Alors âgé de vingt-six ans, avec des yeux de la couleur du brandy, un corps sculpté par la pratique assidue du sport, il lui était apparu comme l'homme le plus séduisant qu'elle eût jamais rencontré. Il avait hérité de son titre l'année précédente, mais eût-il été un marchand et non un vicomte, Viola s'en serait moquée. Cette nuit-là, sur un parquet de danse, son cœur de dix-sept ans s'était laissé prendre au piège du sourire dévastateur de ce grand et bel homme.

Cela lui était pénible d'avoir à le reconnaître, mais Viola devait admettre qu'il était encore plus séduisant aujourd'hui qu'à l'époque. Contrairement à beaucoup d'hommes qui prennent du ventre et perdent leurs cheveux avant d'avoir atteint la quarantaine, John avait toujours un physique extraordinaire. Même sous le carcan d'un habit de soirée, ses épaules paraissaient plus larges et ses jambes plus longues et musclées qu'elles ne l'avaient jamais été. Sur le crâne, il avait toujours cette tignasse épaisse de cheveux châtains, impossibles à discipliner. Seul changement notable, une touche argentée grisaillait ses tempes. De petites rides d'expression marquaient les commissures de ses paupières quand il riait. Ces pattes-d'oie révélatrices de son caractère enjoué, d'autres femmes qu'elle avaient contribué à les faire naître sur son visage – beaucoup d'autres femmes…

Viola se laissa tomber sur une chaise, submergée par l'amertume. Aussi incroyable cela pouvait-il paraître, elle avait aimé cet homme au-delà de toute raison. Elle avait accepté de l'épouser parce qu'elle s'était imaginé que le soleil ne se levait chaque matin que pour briller sur ses épaules. Quelle pauvre idiote elle avait été!

Il avait affirmé qu'il l'aimait, mais cela n'avait été dès l'origine que mensonge. S'il l'avait demandée en mariage, ce n'était pas par amour mais pour son argent. Ce qu'elle regrettait le plus, c'était d'avoir gaspillé son amour pour un homme qui n'en avait que faire et ne l'aimait pas en retour, un homme qui avait opté pour une union de raison mais dont le cœur ne lui avait jamais été acquis.

Avec un soupir découragé, Viola se secoua, décidée à se ressaisir. Il ne servait à rien de s'apitoyer sur le passé. Il y avait bien longtemps qu'elle avait ouvert les yeux sur la perfidie de John et reconnu sa propre folie. Au cours des dernières années, pendant qu'il s'étourdissait en passant des bras d'une maîtresse à ceux d'une autre, elle avait réussi de son côté à se bâtir sa propre vie. Une vie sereine et équilibrée. Une vie consacrée aux œuvres charitables et à ses nombreux amis. Une vie dont John Hammond était exclu. Pour rien au monde elle n'accepterait que ce délicat équilibre soit rompu. Son devoir conjugal, conclut-elle en s'apprêtant à rejoindre la salle de bal, ses obligations sociales, son mari pouvaient bien aller au diable! Et y rester...

— «Ne crains plus la chaleur du soleil/Ni les rages du vent furieux:/Tu as fini ta tâche en ce monde/Et tu es rentré chez toi, ayant touché tes gages...»

La voix de John soudain le trahit, l'obligeant à marquer une pause. Les yeux rivés sur le volume de Shakespeare ouvert dans ses mains, il fit une tentative pour reprendre sa lecture, mais ses lèvres obstinément refusèrent de former le moindre mot.

Désemparé, il laissa son regard s'échapper jusqu'à la silhouette grise et vénérable de Castle Neagh. C'était dans ces ruines que Percy et lui avaient autrefois passé leurs vacances d'été à livrer d'interminables sièges et de furieuses batailles. En songeant à ces jours heureux, John sentit un poids énorme lui écraser la poitrine. Les souvenirs se bousculaient en lui. Harrow et Cambridge, où ils avaient été étudiants. Les courses d'aviron chaque première semaine de mai. Percy avait toujours été partant pour le suivre, dans chaque méfait comme dans chaque aventure de l'enfance, dans la joie comme la peine. Même le fait de tomber tous deux amoureux de la même fille n'avait pas suffi à les séparer.

— *Votre cousin est mort. Ne pouvez-vous pas le pleurer en paix?*

Les paroles acrimonieuses de Viola résonnaient sous son crâne, rendant plus pénible encore le silence qui pesait sur le cimetière. Pleurer Percy? Oh! comme il avait été cruel de sa part de lui poser cette question… En son for intérieur, John n'était que larmes, mais se résoudre à les verser au moment de mettre son ami en terre, devant tant de gens, était impensable. Ses émotions relevaient de son jardin secret, protégées sous un masque de froide impassibilité qu'il avait mis toute une vie à perfectionner. En ce domaine comme en tant d'autres, Viola était différente. Comment aurait-elle pu le comprendre? En dépit de son rang et de son éducation, elle ne se privait pas d'exprimer ouvertement ses sentiments et ses opinions. C'était quelque chose, chez elle, qui l'avait toujours dérouté – et qu'il ne comprendrait sans doute jamais.

Un toussotement discret le tira de l'engourdissement qui s'était emparé de lui. John inspira profondément et redressa les épaules. Les yeux fixés sur lui, tout le monde attendait. Reportant son attention sur le passage de *Cymbeline* qu'il avait choisi, il conclut d'une voix forte:

— «Garçons et filles chamarrés doivent tous/Devenir poussière, comme les ramoneurs.»

Refermant dans un claquement sec le livre d'une main, il se pencha et ramassa dans l'autre une poignée de terre. Et tandis que le vicaire récitait la prière des défunts, il laissa sa main fermée suspendue au-dessus de la fosse. *Poussière, tu retourneras à la poussière...* Percy était mort, mais John ne pouvait se résoudre à verser sur la surface laquée de son cercueil cette terre qui allait l'ensevelir à jamais. Son poing se crispa sur l'humus gorgé d'eau et son bras se mit à trembler. À pleins poumons, il inspira l'air printanier et vivifiant. Puis, comme un automate, il tourna les talons et se mit en marche, laissant derrière lui la foule ébahie.

En atteignant les ruines de Castel Neagh, John en fit le tour pour atteindre les murs éboulés d'une tourelle qu'il connaissait bien. Les doigts toujours serrés sur la poignée de terre, il déposa le volume de Shakespeare sur un muret et laissa sa main libre courir le long des pierres de la muraille, jusqu'à trouver celle qu'il savait descellée. Sans difficulté, il la tira de son logement, révélant la petite niche que Percy et lui avaient autrefois aménagée dans l'épaisseur du mur.

Dans cette cachette au secret soigneusement préservé, ils avaient conservé leurs plus précieux trésors – pipe et tabac, dessins licencieux, et mille autres merveilles. C'était également là que John avait caché un jour une chemise de nuit de Constance, dérobée sur un fil d'étendage. La pièce de vêtement, bien que brodée de jonquilles jaunes et ornée de dentelle à l'encolure, n'avait rien que de très quelconque. Mais, à ses yeux de garnement de treize ans, elle évoquait de la manière la plus troublante celle qui la nuit la portait sur sa peau nue et qui avait su d'un seul regard lui tourner les sens. Son cousin l'avait étendu sur le sol d'un direct du droit quand il avait découvert son forfait. Douze ans plus tard, John avait dansé au mariage de Percy et Constance.

Glissant la main dans l'ouverture, il laissa la terre filer entre ses doigts et se déposer au fond de la niche. Sans trop savoir pourquoi, il lui semblait plus correct de la laisser là, plutôt que sur la coquille de bois dans laquelle reposait à présent le corps sans vie de son ami.

Un long moment, parfaitement immobile, John fixa la petite pyramide de terre. La souffrance qui s'était nichée au fond de sa poitrine explosa, dans une insupportable déflagration de douleur. En hâte, il remit la pierre en place, se retourna et s'adossa à la muraille, le long de laquelle il se laissa glisser jusqu'à se retrouver assis sur le sol, hagard et le souffle court. Submergé par le chagrin et le sentiment d'une terrible solitude, il enfouit son visage dans ses mains et se mit à gémir doucement.

Percy, homme raisonnable au jugement infaillible, avait toujours été un modèle de droiture. Pour Hammond Park, Enderby et tous les autres domaines de la vicomté, il aurait été un maître parfait. Avec un soin jaloux, il les aurait fait prospérer dans l'unique ambition de les remettre plus beaux encore entre les mains de la génération suivante. Imprudemment, John s'était imaginé que son cousin serait toujours là, prêt à assumer une responsabilité qu'à cause de son désastreux mariage il ne pouvait remplir totalement.

C'était le confort commode procuré par cette assurance qui lui avait permis d'échapper à ce qui était véritablement de sa responsabilité: assurer la continuité du titre en engendrant un héritier. Incapable de forcer sa femme à un acte qui lui était devenu tellement répugnant, il avait vu en Percy et son fils une planche de salut. Jamais il ne lui était apparu que son cousin, son ami fidèle, une des seules personnes au monde en qui il pouvait avoir confiance, pourrait mourir ainsi, de même que son fils. S'il ne faisait rien pour l'en empêcher, Bertram deviendrait à sa mort le prochain lord Hammond…

Chaque fibre de son être entrait en rébellion à cette idée. Sous peine de voir tout ce qu'il avait mis une décennie à redresser ruiné de nouveau, il lui fallait un héritier légitime. Viola et lui devaient pour cela trouver un terrain d'entente, rallumer la flamme du désir qui avait si ardemment brûlé entre eux au début de leur relation. Leurs retrouvailles n'avaient pas nécessairement à durer très longtemps – si elles duraient trop, ils finiraient probablement par se détruire l'un l'autre – mais suffisamment en tout cas pour qu'un fils puisse venir au monde.

— Percy a toujours aimé Shakespeare. Merci, John.

La douce voix de Constance vint mettre un terme à ses pensées. John redressa la tête et salua d'un faible sourire la veuve de Percy, vêtue de stricts vêtements de deuil en soie noire. La douleur qui s'était peu à peu apaisée se raviva en lui, l'obligeant à détourner le regard.

— À l'école, expliqua-t-il d'une voix sourde, tout le monde l'appelait la Chouette, parce qu'il ne pouvait se passer de lunettes pour lire et qu'il avait toujours le nez fourré dans un livre.

— Les autres garçons ne le laissaient jamais en paix avec ça… enchaîna-t-elle. Un jour, trois d'entre eux l'ont pris à part pour lui briser ses lunettes. Il m'a raconté que, lorsque tu l'as appris, tu es entré dans une fureur noire et tu es allé leur donner une correction. Percy disait qu'il ne t'avait jamais vu perdre ainsi ton sang-froid…

— Ce qu'il a omis de te dire, ajouta John, c'est qu'il était à mes côtés et qu'il a pris plus que sa part pour leur donner une bonne leçon. Nous les avons réduits en bouillie. Après cela, ils ont continué à l'appeler la Chouette, mais plus jamais ils ne se sont risqués à briser ses lunettes.

Constance se laissa glisser sur l'herbe à côté de lui et demanda :

— Et toi, John, quel surnom t'avaient-ils donné ?

Un instant, il dévisagea cette femme qu'il connaissait depuis l'enfance. C'était au cours de l'été de leurs treize ans que Percy et lui étaient tombés follement amoureux de la toute jeune fille qu'elle était alors. Elle avait été la première fille qu'il ait embrassée. À sa gloire, il avait écrit les pires vers jamais conçus. Il avait entretenu à son sujet toutes les fantaisies érotiques qu'un adolescent peut concevoir. Et au cours de cet automne, dix ans plus tôt, où Percy et elle avaient prononcé des vœux de fidélité éternelle, il s'était écarté. Pour leur bien, il était parvenu à faire comme si cette union ne lui procurait que de la joie et du bonheur. Mais il lui avait fallu beaucoup de beuveries, de nuits sans sommeil et de jolies femmes consentantes pour lui faire oublier Constance.

Dans les yeux gris de son amour d'enfance, sur ce visage pâle barbouillé de larmes, John découvrit le reflet de sa propre détresse. Pourtant, il savait que pour elle, qui venait de perdre à la fois son mari et son fils, la douleur devait être plus insupportable encore.

— Les autres m'appelaient Milton… répondit-il avec un temps de retard.

— C'est vrai, lâcha-t-elle avec soulagement. Je l'avais oublié.

Constance retira son épingle à chapeau et repoussa vers l'arrière son couvre-chef de paille noire. Sous le clair soleil, ses cheveux marron foncé aux reflets roux brillaient à la manière d'un acajou parfaitement poli.

— Pourquoi Milton? s'étonna-t-elle. Cela ne t'allait pas du tout…

Repliant ses jambes pour se caler contre le mur, John se prêta de bonne grâce à cet exercice de mémoire. Alors que le moindre mot malheureux pouvait les faire craquer tous deux, il paraissait plus sûr de cantonner leur conversation sur le terrain de l'anecdote.

— Tu trouves? objecta-t-il. Cela ne m'allait pas si mal. En fait, cela m'allait même très bien. Percy ne t'a jamais raconté comment j'ai acquis ce surnom?

— Étrangement, non…

Elle marqua une pause, puis ajouta d'un air pensif :

— C'est étrange comme on peut ignorer bien des choses de la vie de son mari. Après dix ans de mariage, je pensais connaître tout ce qu'il y avait à savoir au sujet de mon époux, mais je me trompais. Ces derniers jours, nombre de gens m'ont rapporté bien des histoires à son sujet. Je connaissais bien sûr la plupart d'entre elles, mais il y en avait certaines que je n'avais jamais entendues.

Sa voix se brisa et ses yeux se noyèrent de larmes. John esquissa vers elle un geste vite interrompu et supplia :

— Ne pleure pas, je t'en prie, Constance... Pour l'amour de Dieu, ne pleure pas !

Sachant à quel point il redoutait les effusions, Constance tourna la tête pour se reprendre. Lorsqu'au bout d'un moment elle parvint à le regarder de nouveau, elle avait sur les lèvres un sourire tremblant.

— Alors ? insista-t-elle bravement. Vas-tu enfin me dire comment tu as mérité ce glorieux surnom ?

— Lors de mon premier jour à Harrow, expliqua-t-il, je me suis mis dans les ennuis, comme c'était à prévoir... Le maître m'a sermonné devant tous les autres, disant que si je persistais dans cette voie, je ne gagnerais jamais le paradis à ma mort. Nous étions en train d'étudier *Le Paradis perdu* de Milton. Je lui ai répondu que cela m'indifférait, étant donné que je préférais briller en enfer plutôt que m'éteindre au paradis.

— Cela te ressemble bien ! s'amusa-t-elle d'une voix étranglée par les sanglots. Tu n'en as jamais fait qu'à ta tête...

Les neuf années de son mariage défilèrent dans l'esprit de John en un raccourci fulgurant. À bien y réfléchir, il n'avait pas, dans son enfer personnel, brillé tant que cela...

— Ce qui n'est pas forcément un bon point pour moi, grogna-t-il avec une grimace. Tu as fait preuve de bon sens en me préférant Percy...

— Le bon sens n'y est pour rien. Tu étais fils d'un vicomte, et comme tel tu constituais un parti beaucoup plus intéressant pour une fille comme moi. Fille de commerçant, j'avais certes une dot confortable mais aucun nom. Si j'ai épousé Percy, c'est parce qu'il m'aimait désespérément.

— Moi aussi, je t'aimais ! protesta-t-il avec un sourire triste. Mais c'est quand même lui que tu as choisi.

Les yeux de nouveau embués, Constance lui adressa un sourire chancelant.

— Il est le seul à m'avoir fait sa demande… dit-elle tout bas. De toute façon, tu ne m'as jamais aimée, John. Pas réellement.

Stupéfait, John la dévisagea comme s'il ne parvenait pas à croire à ce qu'il venait d'entendre.

— Mais qu'est-ce que tu racontes? s'emporta-t-il. Tu ne sais donc pas à quel point j'ai été anéanti, cet automne-là, de rentrer à la maison après un voyage en Europe, pour découvrir que Percy m'avait remplacé dans ton cœur? J'étais à l'agonie le jour de votre mariage…

Sans se laisser troubler, Constance secoua la tête avec énergie.

— Ce n'est pas ton cœur, mais ta fierté qui était blessée. Tu ne m'as jamais aimée suffisamment pour que cela puisse nous conduire au mariage. Tu n'as jamais fait que flirter avec moi. Tu me charmais en te rappelant chacun de mes anniversaires, en m'offrant mes fleurs favorites, et en me disant des tas de choses gentilles. Tu me volais des baisers derrière les haies et me faisais rougir en me chuchotant des confidences torrides, mais tu n'as jamais fait ce que se résout à faire un homme quand il est vraiment amoureux.

— C'est-à-dire?

— Tu n'as jamais pris le risque de te couvrir de ridicule par amour pour moi.

John fronça les sourcils, s'efforçant de comprendre ce qu'elle voulait dire.

— Pourtant, reprit-il au bout d'un moment, je n'ai pas hésité à t'écrire quelques très mauvais poèmes. Cela ne compte pas, à tes yeux?

— Tu as fait ça? demanda-t-elle en ouvrant de grands yeux. Quand?

— Quand j'étais à Cambridge, avoua-t-il, penaud. Je ne te les ai jamais montrés.

— Tu vois! triompha-t-elle. C'est exactement ce que je cherche à te faire comprendre. Si tu t'étais décidé à me déclamer tes poèmes, ne serait-ce qu'une fois, tout aurait été possible entre nous. Car, en ce qui me concerne, j'étais folle de toi…

Cet aveu laissa John pantois.

— Tu… tu étais folle de moi? répéta-t-il, incrédule.

— Je l'étais. Mais je savais qu'il n'en allait pas de même pour toi. Tant et si bien que lorsque tu es parti pour ton voyage sur le Continent, je t'ai oublié.

— Dans les bras de Percy…

John pouvait dire ces mots sans la moindre amertume à présent. Tant d'années s'étaient écoulées…

— Il m'aimait, John.

— Je sais.

Par-dessus son épaule, il lança un coup d'œil à l'endroit de la muraille où se dissimulait la niche qu'il avait creusée avec son ami. Il revoyait encore la fureur noire qui avait déformé le visage de Percy le jour où il y avait découvert la chemise de nuit de Constance.

— Il t'a toujours aimée, reconnut-il. Comme je te le disais, tu as fait preuve de bon sens en le préférant à moi.

Constance partit d'un rire sans joie.

— Il ne m'a pas vraiment laissé le choix… Sa demande en mariage restera dans les annales. Il me l'a faite lors de la fête du 1er Mai, devant lord et lady Moncrieffe, les demoiselles Danson au grand complet, le vicaire et je ne sais combien d'autres témoins. En présence de tous ces gens, sur la place du village, il est tombé à genoux devant moi pour me jurer un amour éternel dans le langage le plus passionné qui soit. En conclusion, il a juré que si je ne l'épousais pas pour abréger ses souffrances, il se tuerait pour y mettre un terme lui-même.

John la dévisagea d'un œil dubitatif.

— C'est bien de notre Percy que tu parles?

— Lui-même. Notre raisonnable, calme et sensé Percy. Connaissant sa véritable nature, aucune femme n'aurait pu résister à une telle déclaration.

Bien que s'efforçant de s'imaginer son ami à genoux, en public, déclamant déclarations d'amour enflammées et menaces de suicide, John ne le put. Il lui était impossible de se représenter un tel tableau.

— Il m'a rendue heureuse, conclut-elle d'un ton rêveur. Tellement heureuse…

— Je le sais, Constance. Et j'en suis heureux pour vous.

C'était la stricte vérité, et John n'avait pas eu à se forcer pour prononcer ces mots.

— Il n'y a que vous deux à avoir compté pour moi, ajouta-t-il. Il n'y a également que vous deux pour qui j'ai compté…

— Vraiment? s'étonna-t-elle. Et ta femme?

La question avait été posée sans malice, mais l'atteignit cependant comme un poignard en plein cœur. Il n'avait pas envie de parler de Viola, surtout pas avec Constance, surtout pas en ce jour. Il ouvrit la bouche pour éluder le sujet d'une pirouette habile, mais rien ne lui vint à l'esprit.

Constance l'étudia sans rien dire pendant ce qui lui parut une éternité, puis posa une main compatissante sur son avant-bras.

— Si je devais avoir un seul vœu à formuler pour toi, dit-elle d'une voix douce, ce serait que Dieu bénisse votre union et vous rende heureux. Même ici, la rumeur…

— Ne vaut pas la peine d'être écoutée! l'interrompit-il brusquement. Tu ne dois pas prêter attention aux mauvaises langues. Elles déblatèrent sans arrêt pour ne rien dire. Il en est ainsi depuis que le monde est monde.

— Je ne peux m'empêcher de m'en faire pour toi.

— Inutile! lança-t-il un peu trop vivement. Je n'ai à me plaindre de rien.

Constance poussa un grand soupir et retira sa main.

— Ne pas avoir à se plaindre ne signifie pas pour autant être heureux, remarqua-t-elle. John… je sais que la réussite d'un mariage est la chose la plus difficile qui soit. Mais je sais également que rien ne peut apporter plus de joie.

Sa voix se brisa dans un sanglot.

— Oh, Seigneur! se lamenta-t-elle. Que vais-je devenir à présent que Percy n'est plus là? Et mon fils... mon fils adoré...

Elle enfouit son visage entre ses mains et fondit en larmes.

Cette fois, John ne fit rien pour l'empêcher de pleurer. Sachant qu'il n'y avait plus rien à dire, plus d'anecdote à raconter pour la faire rire, plus d'antidote à la douleur, pour elle comme pour lui, il demeura à son côté, silencieux et impuissant. Fermant les yeux, il posa la nuque contre la muraille de pierre et leva son visage vers le soleil. Résigné, il supporta les larmes de Constance parce qu'il ne pouvait faire autrement, chacun de ses sanglots fustigeant tel un fouet sa propre incapacité à extérioriser sa peine. Il lui enviait cette aptitude à laisser s'exprimer sa souffrance. C'était un exutoire qui lui était refusé.

À trente-cinq ans, il se rappelait parfaitement qu'il en avait sept la dernière fois qu'il avait pleuré. La scène s'était passée dans la nursery de Hammond Park. Stoïquement, il avait écouté sa nourrice lui annoncer la disparition de sa sœur Kate. C'était ensuite seulement que les larmes s'étaient mises à couler sur son visage.

Aujourd'hui, en écoutant les sanglots de Constance, il aurait aimé lui aussi pouvoir pleurer, se laisser choir à plat ventre sur le sol, enfouir son visage dans l'herbe fraîche, ressentir le soulagement de pouvoir enfin rager, brailler comme un bébé. Hélas, ses yeux demeuraient désespérément secs. Il avait une pierre dans l'estomac, et il aurait voulu pouvoir extirper son cœur de sa poitrine tant il lui faisait mal. Alors, en désespoir de cause, la mâchoire crispée, aussi inerte qu'une statue, il se contenta de poser ses mains de part et d'autre de ses hanches et d'enfouir profondément ses doigts dans la terre.

Ils demeurèrent ainsi tous deux plongés dans l'affliction de longues minutes, avant que Constance ne relève enfin la tête.

— Que va devenir Hammond Park, à l'avenir? s'enquit-elle en essuyant ses larmes du dos de la main. C'est

Bertram qui héritera des terres et du titre après toi, n'est-ce pas?

— Je ferai tout pour éviter cela, promit John en tirant un mouchoir de sa poche pour le lui tendre. Et si par malheur Bertie devient le prochain lord Hammond, il s'en mordra les doigts, car je jure de revenir le hanter jour et nuit après ma mort!

Tout en s'essuyant les yeux, Constance parvint presque à rire de cette perspective.

— Reste-t-il un petit espoir que toi et ta femme finissiez par vous réconcilier? demanda-t-elle timidement.

— C'est déjà fait, mentit-il. Viola et moi connaissons notre devoir. Tu vois que tu n'as pas à t'en faire pour Hammond Park. Tout va finir par s'arranger.

John était loin d'éprouver l'assurance qu'il manifestait. Il était bien placé pour le savoir, sa femme était plus sensible aux exigences de l'amour qu'à celles du devoir. Et envers lui, c'était un sentiment que Viola n'avait plus ressenti depuis très, très longtemps…

Un mois plus tard, John eut l'occasion de vérifier qu'il ne s'était pas trompé sur ce point. Il lui fallut ce délai pour aider Constance à mettre en ordre les affaires de Percy et attendre que l'épidémie de scarlatine retombe. Ceci fait et tout risque de contagion écarté, il put regagner Londres, où il retrouva son hôtel de Bloomsbury Square aussi vide qu'il l'avait laissé. Sans retard, il se rendit à Enderby, la villa de Chiswick près de Londres, où Viola habitait le plus gros de l'année. Les serviteurs lui indiquèrent qu'elle ne s'y trouvait plus depuis plusieurs semaines déjà, et qu'elle n'avait pris avec elle que quelques bagages, sa femme de chambre et un valet de pied. Ils furent incapables de lui dire où elle était passée, mais il avait sa petite idée à ce sujet.

Lorsqu'il se présenta à l'hôtel de duc de Tremore à Grosvenor Square, celle-ci se trouva confirmée. Il n'avait aucun mal à se représenter Viola débarquant avec armes et bagages au domicile de son frère pour demander asile et protection contre son calamiteux mari.

Tremore, quand il le rejoignit dans le petit salon où on l'avait fait patienter, se montra à son égard aussi glacial et hautain qu'à l'accoutumée. De toute sa ducale hauteur, il lui réserva le traitement auquel seuls avaient droit les serviteurs récalcitrants, les roturiers dépourvus de manières, et son indésirable beau-frère. Ce que le duc ignorait, c'est qu'il n'avait jamais été le moins du monde intimidé par ces simagrées.

Fort heureusement, Tremore ne se crut pas obligé de faire poliment la conversation et alla droit au but.

— Je présume que vous êtes venu voir ma sœur?

John lui rendit son regard noir.

— Pas du tout, répliqua-t-il tranquillement. Je suis venu récupérer *ma femme*.

Viola dévisagea son frère d'un air consterné et protesta :

— Alors, selon toi, Hammond est en droit de venir m'enlever chez toi sans que tu puisses t'y opposer...

Anthony soutint son regard sans lui répondre. Dans ses yeux noisette si semblables aux siens, Viola vit passer une série d'émotions qu'elle y avait souvent vues – une fureur noire contre Hammond, de la compassion pour elle, ainsi que le regret d'avoir consenti à l'origine à leur mariage. Mais cette fois, il s'y mêlait autre chose qui lui fit froid dans le dos : de la résignation à l'inévitable. Et, pour la première fois depuis neuf ans, elle sentit ces vœux qu'elle avait si imprudemment prononcés peser autour de son cou comme des chaînes.

— Comment pourrais-je le suivre? gémit-elle. Après ce qui s'est passé, comment pourrais-je de nouveau vivre à ses côtés comme son épouse?

Anthony s'absorba dans la contemplation de son verre de brandy et répondit d'une voix étranglée :

— Que cela te plaise ou non, tu *es* son épouse. Dieu sait que j'aimerais qu'il en soit autrement...

En désespoir de cause, Viola lança à sa belle-sœur un regard implorant qui l'incita à intervenir.

— Il n'y a donc rien que tu puisses faire? demanda Daphné à son mari. Tu es un duc, après tout, l'un des pairs les plus influents du royaume…

— Mon influence ne servirait à rien en l'occurrence… rétorqua Anthony, le visage sombre. Hammond a la loi de son côté, et même un duc ne peut faire fi de la loi.

Son verre à la main, il se leva de sa chaise et rejoignit sa sœur sur le sofa.

— Si je m'interpose entre Hammond et toi pour qu'il ne puisse arriver à ses fins, expliqua-t-il en la fixant droit dans les yeux, il est en droit d'engager une action contre moi à la Chambre des lords. Si tu tiens à ce que je m'oppose à ses prétentions sur toi, je le ferai. Mais tu dois savoir que je n'ai aucune chance de l'emporter.

Il était tentant de lui demander d'essayer malgré tout, mais Viola aimait trop son frère et sa belle-sœur pour risquer de faire rejaillir l'opprobre sur eux.

— Cela causerait un scandale énorme, n'est-ce pas?

— Oui. Et ce serait toi que l'on blâmerait, Viola, pas lui. Depuis son apparition au bal de lady Kettering, l'annonce de la mort de son cousin a fait le tour de Londres et les commérages vont bon train.

— Et que dit-on?

Son frère se renfrogna et s'abstint de répondre.

— Je vois… murmura-t-elle, submergée par l'injustice de tout cela. On applaudit Hammond de vouloir mettre au pas son épouse récalcitrante.

Sans confirmer ni démentir ses conclusions, Anthony lui tendit son verre.

— Tiens, dit-il doucement. Bois ceci. Tu as l'air d'en avoir plus besoin que moi.

Viola observa le liquide ambré qui avait l'exacte couleur des yeux de son mari et secoua négativement la tête.

— Je n'ai pas besoin de brandy, bougonna-t-elle. Ce dont j'ai besoin, c'est d'un divorce.

— Tu sais que c'est impossible.

— Je sais, je sais…

Elle se pencha en avant, les coudes posés sur les genoux et les mains jointes.

— Alors que vais-je bien pouvoir faire? murmura-t-elle comme une prière. Que vais-je pouvoir faire?

Anthony marmonna entre ses dents ce qui devait être un juron bien peu convenable dans la bouche d'un duc, et se dressa d'un bond sur ses jambes.

— Je descends lui parler! annonça-t-il résolument. Dieu sait à quel point Hammond s'est montré avide d'empocher mon argent en t'épousant. Peut-être parviendrai-je à le soudoyer pour te laisser en paix.

Lorsqu'il fut sorti, sa femme vint prendre sa place à côté de Viola, qui murmura d'un ton las en se couvrant le visage de ses mains:

— Oh, Daphné… Comme j'aimerais pouvoir revenir en arrière et tout recommencer. Quelle stupide gamine j'ai été!

Sa belle-sœur, confidente et amie fidèle entre toutes, posa un bras sur ses épaules.

— Ne sois pas injuste avec toi-même. Tu ne peux te reprocher d'avoir été stupide.

— Oh si, je l'ai été! déclara-t-elle avec véhémence. Anthony a bien essayé de me prévenir. Il m'a expliqué que Hammond était financièrement aux abois. Il me trouvait trop jeune pour le mariage et pensait qu'il valait mieux profiter un peu plus de ma jeunesse. Il m'a appris – dans les termes les plus délicats – la réputation de don Juan que John avait déjà à l'époque. Il suivait selon lui les traces de son père, un vaurien et un débauché. Moi, j'étais tellement amoureuse et déterminée à l'épouser que je n'ai rien voulu savoir. Anthony a fini par céder. Pourquoi ne l'ai-je pas écouté?

— Ma chère Viola… protesta Daphné en la serrant plus fort contre elle. Ne te punis pas plus que tu ne l'es déjà. Le passé est écrit, et il ne sert à rien de te torturer ainsi en ressassant ce qui ne peut être changé.

Viola se tourna vers elle et plongea le regard dans ses yeux couleur lavande emplis de sympathie, ces yeux qui avaient enchaîné le cœur de son frère trois ans auparavant. C'était elle qui avait donné un coup de pouce non négligeable à leur rapprochement, et elle s'était réjouie de les voir tomber si rapidement amoureux. Pourtant, il y avait des moments où elle ne pouvait s'empêcher d'envier sa belle-sœur. Susciter l'amour sincère et absolu d'un homme intègre et bon devait être une chose merveilleuse. Elle s'était imaginé autrefois avoir cette grâce. Combien elle s'était trompée…

Se forçant à sourire, elle se leva et suggéra :

— Tu ferais peut-être mieux d'aller vérifier qu'Anthony n'est pas en train de trucider Hammond. Tu sais à quel point ces deux-là ne s'aiment pas…

Daphné marqua un temps d'hésitation, comme si elle hésitait à la laisser seule, avant de hocher finalement la tête.

— Nous ne le laisserons pas t'imposer sa loi, conclut-elle en se levant. Nous le combattrons par tous les moyens à notre disposition, si c'est ce que tu désires.

Sa belle-sœur partie, Viola marcha jusqu'à la fenêtre. Dehors, en cet après-midi d'avril chaud et ensoleillé, il faisait un temps superbe. Baissant les yeux sur le square, elle aperçut la voiture de Hammond garée et se remémora un autre printemps, neuf ans plus tôt. Un nombre incalculable de fois, elle s'était tenue devant cette fenêtre, guettant l'apparition de l'homme qui lui faisait battre le cœur, avide et impatiente, effrayée et pleine d'espoir, désespérément amoureuse…

Dieu qu'il était pénible de se rappeler cette époque, de se souvenir dans quel état d'excitation elle voyait paraître l'attelage de lord Hammond, combien il lui était frustrant de devoir attendre que sa voix retentisse dans le hall, et comment il pouvait faire chavirer son cœur rien qu'en posant le regard sur elle.

— M'aimez-vous ? avait-elle un jour eu le cran de lui demander.

— Vous aimer? s'était-il récrié. Mais, très chère, je ne vous aime pas… je vous adore!

C'était un supplice pour elle de devoir reconnaître sa vulnérabilité d'alors et la dévotion aveugle qui l'avait poussée à remettre son cœur, son âme et son avenir entre les mains d'un homme qui n'en avait que faire.

Le front pressé contre la vitre, Viola ferma les yeux en revivant la douleur d'apprendre que ses serments d'amour n'avaient été que mensonges, qu'Anthony avait eu raison à son sujet depuis le début, et que c'était de son argent que John Hammond était tombé amoureux. Quand elle avait fini par le comprendre, il lui avait tourné le dos sans même chercher à s'expliquer ni à réparer les ravages que son infidélité avait causés. Il l'avait abandonnée sans autre forme de procès pour se précipiter dans les bras d'une autre, puis d'une autre encore, et ainsi de suite, jusqu'à ce qu'elle n'éprouve plus pour lui que mépris et hostilité.

Viola rouvrit les yeux et sentit, en regardant de nouveau l'attelage, enfler en elle une rage qu'elle pensait éteinte depuis longtemps. Une rage née de la trahison. *Le fieffé menteur!*

Pivotant sur ses talons, elle tourna résolument le dos au spectacle de la rue et aux souvenirs indésirables. Le temps avait fait son œuvre. Elle n'était plus une jeune fille naïve et sans expérience, elle ne l'aimait plus depuis longtemps, et elle ferait tout pour racheter ses erreurs d'autrefois.

Il devait y avoir un moyen de se tirer de ce guêpier, décida-t-elle. Et ce moyen, elle le découvrirait.

3

D'un naturel aimable et conciliant, John était rarement sujet à la colère. Mais, lorsqu'on le poussait à bout, qu'on le provoquait outre mesure, il pouvait en résulter des conséquences catastrophiques. La plupart du temps, il était facile pour lui de conserver sa bonne humeur, sachant qu'une remarque astucieuse suffisait parfois à apaiser les tensions. En de rares occasions, cependant, garder son sang-froid se révélait impossible – ce qui était souvent le cas en présence du frère de Viola.

— Mon cher duc, dit-il avec une jovialité délibérée, je suis très touché par le souci que vous avez de mes finances. Croyez que j'apprécie votre offre généreuse, mais elles se portent plutôt bien, ces temps-ci.

John vit un muscle tressaillir sur la mâchoire de son vis-à-vis et, puisqu'il venait de se voir offrir un pot-de-vin pour débarrasser le plancher, il éprouva une certaine satisfaction à constater le mécontentement de son beau-frère.

— Votre manque d'intérêt pour ma bourse m'étonne, Hammond. Elle vous fascinait beaucoup plus durant les jours qui ont précédé votre mariage avec ma sœur.

D'un geste de la main, John désigna le luxueux salon dans lequel ils se trouvaient.

— S'il m'est arrivé d'être fasciné par votre fortune, répondit-il d'un ton égal, qui pourrait m'en blâmer? Vous en faites vous-même un tel étalage…

— Hammond… fit une voix douce sur le seuil de la pièce.

Les deux hommes se retournèrent pour voir la duchesse entrer dans la pièce.

— Je vous remercie d'être venu nous saluer, reprit-elle avec un charmant sourire.

John n'était pas mécontent de cette diversion, mais il nota que son épouse ne se trouvait pas avec Daphné. À chaque difficulté rencontrée, Viola avait toujours couru demander l'aide de son frère, qui n'avait jamais manqué de la lui accorder. De toute évidence, il lui fallait s'attendre à une rude bataille. Tremore était un formidable adversaire, beaucoup plus riche et puissant qu'il ne l'était lui-même, et cette situation risquait de dégénérer en un pénible et inégal bras de fer. Sa femme savait à quel point il détestait ce genre de conflits. Mais si elle s'imaginait que la crainte d'en arriver là suffirait à le faire changer d'avis, elle se trompait.

John rejoignit la nouvelle venue et s'inclina devant elle pour un cérémonieux baisemain.

— Duchesse… dit-il. Quel plaisir de vous revoir! Mais il est vrai que vous voir est toujours un plaisir.

— J'ai été attristée d'apprendre le décès de votre cousin, répondit-elle gravement. Acceptez mes condoléances…

À ces mots, John se raidit. La plaie était encore fraîche. Il dut déglutir péniblement et marquer une pause avant de répondre de manière laconique :

— Merci.

Il n'avait eu l'occasion de rencontrer la duchesse de Tremore qu'à quelques reprises, mais elle lui avait tout de suite fait l'effet d'une femme perspicace et sensée. Sans doute dut-elle remarquer son trouble, car immédiatement elle orienta la conversation vers des sujets moins sensibles. Au grand soulagement de John, son époux ne s'y opposa pas.

Fort civilement, ils prirent place sur des chaises dorées couvertes de brocart et discutèrent du temps, des derniers événements de la saison londonienne, d'amis communs – notamment Dylan Moore, qui s'était marié l'automne précédent et dont la nouvelle symphonie devait être donnée sous peu. Mais, lorsqu'une demi-heure eut passé sans que Viola fasse mine de les rejoindre, la patience de John atteignit ses limites. Il se tourna d'un air gêné vers la duchesse :

— Pardonnez mon impatience, mais la vicomtesse et moi devons partir d'ici peu. Auriez-vous l'amabilité de demander à un de vos valets de descendre ses malles?

— Attendez-moi un instant, dit-elle. Je vais voir si Viola a préparé ses bagages.

La duchesse se leva, imitée par les deux hommes qui s'inclinèrent en la regardant sortir. Après son départ, ils se cantonnèrent aux deux extrémités opposées de la pièce, comme pour mettre entre eux le maximum de distance possible. Ils ne se rassirent ni l'un ni l'autre et patientèrent dans un silence hostile. La tension était presque palpable, aussi insupportable que ces atmosphères surchauffées qui transforment en antichambre de l'enfer un tranquille après-midi du mois d'août juste avant l'orage.

Pour passer le temps, John laissa errer son regard sur le décor environnant. Neuf ans s'étaient écoulés depuis qu'il avait été reçu dans cette pièce, mais les mêmes lambrequins de soie pourpre couronnaient les lourds rideaux. Comme dans son souvenir, les stucs et moulures complexes et dorés tranchaient sur les murs blancs. Les tapisseries vertes et bleues n'avaient pas changé elles non plus, ni sur le sol le tapis Axminster azur, bordeaux et vieil or. Tremore était un homme de tradition. Tout changement devait lui être insupportable. John éprouvait la curieuse sensation d'avoir fait un saut en arrière dans le temps.

Pour se donner une contenance, il se campa devant l'une des hautes et étroites fenêtres qui dominaient Grosvenor Square. Les bras croisés derrière le dos, il observa le parc ovale où poussaient de grands ormes et de vertes pelouses entretenues avec soin. Sur la chaussée pavée qui le ceinturait, circulaient les voitures luxueuses des membres les plus éminents du Tout-Londres, regagnant leur domicile au terme d'un après-midi de visites et de mondanités. À cela, sans avoir besoin de consulter sa montre, il savait qu'il devait être environ six heures.

Son propre landau, décapoté en raison de la clémence printanière, se trouvait garé devant l'hôtel particulier des Tremore, aussi imposant que tous ceux qu'il avait vus passer. Cela n'avait pas toujours été le cas. La dernière fois qu'il avait jeté un œil par cette fenêtre, son équipage avait été bien moins fringant et les circonstances de sa visite toutes différentes…

Pourtant, à tant d'années de distance, il se rappelait parfaitement le jeune homme qu'il avait été alors. Un homme qui venait d'hériter non seulement du titre et des domaines de son père, mais aussi et surtout de ses énormes dettes. Un homme écrasé par tous les besoins et devoirs d'un pair du royaume, et dépourvu de la moindre ressource pour y faire face.

Avant la mort de son père, John avait été semblable à la plupart des gentilshommes de ses relations – insouciant, idiot, et complètement irresponsable. Chaque shilling de sa rente, il l'avait dépensé sans se soucier d'en connaître l'origine, sans savoir que les fonds que son père lui faisait parvenir sortaient des coffres d'un usurier.

Le front collé contre la vitre fraîche, il se revit, neuf ans plus tôt, à peine remis du choc d'avoir découvert qu'être vicomte implique des responsabilités que son père avait scandaleusement ignorées. Dans l'héritage qu'il lui avait légué, il avait eu la surprise de trouver des créanciers attendant d'être remboursés, des terres marécageuses mal drainées où la typhoïde faisait des ravages parmi les fermiers, des animaux faméliques attendant d'être nourris, des serviteurs désespérant de toucher un jour les mois de gages qui leur étaient dus. Dans le regard de tous ces gens à qui il était redevable, John avait compris qu'ils ne se faisaient pas d'illusions à son sujet, estimant que le nouveau lord ne vaudrait pas mieux que son prédécesseur.

Jamais il n'oublierait le désespoir qui s'était alors emparé de lui – le désespoir d'avoir à assumer de si lourdes responsabilités sans avoir aucun moyen pour le faire.

Aucun moyen sauf un.

Un bruit de pas s'approchant derrière la porte le fit se détourner de la fenêtre. Un instant plus tard, il vit Viola pénétrer dans le salon et se figer sur le seuil. Les derniers rayons du soleil pénétrant dans la pièce illuminèrent ses cheveux relevés et son visage, réveillant dans la mémoire de John d'autres souvenirs de ce lointain printemps où ils s'étaient connus. L'étrange impression d'être revenu dans le passé se fortifia en lui, car Viola était aujourd'hui aussi radieusement belle qu'elle l'avait été à l'époque. Il n'était pas étonnant que les prétendants se fussent pressés à sa porte, au cours de cette saison qui devait changer leur destin à tous deux. Le passage du temps n'avait apporté qu'un infime mais significatif changement dans son apparence. Le visage de la jeune fille qu'il avait connue s'illuminait à chaque fois qu'elle se trouvait en sa présence. Celui de la femme qui lui faisait face, tout au contraire, se renfrognait. Sans doute, songea-t-il, était-ce de sa faute autant que de la sienne.

À peine entrée dans la pièce, Viola se tourna vers son frère :

— Anthony, j'aimerais parler à Hammond seule à seul, si tu le veux bien.

— Certainement.

Sans un regard pour John, le duc sortit du salon à grands pas. Viola ferma soigneusement la porte derrière lui et ne perdit pas de temps en préliminaires.

— Il est hors de question que je vous suive.

John comprit qu'il devait se résoudre à la bataille qu'il redoutait, et dont les hostilités venaient d'être déclenchées.

— Dans ce cas, répondit-il plaisamment, il est heureux pour moi que je vous domine d'une bonne tête.

— Vous avez l'intention de m'emmener de force ?

Elle avait prononcé ces paroles avec un profond mépris, ce qui n'était pas pour le surprendre, puisqu'elle ne lui témoignait plus depuis longtemps qu'un dédain suprême.

— Vous accompliriez réellement un acte aussi barbare? insista-t-elle.

— Sans la moindre hésitation.

— Faut-il donc que les hommes n'aient d'autre recours que la force quand tout le reste a échoué?

— Il est vrai que cela s'avère bien pratique, de temps à autre...

— Anthony ne vous laisserait jamais m'emmener contre mon gré.

— C'est possible. Mais s'il s'y risque, je n'aurai d'autre choix que de déposer une requête à la Chambre des lords pour que ma femme regagne le domicile conjugal. Tremore ne pourra s'y opposer et devra vous rendre à moi. Mais je suppose qu'il a déjà dû vous l'expliquer?

Sans lui répondre, Viola pointa fièrement le menton et lança :

— Je pourrais m'adresser à la Chambre des lords, moi aussi! Pour obtenir un divorce...

— Vous n'auriez aucune chance d'obtenir gain de cause, répondit John avec assurance. De plus, au terme d'un affreux scandale, votre réputation serait ruinée et la honte finirait par rejaillir inévitablement sur la famille de votre frère. La consanguinité et l'impuissance sont les seuls motifs qu'une femme puisse invoquer pour réclamer un divorce. Or, ni l'une ni l'autre ne nous concernent. Nous ne sommes en aucune façon apparentés, et vous ne parviendrez jamais à accréditer le second motif.

— Avec votre réputation, reconnut-elle avec dépit, cela me serait bien difficile en effet... Quelle injustice! Si j'avais eu ne serait-ce qu'un amant, vous pourriez dénoncer mon adultère et réclamer le divorce, alors qu'il m'est impossible d'invoquer le même motif contre vous qui avez eu de notoriété publique de si nombreuses maîtresses!

— Vous savez parfaitement pourquoi il en est ainsi. Un homme a besoin de savoir que son héritier est bien de son sang. Les femmes ne peuvent avoir ce genre d'incertitude.

Une main posée sur la hanche, elle le rejoignit et se campa devant lui en une pose pleine de défi.

— Dans ce cas, je devrais peut-être suivre votre exemple et multiplier les aventures. Demanderiez-vous le divorce si je prenais un amant?

John eut beau s'y efforcer, il ne put feindre de trouver cette éventualité amusante. Les yeux plissés, il soutint son regard et lâcha dans un souffle:

— À votre place, je ne m'y risquerais pas.

Viola haussa l'arc élégant d'un de ses sourcils.

— Inquiet, Hammond?

— Inquiet pour vous! Vous vous exposeriez à la condamnation générale en prenant un amant sans m'avoir donné d'héritier. Votre vie deviendrait impossible, toute sœur de duc que vous êtes.

— Je suis déjà critiquée pour n'avoir pas rempli mon devoir d'épouse en vous donnant le fils qui vous manque. Un peu plus d'opprobre n'est pas pour m'effrayer…

— «Il n'est de pire furie en enfer…», dit-il. C'est bien cela?

— «… que femme bafouée sur terre», répliqua-t-elle pour compléter la citation de William Congreve. Au moins, vous admettez votre culpabilité…

Comme s'il lui était devenu intolérable de rester si près de lui, elle le contourna et s'éloigna de quelques pas.

— Et si pour une fois nous parlions plutôt de la vôtre! s'emporta-t-il en pivotant sur ses talons pour lui faire face. Un homme aussi peut être bafoué, Viola!

Elle se figea au milieu du salon et il la vit carrer ses épaules, comme pour se préparer au combat. Dans son profil altier se reflétait tout le considérable orgueil féminin qu'elle possédait. Il se lisait dans l'inclinaison de son menton comme dans la crispation nerveuse de ses mâchoires. John le savait, jamais elle n'admettrait que c'était elle qui s'était détournée la première, elle qui avait jeté l'éponge avant lui, elle qui avait prononcé les premières paroles aigres qui devaient les conduire là où ils en étaient aujourd'hui.

Mais alors que ces certitudes lui traversaient l'esprit, alors qu'elles l'emplissaient d'une colère justifiée, John sut que plus rien de tout cela n'importait à présent. Il n'avait plus besoin d'avoir raison ou de lui donner tort. Il n'avait besoin que d'une trêve, suffisamment longue pour qu'un fils puisse naître de leur malheureuse union.

S'approchant doucement derrière elle, il lui posa les mains sur les avant-bras. Ce contact la fit sursauter, mais il resserra l'emprise de ses doigts pour l'empêcher de lui échapper. À travers la soie vert mousse de sa robe, sa chair semblait aussi dure que la pierre.

— Le divorce n'est pas une solution, Viola... dit-il aussi gentiment qu'il le put. Il ne sert donc à rien de l'évoquer. En outre, jamais je ne me résoudrai à une telle extrémité. Et je sais qu'il en va de même pour vous.

— Vous me paraissez bien certain de ce que je peux vouloir ou non...

— En l'occurrence, oui. L'amour que vous portez à votre frère est plus fort que votre acrimonie à mon égard. Jamais vous ne prendrez le risque de faire rejaillir une telle honte sur lui, sa femme ou son fils.

— Je pourrais toujours demander une séparation légale. Après tout, nous sommes déjà séparés depuis des années. Il ne s'agirait donc que d'entériner une situation de fait.

Viola commençait à être à court d'arguments. C'était perceptible dans le ton désespéré que prenait peu à peu sa voix.

— Jamais je ne consentirai à une telle séparation, déclara John d'un ton sans réplique. Et sans mon consentement, il n'y a aucune chance qu'elle puisse être entérinée par la Chambre. Les pairs du royaume sont quasiment tous des hommes mariés, qui pour rien au monde n'offriraient à leur femme une jurisprudence qui pourrait se retourner contre eux.

— Les hommes! fulmina-t-elle en se libérant de son emprise pour lui faire face. Vous exercez un contrôle total sur nos existences grâce aux lois que vous édictez, dont celle qui impose que seuls les hommes écrivent les lois! La vie ne pourrait être plus commode pour ceux de votre sexe.

— C'est exact... reconnut-il froidement. Nous autres hommes aimons mener nos vies comme nous l'entendons.

— Anthony siège à la Chambre, lui aussi... Il en est même l'un des membres les plus influents. Il se battra pour moi.

Cela fit sourire John, qui secoua la tête d'un air désolé.

— Le duc de Tremore lui-même n'est pas assez puissant pour réformer le régime matrimonial de ce pays. Je ne doute pas qu'il irait chercher la tête du diable en enfer si vous le lui demandiez mais, en ce qui nous concerne, il sera contraint tôt ou tard de se rendre à l'évidence : vous êtes ma femme et le demeurerez.

Viola secoua la tête et recula de quelques pas.

— Je m'enfuirai! lâcha-t-elle dans un souffle. J'irai chercher asile sur le Continent.

Une telle éventualité n'était pas sans le surprendre, ni l'inquiéter. C'était une parade qu'il n'avait pas envisagée et qui avait quelques chances de succès. Tremore pouvait fournir à sa sœur les fonds nécessaires pour vivre où elle voudrait, le temps qu'elle voudrait. Il en serait alors réduit à courir le monde à sa recherche. Des années – voire des décennies – pouvaient s'écouler ainsi. Elle pouvait faire en sorte de lui échapper jusqu'à n'être plus en âge de lui donner cet héritier dont il avait besoin pour écarter la menace que faisait peser sur son titre son cousin Bertram.

Mais, à cette minute, John ne pouvait se permettre de trahir son inquiétude. Impulsive et déterminée comme elle l'était, sa femme se serait mise en route pour la France dans l'heure qui suivait, si elle avait deviné à quel point sa menace avait fait mouche.

— Je finirai toujours par vous retrouver, lâcha-t-il avec une assurance feinte. Et je n'imagine pas un instant que vous puissiez vous résoudre à vous cacher ainsi. Cela ne vous ressemble pas. La femme que j'ai épousée n'avait pas la lâcheté pour défaut.

À en juger par le regard noir qu'elle lui lança, cette pique fit mouche.

— Quoi que vous en pensiez, répliqua-t-elle, placer la Manche entre nous ne serait pas pour me déplaire.

— Même au risque d'avoir à mener une vie recluse et solitaire? Pour m'échapper, vous accepteriez de vous terrer dans quelque coin reculé, de changer de nom, d'adopter une nouvelle identité? Vous connaissant telle que je vous connais, cela vous arracherait le cœur et vous tuerait à petit feu. Je n'imagine pas une seconde que vous puissiez vivre si isolée, sans vos amis, sans Anthony, sans Daphné, et sans voir votre neveu grandir…

Tout en parlant, il avait vu le visage de Viola pâlir et ses épaules peu à peu s'affaisser. Il sut que tout risque de la voir s'enfuir était écarté en l'entendant gémir d'une voix faible:

— Je suis cernée par les écueils…

Loin de le réjouir, un tel constat lui serra le cœur. Soudain, elle lui parut triste et désemparée.

— Viola… murmura-t-il en s'approchant. Par votre attitude, vous rendez cette situation bien plus pénible qu'elle ne devrait l'être.

— Vous croyez! protesta-t-elle en redressant la tête dans un sursaut de colère. Vous vous attendiez sans doute à ce que je vous facilite la tâche? Vous espériez peut-être qu'à votre ordre je m'allongerais pour remplir passivement mon devoir envers mon seigneur et maître, comme le font tant d'autres épouses?

John partit d'un rire caustique.

— Vous? railla-t-il. Autant attendre que la colère divine me foudroie sur place, les chances en sont plus grandes!

À son expression outragée, il devina qu'elle ne goûtait pas son humour et s'efforça de reprendre son sérieux.

— Premièrement, argumenta-t-il en comptant sur ses doigts, puisque vous ne vous êtes jamais montrée passive lorsque nous faisions l'amour, je peine à imaginer que vous puissiez le faire à présent. Deuxièmement, je suis sûr que vous finirez par prendre en considération le fait que devoir mettre au monde un enfant va de pair avec le plaisir qu'on en retire. Vous vous rappelez?

John eut la satisfaction de la voir rougir. Apparemment, huit années d'éloignement n'avaient pas suffi à effacer de sa mémoire les souvenirs torrides de leurs ébats, ce qu'il choisit d'interpréter comme un signe encourageant.

— La situation, conclut-il, sera ce que vous en ferez. À vous de voir si vous préférez compliquer les choses… ou les faciliter.

Remise de son accès de découragement, Viola redressa les épaules et darda sur lui un regard d'une extrême dureté. Derrière la belle couleur d'un vert-brun de mousse de ses yeux, il vit luire un éclat qu'il connaissait bien et qui n'était autre que le reflet de la volonté de fer des Tremore.

— Et si je choisis de vous compliquer la tâche? le défia-t-elle. Si je refuse d'accomplir mon devoir conjugal? Que ferez-vous, Hammond? Me jetterez-vous sur un lit pour me trousser et me forcer comme une servante?

John réprima un soupir. Pourquoi fallait-il que, de toutes les femmes sur terre, il eût épousé la plus têtue et la plus inflexible?

— De toute mon existence, répondit-il tranquillement, je n'ai jamais forcé une femme. Vous devriez le savoir mieux que quiconque. À plus d'une reprise, j'aurais été en droit d'enfoncer la porte que vous aviez dressée entre nous.

— Pourquoi ne l'avez-vous pas fait?

— Je n'en sais fichtre rien, bougonna-t-il en détournant les yeux. Peut-être parce que vous aviez pris l'habitude d'éclater en sanglots chaque fois que je vous touchais.

— Découvrir que mon mari me mentait était une raison suffisante pour pleurer, ne trouvez-vous pas?

— À moins, enchaîna-t-il, que je n'aie été découragé de vous voir me jeter d'injustes accusations à la figure chaque fois que je tentais de vous embrasser. Ou que je me sois lassé de me faire marteler la poitrine de vos poings chaque fois que j'essayais de vous prendre dans mes bras. Pardonnez-moi, mais être traité comme un malotru dès que j'avais l'intention de toucher ma propre femme a fini par me gâcher tout le plaisir que j'avais à le faire.

— Vous ne m'avez jamais aimée. À votre avis, qu'ai-je ressenti quand je l'ai découvert?

Seigneur! soupira John en son for intérieur. Allaient-ils donc encore devoir achopper au chapitre des sentiments? Sachant qu'il ne pourrait être vainqueur sur ce terrain – il ne l'avait jamais été par le passé – il croisa les bras et se cantonna dans un silence prudent, laissant Viola poursuivre sur sa lancée :

— Comment pensez-vous que j'ai réagi lorsque j'ai appris que vous entreteniez une maîtresse avant même notre mariage? Tout le temps que vous me faisiez la cour, quand vous m'embrassiez, quand vous me caressiez, quand vous disiez que vous m'aimiez, vous…

Sa voix se brisa dans un sanglot de rage. Ses poings se serrèrent. Elle dut se reprendre pour conclure :

— Jusqu'au jour de nos noces, vous rejoigniez Elsie Gallant dans son lit. Même après notre mariage…

— Certainement pas! l'interrompit-il avec véhémence. Pas après notre mariage!

Il lui avait déjà expliqué l'histoire de ce collier et du contrat qu'il avait dû racheter à Elsie. Plus d'une fois. Cela n'avait jamais servi à rien. Les dents serrées, il décida qu'il ne s'abaisserait pas à tenter de se justifier une fois de plus.

— Depuis, reprit Viola toujours aussi déchaînée, cinq maîtresses vous sont passées entre les bras, Hammond! Sans compter toutes celles dont je n'ai jamais entendu parler.

À ses yeux, John n'avait pas à justifier sa conduite après avoir été jeté hors du lit conjugal.

— Je constate que vous vous êtes tenue informée…

— Difficile de faire autrement alors que les gazettes et les colporteurs de ragots ne cessaient de m'apporter les échos de vos frasques dans les détails! Je me suis un jour retrouvée face à lady Darwin, à devoir prendre le thé avec elle et feindre les bonnes manières, sachant que le soir même vous vous retrouveriez entre ses draps! Quand ce fut le tour de lady Pomeroy, combien de fois ai-je dû endurer, lors de nos parties de whist, ses sourires entendus et ses insinuations sournoises quant à vos prouesses viriles…

— Viola…

— Au théâtre, enchaîna-t-elle d'une voix que la colère faisait trembler, j'ai dû ravaler mon humiliation d'entendre chanter les louanges de Jane Morrow, qui n'avait selon ses admirateurs nul besoin d'être bonne actrice pour être d'une beauté stupéfiante et pour faire une charmante hôtesse. À plus d'un récital, j'ai dû supporter d'entendre vanter les talents de chanteuse de Maria Allen et les apartés grave-leux sur le charmant couplet qu'elle devait vous chanter au lit, jusqu'à ce que son mari vous tire dessus pour vous le faire payer. Au moins a-t-il pu se faire vengeance, lui! Quant à Emma Rawlins, elle est la reine de cette saison, celle dont la beauté, les talents et les performances amou-reuses ne cessent de me revenir aux oreilles depuis que j'ai regagné Londres…

— J'ai quitté Emma Rawlins et ne l'ai plus revue depuis trois mois, précisa John d'un ton égal. Votre chronique des potins mondains date un peu.

Ébranlée par son calme olympien, Viola le considéra comme si elle le découvrait pour la première fois, avant de lâcher d'un ton méprisant:

— Vous vous contrefichez des souffrances que j'ai dû endurer par votre faute, n'est-ce pas?

Lassé d'être considéré comme un vaurien pour avoir été chercher ailleurs les satisfactions légitimes et naturelles qu'elle lui refusait, John lâcha la bride à sa propre colère.

— Je n'ai été chercher mon plaisir où je pouvais le trou-ver que lorsque vous m'avez interdit votre chambre. Pour l'amour de Dieu, je suis un homme! Qu'aurais-je dû faire, selon vous? Ramper jusqu'à votre lit en suppliant votre pardon? Mener la vie d'un moine ou d'un ermite durant huit ans? Porter la robe de bure et me flageller jour après jour pour avoir fait ce que j'avais à faire?

— Ce que vous aviez à faire? répéta-t-elle avec dédain. M'épouser pour mon argent, c'est donc cela que vous aviez à faire?

— Oui! s'écria-t-il, poussé à bout. Oui, j'ai épousé une femme richement dotée pour sauver mes domaines de la ruine! J'ai fait ce que je considérais être un mariage sensé avec une femme que j'aimais et que je désirais. Ce n'est que lorsqu'elle s'est refusée à moi, quand elle a essayé de me manipuler, de me culpabiliser avec ses larmes, que je suis allé chercher ailleurs la satisfaction de désirs naturels. N'importe quel homme aurait fait de même!

— C'est sans doute idiot de ma part, mais il m'est arrivé de penser autrefois que vous valiez mieux que n'importe quel homme.

— Je le sais, Viola. Je le sais…

Découragé, John dévisagea la femme qui le toisait avec dégoût. Dans son esprit vivait encore la jeune fille adorable dont les cheveux d'or brillaient au soleil et dont le visage rayonnait chaque fois qu'elle le voyait. La jeune fille qui l'avait regardé avec toute l'adoration du monde dans les yeux, et qui l'avait placé sur un piédestal dont elle lui en voulait à présent d'être tombé. Car plus encore que de l'avoir trahie, il le comprenait à présent, Viola le haïssait pour avoir cessé d'être à ses yeux le héros dont elle rêvait. À sa grande déception, il s'était révélé l'homme le plus ordinaire qui soit.

Douchée par cette découverte, sa subite colère s'éteignit aussi vite qu'elle était née. Ce fut d'une voix brisée qu'il demanda :

— Que voulez-vous que je vous dise, Viola?

— Rien du tout. Je veux juste que vous partiez et que vous me laissiez en paix. Bertram a deux fils. Laissez-le hériter de la vicomté.

— Je ne peux pas. Je ne le veux pas.

— Dans ce cas, nous voilà revenus à notre point de départ.

Oui, songea John avec abattement. C'était exactement le cas, et il était fatigué d'être une fois de plus ramené à cette évidence têtue, fatigué de ces discussions sans fin, de ces accusations réciproques, de ces silences hostiles, de ces lits séparés, de tout ce qui depuis huit ans les dressait l'un contre l'autre. Raffermi dans sa résolution, il croisa les bras derrière le dos et prit soin de la fixer droit dans les yeux avant de décréter :

— Nous avons mis un terme à notre vie commune il y a huit ans de cela, et les circonstances nous obligent à présent à la reprendre. Le seul point ouvert à la discussion est le lieu qui nous servira de domicile conjugal. Enderby est à huit miles de Londres, ce qui se révèle peu pratique, mais mon domicile londonien est équipé pour répondre aux besoins d'un célibataire et se révélera sans doute aux yeux d'une femme un peu spartiate. Aussi…

— Je ne sais même plus qui vous êtes ! objecta-t-elle, secouant la tête en l'observant avec horreur. En fait, je crois même ne l'avoir jamais su… Je ne peux plus vivre à vos côtés et redevenir votre femme après tout ce qui s'est passé entre nous.

— Rien ne s'est passé entre nous ces dernières années, rétorqua-t-il amèrement. C'est bien là le problème.

— Et vous espérez réellement mon aide pour réparer cela ?

John soutint un instant son regard empli d'une colère froide avant de lui répondre sereinement :

— Je ne l'espère pas, Viola. Je l'exige. Demain, nous serons dimanche. Je vous laisse ce délai de grâce. Faites préparer vos malles pour lundi. Je viendrai vous chercher à deux heures.

Sur ce, il pivota sur ses talons et marcha jusqu'à la porte. Viola ne lui laissa pas le temps d'y parvenir.

— Ne comprenez-vous pas que c'est sans espoir entre nous ? l'interpella-t-elle. Ne vous rappelez-vous pas ce qu'était notre vie de couple? Un enfer, pour vous comme pour moi!

— Vraiment?

Lentement, John s'était retourné pour lui faire face. Les moments de leur vie commune qui lui venaient à l'esprit n'étaient pas ceux des dernières années, lorsqu'ils ne passaient ensemble que quelques semaines par an pour sauvegarder les apparences. De cette époque, au cours de laquelle ils ne se parlaient plus et se voyaient à peine, il n'aimait pas se souvenir.

La période de leur relation qu'il évoquait aujourd'hui était celle des premières semaines de leur mariage. À cette époque, ils s'étaient accrochés et disputés à de nombreuses reprises, comme la plupart des couples nouvellement mariés – et même un peu plus, sans doute, étant l'un et l'autre fermes dans leurs opinions et d'un caractère entier. À ses yeux, cependant, leur vie n'était pas devenue un enfer avant qu'elle ne décide de lui interdire son lit.

John laissa son regard glisser le long de la silhouette longiligne de Viola, incapable d'évoquer d'autres souvenirs que les plus anciens et les plus délectables. Le corps de sa femme, tout en courbes douces et gracieuses, tellement plus menu que le sien, était toujours d'une délicatesse exquise. Elle avait beau l'enfouir sous des monceaux de soie et de mousseline, il en gardait un souvenir des plus vivaces. Huit années s'étaient certes écoulées depuis qu'il l'avait vue nue, mais il est certaines choses qui ne s'effacent jamais de la mémoire d'un homme.

Avec précision, il se rappelait la forme parfaite de ses seins, l'émouvant évasement de ses hanches, l'échancrure du nombril. Il gardait en lui l'écho de ses rires, l'empreinte de son sourire, ses petits cris d'extase. Il n'avait pas oublié les endroits de son anatomie qu'il aimait embrasser pour la faire fondre de plaisir – la base de sa nuque, la pliure de ses genoux, la marque de naissance en forme de violon au sommet de ses cuisses. L'évocation de ces mille et un détails suffisait aujourd'hui encore à attiser dans son ventre une faim de loup.

— Ce n'était pas l'enfer tous les jours... murmura-t-il enfin d'une voix rêveuse. Si je me rappelle bien, il y eut même entre nous de temps à autre quelques moments de grâce véritablement paradisiaques...

Avant qu'elle ait eu le temps d'objecter quoi que ce soit, John reprit ses esprits et répéta en ouvrant la porte :

— Lundi, Viola. Deux heures. Réfléchissez d'ici là à l'endroit où vous désirez vivre jusqu'à la fin de la saison : Enderby ou Bloomsbury Square.

— Ni l'un ni l'autre ! parvint-elle à crier avant qu'il ne referme la porte derrière lui. Jamais, vous m'entendez ? Jamais !

4

Viola contempla la porte qui venait de se refermer derrière son mari, furieuse et incapable d'en croire ses oreilles. Des moments paradisiaques, avait-il dit? Après l'avoir si ouvertement trompée? Après l'avoir tellement fait souffrir? Seul John pouvait dire une chose pareille, avec cette lueur gourmande dans les yeux et ce demi-sourire coquin sur les lèvres.

Des moments paradisiaques... Évoquant mentalement le long cortège de ses maîtresses, Viola grinça des dents et abattit son poing dans la paume de sa main. Paradisiaques, ces moments ne l'avaient été que pour lui car, depuis la conclusion de leur lamentable mariage, il avait bien été le seul à prendre du bon temps...

Même le fait de lui faire la cour ne l'avait pas empêché d'aller prendre son plaisir ailleurs. Alors qu'elle savourait précieusement chaque moment qu'ils passaient ensemble, s'émerveillant naïvement du bonheur d'être amoureuse, guettant les bals et réceptions qui leur permettaient de se retrouver, il n'avait pas déserté le lit d'Elsie pour autant.

Viola se rappelait la peine qu'elle avait ressentie le jour où sa duplicité avait fini par lui parvenir aux oreilles. Figée sur place, elle contemplait à présent les murs blancs du salon d'Anthony, mais c'était dans un tout autre décor qu'elle évoluait dans son souvenir. Autour d'elle, les murs bleu pâle du boudoir de lady Chetney, dans sa demeure de campagne du Northumberland, où elle s'était retirée un instant. À l'approche de Noël, une agréable odeur de vin chaud flottait dans l'air. Un air de valse lui parvenait de la salle de bal attenante, mais pas assez fort pour masquer les bruits de voix excitées des filles de lady Chetney et de leurs amies.

— Quel dommage que Hammond soit retenu à Londres ce soir… Nous manquons de partenaires, et il danse divinement bien!

— Ça, tu peux le dire! Mais, à l'heure qu'il est, nul doute qu'il doit conduire une valse d'un tout autre genre dans le lit d'Elsie Gallant. N'est-elle pas danseuse, après tout?

— Voulez-vous bien vous taire, bande de commères! Tout le monde sait qu'il a rompu avec cette femme quand il a épousé lady Viola.

— Seules les sottes peuvent croire une chose pareille! Il la voit toujours lorsqu'il se rend à Londres. D'après ce que j'ai entendu dire, il lui aurait même offert un splendide collier de saphirs, il y a quelques mois de cela.

— On peut dire que la dot de sa femme tombait à pic pour payer à sa maîtresse un tel joyau. Car c'est bien à elle – la pauvre! – qu'il doit de pouvoir mener aujourd'hui si grand train…

Tout d'abord, naturellement, Viola n'avait pas voulu y croire, plaçant ces propos sur le compte d'un commérage malveillant. À son corps défendant, la graine du soupçon avait cependant été plantée dans son esprit. Peut-être, si elle n'était pas allée feuilleter le livre de comptes du régisseur de John, les choses en seraient-elles restées là. Mais elle l'avait fait, découvrant sans peine dans le registre la mention d'un collier de saphirs et diamants, et toute l'inconséquence de son jeune cœur crédule et trop confiant lui était alors apparue clairement. C'était ce jour-là que la jeune fille naïve qu'elle avait été jusqu'alors avait grandi et compris à quel point une femme peut être dupe d'un homme.

— *M'aimez-vous?*

— *Vous aimer? Mais, très chère, je ne vous aime pas… je vous adore!*

À son retour de Londres, John s'était efforcé de lui expliquer toute l'affaire pour éclaircir ce qu'il appelait un malentendu. Oui, Elsie avait bien été sa maîtresse, mais il avait mis fin à leur liaison avant leur mariage. Oui, il lui avait offert un collier au mois de septembre, en guise de cadeau d'adieu et afin de la dédommager de la rupture du contrat qui les liait. Il lui avait juré ses grands dieux qu'il avait signé ce contrat bien avant de faire sa connaissance. Il avait nié sans sourciller avoir eu le moindre contact avec son ex-maîtresse depuis le jour de leurs noces. Mais si elle avait pu y croire, cela n'aurait pas suffi à Viola pour lui accorder son pardon, car il n'avait pas nié avoir eu des relations avec cette femme jusqu'au jour de leur mariage.

Même aujourd'hui, alors que neuf années avaient passé, il demeurait douloureux pour elle de songer à la duplicité dont il avait fait preuve à son égard durant leurs fiançailles. Sans vergogne, il lui avait dit et répété à quel point il l'aimait, combien il l'adorait et la désirait, sans jamais cesser pour autant de rejoindre sa maîtresse dans son lit. Démuni de fonds comme il l'était, il avait tout de même trouvé le moyen de lui régler ce qu'il lui devait. Un homme doit savoir où se trouvent ses priorités, n'est-ce pas?

Les larmes de Viola avaient été accueillies par son mari avec une totale incompréhension. À ses récriminations, il avait opposé son humour mordant. La porte close de sa chambre n'avait pas suffi non plus à lui faire réaliser son erreur. Il n'y avait eu de sa part aucun aveu de culpabilité, aucune excuse. Feignant l'indifférence, il avait attendu durant un mois qu'elle se radoucisse. Et quand il avait constaté que sa colère ne passait pas, il lui avait tourné le dos, purement et simplement.

Les poings de Viola se crispèrent. Elle avait su, naturellement, que la plupart des hommes entretiennent des maîtresses mais, jusqu'à Elsie Gallant, elle n'avait pas réalisé qu'il leur était possible de courtiser une femme tout en couchant avec une autre. Elle ignorait également que ce type de relation devait faire l'objet d'un contrat, et que devoir de l'argent à une maîtresse était une dette, aussi contraignante que toute autre dette, qu'un homme se devait d'honorer, même lorsqu'il rompait pour se marier. Mais plus que tout encore, elle avait ignoré, jusqu'à la découverte de l'existence d'Elsie, la souffrance qu'infligent une peine de cœur et la morsure de la jalousie.

Grâce à John Hammond, elle n'ignorait dorénavant plus rien de tout cela, même si – Dieu merci! – elle avait cessé d'en souffrir. Elle avait mis très longtemps à empêcher son imagination de se représenter Elsie dans les bras de son mari. Et, lorsqu'elle y était parvenue, cela n'avait été que pour devoir recommencer avec une autre femme; et après elle, une autre encore… Il lui avait fallu de nombreuses années pour que son cœur, blindé dans sa fierté blessée, ne souffre plus d'apprendre chaque nouvelle incartade de celui à qui elle avait juré fidélité. Mais elle était finalement parvenue à une telle indifférence à son égard que peu lui importait de savoir ce qu'il faisait et avec qui.

Et, au moment où elle s'y attendait le moins, le voilà qui voulait reprendre sa place auprès d'elle… Pourquoi? Oh, certes pas pour elle. S'il cherchait une réconciliation, c'était parce qu'elle seule pouvait lui donner ce dont il avait dorénavant besoin: un fils légitime, un héritier à qui passer son titre et ses terres. Pour cette raison, elle était supposée tout oublier, tout pardonner, et se résigner à faire son devoir…

Ses ongles pénétraient si profondément dans la chair de ses paumes qu'elles lui faisaient mal. Viola se força à décrisper les poings et alla s'asseoir sur le sofa. Au prix d'un gros effort, elle repoussa pied à pied la fureur noire qui menaçait de balayer l'édifice précaire derrière lequel elle se réfugiait depuis tant d'années. Elle demeura ainsi de longues minutes, tout occupée à discipliner son souffle et ses pensées, jusqu'à ce que son habituel masque d'indifférence glaciale et hautaine se retrouve en place.

John Hammond pouvait coucher avec qui il voulait, conclut-elle pour elle-même, mais certainement pas avec elle. Ni aujourd'hui, ni demain, ni jamais.

Le lundi suivant, John fut de retour à Grosvenor Square à deux heures précises, comme il l'avait annoncé. Viola avait eu assez de temps pour se reprendre, et son cœur se trouvait de nouveau bien à l'abri dans son bloc de glace quand il se présenta.

Installée au bureau de Daphné, elle mettait la dernière main aux préparatifs d'un bal annuel de charité destiné à financer les hôpitaux de Londres. Des nombreuses œuvres caritatives auxquelles elle accordait son patronage, c'était celle qu'elle appréciait le plus. En compagnie de miss Tate, sa secrétaire, elle supervisait le menu du banquet qui serait donné après le bal lorsque Quimby, le majordome, ouvrit la porte pour annoncer l'arrivée de John.

— Lord Hammond, milady.

Viola leva les yeux alors que John pénétrait dans le salon. Elle se rappela qu'il l'avait déjà fait de nombreuses fois, par le passé, si éblouissant et séduisant à ses yeux de jeune fille que sa seule vue suffisait à l'emplir d'une joie immense. Ce jour-là, il était plus éblouissant et séduisant que jamais, mais elle ne ressentit rien en le voyant. Elle avait appris à s'immuniser contre son charme au fil du temps et ne pouvait que s'en féliciter.

Elle se leva, répondit par une parfaite révérence à son inclinaison du buste, puis se rassit pour reporter son attention sur miss Tate qui se tenait debout près d'elle. Il était assez inconvenant de l'ignorer ainsi, mais elle n'en avait cure. Délibérément, elle s'absorba tout entière dans la consultation du menu.

— Sont-ce là les plats qu'a suggérés le chef du duc?

— Oui, milady.

Prenant son temps pour parcourir la liste des yeux, Viola tapota d'un air songeur du bout de sa plume d'oie le plateau de palissandre du secrétaire.

— Je ne pense pas, dit-elle enfin, qu'il faille servir de l'anguille à ce dîner. Lady Snowden est l'une de nos plus généreuses donatrices, et elle ne supporte tout simplement pas la vue d'une anguille.

— Cela n'est pas pour me surprendre, marmonna John en prenant place sur une chaise sans y être invité. À mon avis, des escargots seraient plus appropriés.

Tate pouffa de rire, mais se reprit bien vite quand Viola darda sur elle un regard noir. Lady Snowden marchait, parlait, pensait et évoluait si lentement dans la vie qu'il y avait de quoi rendre fou n'importe qui, mais ce n'était pas une raison pour récompenser John de sa saillie en riant. Il y avait belle lurette que l'humour de son mari ne la faisait plus rire, et elle était en droit d'attendre qu'il en aille de même pour ses serviteurs. Choisissant de faire comme s'il n'était pas là, elle trempa sa plume dans l'encrier pour biffer une ligne du menu.

— La chose est entendue, décréta-t-elle. Les anguilles seront remplacées par…

— … des escargots? suggéra-t-il d'un air matois.

— Du homard, conclut-elle sans lui prêter la moindre attention.

Elle reposa sa plume après avoir corrigé le menu et le tendit à Tate en passant au point suivant de leur ordre du jour.

— Puisque nous sommes d'accord sur le menu, Tate, je vais à présent vous envoyer soumettre ma liste d'invités à lady Deane pour qu'elle nous donne son avis.

— Viola! s'exclama John, feignant d'être scandalisé. Comment pouvez-vous être assez cruelle pour envoyer cette pauvre Tate affronter seule l'odieuse lady Deane?

Cette fois, il lui fut impossible de l'ignorer, mais ce fut d'un ton aussi glacial que le regard qu'elle lui lança qu'elle répondit :

— Cela vous concerne-t-il?

— Bien évidemment. Je dois protester contre tant de cruauté à l'égard de la domesticité. Venant de vous, je dois dire que cela me surprend.

— De ma part, rétorqua-t-elle d'un air pincé, ce n'est pas de la couardise, si c'est ce que vous sous-entendez.

Un peu tard, elle se rappela qu'elle ne lui devait aucune explication ni justification de ses actes, mais elle s'entendit poursuivre, même si cela ne le concernait en rien :

— Pour rien au monde je ne donnerais à cette femme la satisfaction et l'éclat qu'elle retirerait d'une de mes visites. En tant que femme de baron, elle est d'un rang social bien inférieur au mien, et je lui ferai d'autant moins l'honneur de m'intéresser personnellement à elle que je n'ai jamais pu la supporter.

— Vous pouvez compter sur elle pour vous le faire payer à la moindre occasion. Elle est ainsi.

Sans lui répondre, Viola se tourna vers sa secrétaire.

— À ce propos, Tate, lorsque vous soumettrez la liste à lady Deane, elle trouvera sans doute à redire à la présence parmi les invités de sir Edward et lady Fitzhugh. Aussi poliment et avec autant de tact que possible, faites valoir que leur invitation résulte de la volonté expresse du duc et de la duchesse de Tremore. Cela devrait suffire à couper court à toute protestation de sa part à propos du statut social de sir Edward, de son manque de relations, et plus généralement de qui devrait être invité ou pas à ce genre d'événements. De toute façon, les filles Fitzhugh sont délicieuses. Utilisez exactement la même tactique si elle émet quelque objection au fait d'inviter les filles Lawrence.

— Bien, milady... répondit Tate avec un soupir.

De toute évidence, la perspective de sa mission n'était pas pour la réjouir.

— Courage, Tate ! intervint John en la gratifiant d'un clin d'œil et d'un sourire charmeur, que Viola surprit en relevant les yeux. Gardez présent à l'esprit que lady Deane porte des dessous en laine et tout ira bien. C'est la raison pour laquelle elle est toujours si revêche avec tout le monde : ça gratte !

De nouveau, Tate ne put s'empêcher de pouffer, mais eut la présence d'esprit d'écraser sa bouche de sa main.

Viola gratifia John d'un froncement de sourcils avant de jeter un dernier coup d'œil à sa liste.

— Lord et lady Kettering… murmura-t-elle. Cela va sans dire. Ils offrent chaque année une somme rondelette aux hôpitaux. La comtesse de Rathmore ne peut qu'être là, elle aussi. Sir George Plowright? Je suppose que…

— Quoi!

Surprise, Viola leva les yeux et vit John se raidir sur sa chaise.

— Ce n'est pas possible… protesta-t-il en la considérant d'un air interdit. Ne me dites pas que vous allez inviter cet âne pompeux!

Que cela ne lui plaise guère, songea Viola, constituait une raison supplémentaire pour que Plowright fasse partie des invités.

— Et pourquoi pas, je vous prie? Sir Plowright est un homme riche. Il fera un généreux donateur pour nos hôpitaux.

John émit un grognement dégoûté et se dressa d'un bond pour faire les cent pas dans la pièce.

— J'en doute! lança-t-il. Il est aussi radin qu'arrogant. Sauf pour ses vêtements, qui démontrent que tout l'argent du monde ne suppléera jamais au mauvais goût, il tient les cordons de sa bourse très serrés.

Comme pour mieux faire valoir son point de vue, il vint se camper face à elle devant le secrétaire et poursuivit:

— L'autre soir, quand je l'ai croisé alors qu'il arrivait chez Brooks, il portait un pantalon moutarde avec une veste d'un vert épinard. L'ensemble était répugnant! On aurait juré qu'il avait mangé du poisson avarié pour le dîner et n'avait pu se retenir…

Peu décidée à se laisser distraire par une discussion sur la garde-robe notoirement hideuse de sir George, Viola répliqua sèchement:

— Je persiste à ne pas voir en quoi la liste des invités à mon bal de charité vous concerne.

— Elle me concerne parce que vous êtes ma femme. Et puisque nous sommes en train de nous réconcilier, tout ce qui vous concerne me concerne aussi.

— Nous ne sommes pas en train de nous réconcilier!

— Inviter cet individu, insista-t-il sans tenir compte de sa remarque, serait aller au-devant de gros ennuis. Dois-je vous rappeler cet incident, l'année dernière, lorsque Dylan et lui en sont venus aux mains? Cela pourrait fort bien se reproduire. À moins que ce ne soit moi qui décide cette fois de lui donner une leçon de savoir-vivre. Ce qui se révélerait bien plus désastreux encore pour vous, Viola… Je sais à quel point vous seriez affectée de me voir étendu au tapis par sir George!

Viola retint de justesse un sourire amusé.

— Inutile de vous inquiéter pour cela, dit-elle avec une douceur fielleuse. Vous n'êtes pas sur la liste des invités.

— Bien sûr que si, je le suis! Notez mon nom, Tate. À la place de Plowright.

— Je n'ai aucune intention de vous inviter à ce bal! s'emporta-t-elle, à bout de patience. Et que j'y invite ou non sir George ne vous concerne en rien. Je l'ai inscrit sur la liste parce qu'il est riche, qu'il est le quatrième fils d'un marquis, et que nos hôpitaux ont besoin de fonds.

— Certes, admit John de bonne grâce. Mais aucune de ces qualités supposées ne l'empêche d'être un âne.

Viola éleva les mains en un geste d'impuissance et grinça des dents. Cet homme existait-il uniquement dans le but de la rendre folle?

— Si vous croyez que me contrarier et vous mêler de mes affaires est le meilleur moyen pour vous réconcilier avec moi, vous vous trompez!

S'appuyant des deux mains sur le secrétaire, John reprit avec un sourire malicieux:

— Dylan et moi avons écrit un *limerick* inspiré de sir George. Je sais que vous adorez les *limericks*. Voulez-vous l'entendre?

— Non.

Naturellement il n'en tint aucun compte, récitant avec emphase:

— « Il était un chevalier maladroit/Qui n'avait jamais su tenir son arme./Ce n'était pas qu'il ne tirait pas droit/mais tirait bien trop tôt pour ces dames. »

Viola pinça désespérément les lèvres pour ne pas rire. Elle ne *devait* pas rire, et elle ne rirait pas. Entendre à côté d'elle sa secrétaire pouffer de plus belle sous sa main ne lui facilitait pas la tâche. Elle dut détourner le regard des yeux pétillants de malice de John fixés sur elle pour se reprendre. Puis elle le coiffa de son regard le plus hautain et ordonna d'une voix ferme :

— Cessez immédiatement, Hammond !

Ses yeux bruns s'agrandirent dans son visage empreint d'une innocence enfantine, bien trop proche du sien.

— Cesser quoi ? s'étonna-t-il.

— De faire le pitre. Je travaille.

S'emparant avec habileté de la liasse de papiers posée devant elle, Viola fit mine de se concentrer sur sa liste d'invités.

— Le diable m'emporte, Viola ! La vie est supposée être drôle.

Se redressant d'un bond, il partit d'un grand rire et reprit sa déambulation dans la pièce tout en réfléchissant à voix haute :

— Quelle est-elle, déjà, cette citation remarquablement juste tirée d'un roman de Jane Austen ? Vous qui aimez Austen, vous devez vous en rappeler... Quelque chose à propos du fait que nous n'existons que pour faire rire nos voisins, sans qu'ils se doutent que nous nous amusons à leurs dépens nous aussi.

En son for intérieur, Viola le maudissait de faire appel à cet amour commun qu'ils avaient pour l'œuvre de la romancière anglaise. Elle maudissait son sourire moqueur, son esprit affûté comme une lame, et sa faculté de pouvoir s'amuser des plus petites choses. Cela avait toujours été sa plus grande faiblesse le concernant. John avait conquis son cœur en ridiculisant le snobisme d'aristocrates tels que lady Deane ou lord Plowright. Dans un monde gouverné par les ragots malveillants, les règles strictes et les esprits obtus, il lui avait permis de se sentir heureuse. Dans l'atmosphère rigide et compassée des salons qu'ils devaient fréquenter, il avait apporté une bouffée d'air frais salutaire. Dès leur première rencontre, il lui avait permis de sentir la vie vibrer en elle.

Mais toute médaille a son revers, et c'était également parce qu'il avait ce pouvoir sur elle qu'il lui avait fait tant de mal. Plus jamais elle ne se laisserait prendre au piège. Ce qui n'empêchait pas John d'avoir raison, elle devait en convenir, à propos de lord Plowright.

— Retirez le nom de sir George de la liste, lança-t-elle à l'intention de sa secrétaire.

Avisant du coin de l'œil le sourire triomphant de son mari, elle précisa :

— Je ne m'y résous que pour le bien de Dylan. Je m'en voudrais de provoquer à ce bal un pugilat au cours duquel il pourrait être blessé. Vous pouvez y aller, Tate.

— Bien, milady.

Tate saisit le document que Viola lui tendait et se garda bien, en femme sensée qu'elle était, de lui demander si elle devait ajouter sur la liste le nom de John. Après avoir effectué une révérence devant chacun d'eux, elle se hâta de quitter la pièce, refermant soigneusement la porte derrière elle.

Avant même qu'elle eût achevé de le faire, John passait déjà à l'offensive.

— Avez-vous préparé vos malles ? J'ai fait venir une charrette pour les emporter. Nous pourrons faire le trajet dans ma voiture. Pour quel lieu de résidence avez-vous opté ?

Viola poussa un profond soupir. Ils allaient devoir encore s'affronter, et ce n'était pas pour lui plaire.

— Hammond… Autant vous le dire tout de suite, mes malles ne sont pas faites. Mais, avant que vous ne disiez quoi que ce soit, laissez-moi placer quelques mots.

De l'autre côté du secrétaire qui les séparait, elle se leva pour lui faire face :

— Nous savons tous deux que, si tel est votre désir, vous pouvez m'obliger à vous suivre. Nous savons également que, si je le veux, je peux aller chercher refuge en Amérique ou sur le Continent, où vous mettrez des années à retrouver ma trace. Or, chacune de ces options est indésirable et le divorce nous est interdit.

— Nous sommes donc d'accord. Je ne vois pas ce qui vous empêche de me suivre.

Sa voix demeurait insouciante et légère, mais il n'y avait pas à se tromper sur la détermination sans faille qui se lisait dans ses yeux. Au pied du mur, Viola abattit la seule carte qui lui restait.

— Avant que je ne me résigne à reprendre la vie commune avec vous, dit-elle en se forçant à soutenir son regard, j'ai besoin d'un peu de temps pour m'accoutumer à l'idée.

— Vous accoutumer à quelle idée? s'enquit-il. Celle de devoir de nouveau faire l'amour avec moi?

Il n'y avait plus aucune insouciance dans le ton de sa voix, et il paraissait plus furieux que déterminé. À quel propos il pouvait être en colère contre elle, cela la dépassait complètement. Dans cette affaire, n'était-ce pas elle, la partie lésée?

— L'idée de reprendre une vie commune, rectifia-t-elle.

— Vous reculez devant l'obstacle, Viola? En espérant sans doute que si vous parvenez à gagner suffisamment de temps, je finirai par me lasser et renoncer?

Bien qu'elle ait eu spontanément l'envie d'acquiescer avec enthousiasme, elle parvint à conserver son attitude digne et réservée pour répliquer du tac au tac :

— N'est-ce pas ce que vous avez toujours fait?

Le voyant frémir, elle comprit que sa pique avait fait mouche mais n'en tira aucune satisfaction. Tout ce qu'elle voulait, c'était qu'il s'en aille – qu'il s'en aille pour ne jamais revenir.

— La revoilà... murmura-t-il sans la quitter des yeux, comme s'il se parlait à lui-même. La revoilà, la déesse dédaigneuse et implacable qui contemple du haut de son Olympe les faibles mortels.

Même si c'était exactement ainsi qu'elle voulait paraître en sa présence, il n'en était pas moins douloureux de l'entendre la décrire en ces termes. Pour les empêcher de trembler de colère, Viola agrippa des deux mains le rebord du secrétaire.

— Et devant moi, rétorqua-t-elle, se trouve le grand maître de la petite phrase assassine.

— Pardonnez-moi si votre morgue a le don de réveiller le pire en moi.

— Oh, c'est vrai! J'avais oublié que c'est entièrement de ma faute si notre mariage a échoué si lamentablement.

— Non, ce n'est pas entièrement de votre faute. Mais ce n'est pas non plus entièrement de la mienne.

Impossible de mettre en doute son sérieux, à présent. Nul sous-entendu sarcastique dans ses paroles. Aucune aigreur dans le ton de sa voix. Pour un peu, elle aurait presque pu croire en sa sincérité, le bougre!

— J'aimerais que vous puissiez le reconnaître, insista-t-il. Comme je l'ai fait moi-même.

— Comme vous l'avez fait, vraiment?

— Oui.

Plus troublée qu'elle ne l'aurait souhaité, elle le regarda plaquer de nouveau ses mains sur la surface polie de palissandre et se pencher vers elle. Ces mains aux longs doigts forts et aux larges paumes, elle se rappelait fort bien leurs caresses sur sa peau, mais elle n'avait pas oublié pour autant la souffrance de les imaginer se poser sur le corps d'une autre. Même aujourd'hui, après tout ce qui s'était passé entre eux, il demeurait douloureux d'y penser. Voilà pourquoi elle le haïssait plus que jamais. Elle avait cru être guérie de lui, mais il fallait croire que la gangue de glace qui protégeait son cœur était en train de se fissurer sous ses assauts.

— Ce n'est pas moi qui me suis montrée infidèle, fit-elle remarquer d'une voix étranglée. Ce n'est pas moi non plus qui ai menti. En revanche, c'est bien moi qui ai passé huit longues années toute seule.

— Ce n'est pas parce qu'un homme prend une maîtresse qu'il n'est plus seul.

Viola demeura muette devant tant d'impudence. Que cherchait-il? À se faire plaindre, peut-être? À ce qu'elle compatisse à *ses* malheurs supposés? Une nouvelle fois, elle baissa les yeux sur ses mains, et sa fierté bafouée vint à sa rescousse, comme souvent. Sans plus se préoccuper de lui, elle se rassit devant le secrétaire et s'abîma dans la consultation des papiers étalés devant elle.

— Dans ce cas, lança-t-elle avec amertume, allez vous chercher une nouvelle maîtresse. J'attendrai de lire dans les gazettes à quel point vous vous sentez seul avec elle…

— Nous y revoilà… lâcha-t-il dans un soupir.

John contourna le bureau pour venir se placer tout près d'elle :

— Pourquoi faut-il que nous en arrivions toujours au même point, chaque fois que nous nous retrouvons plus de dix minutes en tête à tête? Pourquoi faut-il que nous nous jetions nos torts respectifs au visage, que nous nous blâmions l'un l'autre, que nous allions chercher ce qu'il y a de pire en nous? Il y a cinq minutes de cela, je vous ai presque fait rire. Pourquoi faut-il qu'à présent nous nous jetions à la gorge l'un de l'autre, comme des chiens enragés? Comment en sommes-nous arrivés là?

Viola se mordit la lèvre pour ne pas répondre. Elle le sentit se rapprocher lentement jusqu'à ce que sa hanche entre en contact avec son épaule.

— Je ne veux pas que nous passions le reste de nos vies à chercher le meilleur moyen de nous entre-déchirer. Cela me coûte beaucoup trop.

— Je n'y tiens pas plus que vous, répliqua-t-elle d'une voix posée. Mais je ne tiens pas non plus à ce que nous menions de nouveau une vie commune.

— Vous vous êtes déjà fait comprendre avec éloquence sur ce point, croyez-moi. Inutile de le répéter.

Viola renonça à argumenter. Face à un tel maître de l'éloquence, tout ce qu'elle pourrait dire se retournerait contre elle.

— Avez-vous l'intention de satisfaire ma requête, oui ou non?

Elle était parvenue à poser cette question comme si la réponse lui indifférait.

— Vous ne faites que retarder l'inévitable, soupira-t-il.

— Peut-être.

Elle leva les yeux vers lui et ajouta:

— Peut-être pas.

— Vous ne devez pas vous attendre à ce que je renonce, Viola. Pas cette fois.

Naturellement, elle n'en croyait pas un mot. Tôt ou tard, il finirait par renoncer et lui tourner le dos, comme il l'avait toujours fait. Alors, la jolie figure ou les formes avenantes de quelque femme ne tarderaient pas à capter son attention, à éveiller son désir, et elle n'aurait plus qu'à se retrouver dans les salons nez à nez avec la maîtresse de son mari sans pouvoir faire autre chose que lui sourire. Encore une fois.

Sans doute John devina-t-il sur son visage la nature de ses pensées. Avec un claquement de langue agacé, il s'écarta d'elle et passa une main nerveuse dans ses cheveux.

— De combien de temps avez-vous besoin?

Rapidement, elle estima le temps qu'il lui faudrait pour le lasser et répondit d'un ton ferme:

— Trois mois.

D'un bond, il revint se placer face à elle.

— Jamais de la vie. Je vous donne trois semaines.

— Vous plaisantez?

— Pas le moins du monde! Trois semaines, Viola… Et durant cette période, nous allons passer le plus de temps possible ensemble, vous et moi.

Cette fois, il lui fut difficile de masquer son désarroi.

— C'est… c'est impossible, balbutia-t-elle. Nous avons tous deux des engagements et des responsabilités à…

— Eh bien nous ferons en sorte d'arranger nos agendas, l'interrompit-il. Mais nous passerons le maximum de temps tous les deux.

À cette idée, la panique la gagna.

— Du temps pour quoi faire? s'enquit-elle d'une voix trop haut perchée. Nous n'avons pas d'amis communs. À l'exception de Dylan et Grace, bien entendu, puisqu'ils ont refusé de choisir entre nous. Nous n'avons pas non plus d'intérêts partagés, de sujets à discuter, rien pour nous rapprocher.

— Nous avions autrefois des tas de choses à nous dire, souvenez-vous… Et des tas de choses à faire aussi.

Il avait prononcé ces mots avec une certaine tendresse, à laquelle Viola choisit de ne pas prêter attention.

— Nous n'allons pas aux mêmes réceptions ni ne fréquentons les mêmes cercles.

— Cela aussi va changer. Il ne s'écoulera pas longtemps avant que lady et lord Hammond reçoivent des invitations conjointes. J'y veillerai.

— Grands dieux! s'exclama-t-elle, à court d'arguments. Je ne m'étais pas trompée: votre raison d'être consiste *vraiment* à me tourmenter.

— S'il doit jamais y avoir une trêve entre nous, fit-il valoir d'un ton catégorique, elle ne sera effective que si nous sommes capables de nous revoir sans nous battre, que nous vivions ou non sous le même toit.

— Je ne veux pas d'une trêve. Je ne veux pas vous revoir.

— Mais vous avez besoin de temps. Considérez ces exigences comme mes conditions pour vous permettre de bénéficier de ces trois semaines de répit. Si vous refusez, je dépose dès demain une requête à la Chambre des lords, et vous et moi partagerons la même maison et le même lit dès la semaine prochaine.

Cela n'avait rien d'une menace en l'air. Quand les yeux de John adoptaient la couleur d'ambre qu'ils venaient de prendre, il n'y avait rien pour le faire changer d'avis. Viola en avait déjà fait l'amère expérience. Même s'il lui en coûtait de capituler, elle n'avait d'autre choix que celui qu'il lui avait laissé, ce qui ne faisait qu'intensifier son ressentiment à son égard.

— Très bien… lança-t-elle en dardant sur lui un regard de défi. Ce sera donc trois semaines. Mais je dois vous prévenir, Hammond, que je ferai tout ce qui est en mon pouvoir pour vous faire prendre conscience de la futilité de cette tentative de réconciliation.

— Me voilà donc prévenu. Tenez-vous prête mercredi à deux heures. Je viendrai vous chercher.

— Où irons-nous? demanda-t-elle sans pouvoir refréner sa curiosité.

— Je vous emmènerai dans ma maison de Bloomsbury Square.

À ces mots, elle se renfrogna.

— Dans quel but?

Sa réaction le fit sourire.

— Inutile de vous mettre martel en tête, Viola… Je n'ai aucune intention de vous kidnapper. Je veux simplement vous faire visiter les lieux. Si vous décidez d'en faire notre résidence londonienne au terme de ces trois semaines, vous souhaiterez sans doute y faire quelques aménagements.

— Cela m'étonnerait fort.

— Vous aurez carte blanche et crédit illimité.

— Je vous remercie de votre grande générosité! railla-t-elle. C'est trop aimable à vous de mettre à ma disposition l'argent de ma dot, mais…

— Il ne s'agit plus de l'argent de votre dot mais de celui de notre ménage… l'interrompit-il. Vous l'ignorez sans doute, mais les domaines de la vicomté sont à présent d'un bon profit.

Quand il prenait cet air sérieux et donneur de leçons, il était presque plus insupportable que lorsqu'il jouait les boute-en-train. Elle se sentait alors dans l'obligation de se placer sur le même terrain, et il n'y avait rien qui lui coûtait plus que de se montrer objective avec lui.

— J'apprécie votre proposition de redécorer votre hôtel, dit-elle sans en penser un mot, mais selon moi ce serait un exercice futile et sans la moindre utilité.

— Viola… fit-il mine de se désoler en secouant la tête. Votre manque d'enthousiasme devant ce projet m'étonne. Je n'arrive pas à comprendre pourquoi cette perspective ne vous remplit pas de joie…

— Vous êtes encore en train de vous moquer de moi?

Au fond de son regard, un éclat rieur tendait à le laisser supposer.

— Absolument pas, répondit-il avec aplomb. Je sais à quel point vous aimez exercer vos talents de décoratrice. Vous avez toujours été douée pour cela. Accepter mon offre vous permettrait en outre de me ruiner en taffetas et fanfreluches, avec ma bénédiction. De se voir offrir pareille opportunité par son époux, toute autre femme lui sauterait au cou pour le couvrir de baisers.

— Vous pouvez toujours rêver.

— Je ne vais pas m'en empêcher, en effet. Je ne vis que pour voir ce jour venir. D'un autre côté, lorsqu'il arrivera enfin, je risque d'être à ce point surpris et submergé par l'émotion que j'en mourrai sur-le-champ. Vous aurez alors ma mort sur la conscience et regretterez toute votre vie de ne pas m'avoir embrassé plus tôt.

À bout de patience, Viola ferma les yeux et inspira profondément avant de relâcher lentement son souffle.

— Je crois que je ne saurai jamais quelle facette de votre personnalité je déteste le plus. Celle qui vous permet de réduire les autres en pièces par la seule magie de votre verbe, ou celle que tout le monde s'accorde à trouver charmante et pleine d'esprit.

— Il fut un temps où vous aimiez les deux, lui rappelat-il en reprenant son sérieux. Le plus drôle de l'histoire, c'est que ni l'une ni l'autre de ces facettes n'est l'expression de ma nature profonde.

Sur cette remarque énigmatique, il s'inclina vers elle et tourna les talons.

— Je suis sérieuse, Hammond! lança-t-elle dans son dos. Jamais nous ne nous réconcilierons.

— Les pronostics jouent en ma défaveur, admit-il sans se retourner. Je devrais placer un pari chez Brooks. Ainsi, j'empocherais une coquette somme le jour où vous vous rendrez à la raison.

Viola crut avoir mal entendu.

— Vous voulez dire que l'on parie chez Brooks sur notre réconciliation?

John s'arrêta sur le seuil et lui lança un regard surpris.

— Naturellement. De même que chez White. Et chez Boodles, d'après ce que j'en sais. La question est: «Lady Hammond regagnera-t-elle le lit conjugal avant la fin de la saison?» Il existe une variante: «Que fera Hammond s'il ne parvient pas à ramener sa femme à la raison?»

Viola fit entendre un gémissement consterné.

— Dieu nous préserve, nous les femmes, des hommes et de leurs sacro-saints clubs…

— Consolez-vous… conseilla-t-il avec un bienveillant sourire. Les paris de ces messieurs sont un hommage à votre ténacité et à votre force de caractère. La cote en votre faveur est écrasante…

— Sans doute parce que, de l'avis général, je suis une mégère que vous ne parviendrez pas à apprivoiser!

Il eut l'audace d'en rire, l'épaule appuyée au chambranle et les bras croisés.

— Mais je ferais mieux de ne rien trahir de ce qui se dit dans nos clubs, reprit-il d'un air enjoué. Aucune femme ne doit savoir de quoi parlent les hommes lorsqu'ils sont entre eux. Vous en seriez tellement choquées que plus aucun de nous n'aurait de chance d'obtenir vos faveurs.

— Une grande perte pour les femmes, assurément.

— Une grande perte pour l'espèce humaine, corrigea-t-il sans cesser de sourire. Vous oubliez qu'elle n'y survivrait pas longtemps…

Sur ce, il fit volte-face et s'éclipsa, non sans lui lancer:

— À mercredi, Viola… deux heures.

Ce diable d'homme se débrouillait toujours pour avoir le dernier mot, songea-t-elle en allant claquer la porte derrière lui. Mais passer du temps en sa compagnie était bien la dernière chose dont elle eût envie. Toutefois, c'était déjà mieux que de devoir vivre à ses côtés séance tenante. Elle venait de gagner un répit de trois semaines, ce qui était loin d'être négligeable. Il lui restait à espérer que le maintenir à distance, le temps qu'il se lasse, se révélerait une stratégie couronnée de succès, car elle n'en avait pas d'autre à sa disposition…

5

Deux jours plus tard, John eut l'occasion de s'apercevoir qu'il n'avait peut-être pas été aussi avisé qu'il l'avait cru de faire visiter sa demeure à Viola.

Il avait loué cette résidence à Londres pour le temps que durait la saison, deux années auparavant, lorsqu'ils avaient cessé de prétendre mener une vie de couple marié. C'était lui qui avait décidé de franchir ce pas, estimant qu'il ne rimait plus à rien de sauvegarder les apparences alors que chacun savait dans la bonne société qu'ils vivaient séparés le reste de l'année. Bien plus encore, il avait été incapable de tolérer une saison de plus de devoir faire chambre à part. Savoir que le lit de sa femme lui était interdit était suffisamment pénible sans qu'il eût également à le constater nuit après nuit.

À présent que sa voiture les conduisait chez lui, il n'y avait d'autre bruit dans l'habitacle que celui d'une fine pluie de printemps sur la capote en cuir. Depuis leur départ, Viola se cantonnait dans cette attitude glaciale et distante, cette posture de déesse inaccessible qui la caractérisait depuis tant d'années. Il n'en fallait pas plus pour le mettre hors de lui et attiser ses penchants les plus sarcastiques. Il ne retrouvait plus en elle la jeune fille rieuse et passionnée qu'il avait épousée. C'était la toute jeune Viola, amoureuse et innocente, qui lui avait offert quelques-uns de ses plus grands bonheurs, mais elle n'était plus qu'un lointain souvenir. Il haïssait la créature méprisante qui avait pris sa place, et ce d'autant plus qu'il se savait en grande partie responsable de cette métamorphose.

Alors que la voiture remontait lentement New Oxford Street, John étudia sa femme à la dérobée. Ostensiblement, elle s'absorbait dans la contemplation du spectacle offert par la vitre de la portière, évitant d'avoir à croiser son regard. Mais, cette fois, il ne ressentit nulle colère à constater les changements que le temps avait opérés en elle – juste une curieuse sensation de vide et de manque. Il n'en avait que trop conscience : lorsque la jeune fille généreuse à la beauté solaire s'était éclipsée huit ans plus tôt, un trésor magnifique et fragile lui avait échappé à jamais.

Il savait avoir habilement poussé ses pions lors de leur dernière rencontre, mais l'assurance dont il avait fait preuve ne reposait sur rien. Et, en étudiant son profil hiératique, il en venait à se demander s'il parviendrait à se faire de nouveau désirer d'elle comme autrefois. Deux jours plus tôt, il avait presque réussi à la faire rire. L'espace d'un instant, il avait cru retrouver celle qu'il avait épousée, mais aujourd'hui il n'en restait plus rien. À son arrivée à Grosvenor Square, elle l'avait fait attendre une demi-heure dans le salon des Tremore avant de descendre, et n'avait pas décroché un mot depuis. Ce dont John avait besoin – une trêve, une femme amoureuse et un fils – paraissait plus hors de portée que jamais.

Enfin, la voiture déboucha dans Bloomsbury Square et vint se garer devant sa porte. Un valet de pied se précipita pour ouvrir la portière et déplier les marches. John sortit le premier et tendit sa main à Viola. Elle hésita, jetant un regard indécis non à lui mais à sa main gantée, avant de l'autoriser à l'aider.

Comparée à Enderby, leur villa de Chiswick, cette maison était sans attrait. N'y recevant jamais, John n'y avait qu'un nombre restreint de serviteurs. Il s'y trouvait certes des meubles de prix, de beaux tapis, quelques toiles et de nombreux livres, mais c'était à peu près tout.

En la voyant inspecter tout cela d'un œil circonspect, il se sentit dans l'obligation de se justifier :

— Vous voyez? Je vous l'avais dit… c'est plutôt spartiate. C'est pourquoi j'ai pensé que vous aimeriez effectuer quelques améliorations.

Viola ne répondit pas. Lentement, elle ôta son épingle à chapeau, retira celui-ci, le secoua pour le débarrasser des gouttes de pluie accrochées à la paille, avant de planter l'épingle dedans.

Depuis toujours, elle détestait porter des chapeaux, se rappela-t-il en la regardant faire. C'était quelque chose qui lui avait toujours plu chez elle. Quand une femme a des cheveux qui ressemblent à une coulée de soleil, les cacher sous une coiffe est un crime.

D'un long regard panoramique, Viola étudia le dallage du hall, l'escalier de noyer poli, les murs peints couleur crème. Puis, sans un mot, elle se dirigea vers l'arrière de la maison, son chapeau toujours à la main.

John lui fit faire le tour des pièces du rez-de-chaussée, l'entraîna à travers les cuisines, les quartiers des serviteurs, sans qu'elle émette le moindre commentaire.

— Nous pourrons trouver une plus grande maison pour la prochaine saison, reprit-il en l'entraînant au salon. Celle-ci est un peu petite pour recevoir.

Une fois encore, Viola ne daigna pas répondre, fût-ce d'un hochement de tête, et les pensées pessimistes qui l'avaient assailli durant le trajet se muèrent en humeur morose. La référence qu'il avait faite à un avenir commun n'avait pas fait réagir sa femme comme elle l'aurait dû. Lorsqu'il parvenait à la titiller, quand elle se querellait avec lui, au moins savait-il qu'il pouvait encore l'atteindre, qu'il ne la laissait pas indifférente. En revanche, l'imperturbable silence qu'elle lui opposait lui faisait perdre ses moyens. Il aurait fait des pieds et des mains pour le briser, mais pour une fois il ne savait comment s'y prendre.

— Le salon est ici, indiqua-t-il en désignant une double porte ouverte au rez-de-chaussée.

Viola pénétra dans la pièce et fit halte si brusquement qu'il faillit entrer en collision avec elle.

— Dieu du ciel, je n'y crois pas! lâcha-t-elle dans un murmure.

Dans l'heure et demie qu'ils venaient de passer tous les deux, c'étaient les premiers mots à franchir le seuil de ses lèvres. Viola se remit en marche, vint se planter au centre de la pièce et regarda autour d'elle, avant de pointer sur lui un regard accusateur.

— Vous avez loué une maison dont les murs du salon sont tapissés de rose…

— Ces murs sont cramoisis, Viola… précisa-t-il d'un air pincé. Pas roses.

— Cramoisis? répéta-t-elle en secouant la tête. Oh non, non, non, Hammond! Vous ne vous en sortirez pas ainsi. Ces murs sont roses! Aussi roses qu'une rose.

Alors, de la manière la plus inattendue, un sourire fleurit sur ses lèvres, et ce fut comme si le soleil trouait soudain un ciel désespérément gris. Plus étonnant encore, elle se mit à rire, d'un rire bas et rauque qui le fit frissonner.

— De tous les hommes, s'amusa-t-elle sans le quitter des yeux, vous êtes bien celui que j'aurais cru incapable d'une telle fantaisie! John Hammond recevant ses amis dans son salon rose… Qui l'eût cru?

Cloué au sol, interdit et fasciné, John la regarda rire de plus belle. Il n'avait plus entendu ce rire depuis très longtemps, pourtant jamais il n'avait paru si réconfortant, si familier à ses oreilles. Aucune femme ne riait comme Viola, d'un rire bas et profond, évocateur et sensuel. Venant d'une femme qui ressemblait à un ange, un tel rire ne pouvait être que puissamment érotique. Autrefois, il avait eu le don d'éveiller son désir en l'espace d'une seconde. Apparemment, huit années d'éloignement n'y avaient rien changé et il se retrouva instantanément aussi émoustillé qu'au premier jour.

— Hammond? s'inquiéta soudain Viola, qui avait dû remarquer son trouble. Que se passe-t-il?

— J'avais oublié à quel point j'aime vous entendre rire… répondit-il en la dévorant ouvertement du regard. Vous ne m'avez pas donné beaucoup d'occasions de m'en rappeler, ces dernières années.

À ces mots, le rire de Viola se brisa net et son visage se renfrogna. Tandis qu'une horloge sonnait l'heure sur une cheminée, elle détourna le regard, mal à l'aise.

— Quatre heures, déjà! s'exclama-t-elle en rebroussant chemin vers la porte. Vous feriez mieux de me montrer le reste rapidement. Je dois aller dîner chez lady Fitzhugh à huit heures, et il me faut encore retourner à Grosvenor Square me changer.

John s'efforça de mettre un frein à son désir, mais il ne put faire taire en la suivant les échos de ce rire si puissamment évocateur. Comment avait-il pu oublier l'effet qu'il avait sur lui?

Au premier étage, il la précéda sur la gauche le long d'un petit corridor.

— Voici nos appartements, expliqua-t-il en ouvrant une porte. Cette chambre est la vôtre. La mienne est voisine.

Viola marqua un temps d'hésitation avant de pénétrer dans la pièce. D'un regard circulaire, elle engloba les murs gris-bleu, l'ameublement, les tentures d'un bleu plus sombre, mais ne fit aucun commentaire.

— Faites-la repeindre si vous le souhaitez, reprit-il. Je sais que vous n'avez rien contre les murs bleus, mais si...

John se tut en la voyant fixer attentivement la porte de communication ouverte entre les deux chambres, conscient du changement d'attitude qui venait de s'opérer en elle. Les sourcils froncés, le visage pâle, elle s'était figée sur place. Il entendit bruire la paille de son chapeau et baissa les yeux pour constater qu'elle en étreignait fortement le rebord entre ses doigts gantés.

Suivant la direction empruntée par son regard à travers la pièce, il comprit que c'était son lit qui monopolisait ainsi son attention, large couche confortable aux épais matelas de plumes, aux multiples oreillers dodus, recouverte d'une courtepointe de velours marron. Il lui aurait fallu être aveugle pour ne pas remarquer la souffrance que trahissait à cet instant le visage de sa femme.

— Depuis que je vis ici, se sentit-il dans l'obligation de préciser, aucune femme n'est entrée dans cette maison.

Sans lui répondre, elle tourna brusquement les talons et alla ouvrir la grande armoire en noyer, s'abîmant dans un examen attentif de ses étagères vides, comme si le sujet était de la plus haute importance.

John aurait voulu trouver quelque chose à dire susceptible de la faire rire de nouveau. Plus que tout, il aurait aimé l'entendre dire quelque chose, n'importe quoi – que les meubles ne lui convenaient pas, qu'elle ferait repeindre les murs, ou qu'elle aimait la grande toile de Gainsborough accrochée au-dessus de la cheminée. Pourtant, quand elle se décida enfin à parler, sa question le prit de court.

— Que comptez-vous faire, Hammond? demanda-t-elle, le nez toujours plongé dans l'armoire. Dans trois semaines, si notre cas n'aboutit pas devant la Chambre des lords avant cela, quelles seront vos intentions à mon égard? M'imposer illico l'exercice du devoir conjugal si j'accepte de reprendre la vie commune?

— Que voulez-vous dire? fit John, interloqué. Quel genre de question est-ce là?

Viola se retourna pour lui faire face, mais ne put soutenir son regard. Les yeux fixés sur le motif du tapis à ses pieds, elle tapota nerveusement son chapeau contre sa cuisse.

— Une question franche et directe. Qui appelle une réponse honnête et sans détour. M'obligerez-vous à remplir mon devoir conjugal, oui ou non?

John laissa fuser de ses lèvres un long soupir. Ce qui les maintenait éloignés l'un de l'autre – le fait que faire l'amour avec lui fût pour Viola une perspective aussi repoussante aujourd'hui qu'hier – était une vérité qu'il évacuait de son esprit autant que possible. Même quand elle lui avait demandé un délai pour s'habituer à l'idée de devoir vivre de nouveau près de lui, il s'était arrangé pour ne pas y penser. Mais à présent, debout face à elle dans la chambre à coucher destinée à devenir celle de sa femme, mis en demeure de répondre à semblable question, posée de cette façon, c'était un élément qu'il ne pouvait plus éluder en vue d'un examen ultérieur.

Certes, il avait su que reprendre une vie commune s'avérerait difficile. Mais jamais il n'aurait imaginé qu'elle en viendrait à le regarder ainsi, comme si elle avait réellement peur de lui, comme si elle redoutait qu'il ne lui impose quelque droit de cuissage venu d'un autre âge. Comment un homme digne de ce nom était-il censé répondre à une question pareille?

En désespoir de cause, John se passa une main lasse sur le visage. Viola redoutant de faire l'amour avec lui, ce n'était pas seulement inimaginable, c'était le monde à l'envers.

Une fois encore, il se remémora les premiers jours de leur mariage. Le temps n'avait pas effacé de sa mémoire à quel point elle s'était montrée enthousiaste et sans tabous dans leurs jeux amoureux. Son rejet d'aujourd'hui lui était d'autant plus insupportable et incompréhensible. La voir le défier ainsi du regard de lui donner sa réponse lui fit prendre conscience d'une réalité qui le frappa comme un direct à l'estomac. Et s'il ne parvenait pas à la rendre de nouveau amoureuse de lui? Quel genre de vie pourraient-ils mener, tous les deux?

— Seigneur Dieu, Viola! s'exclama-t-il en forçant les mots hors de sa bouche. Il ne reste donc plus rien? Plus rien du tout?

Fronçant les sourcils, elle le dévisagea avec perplexité.

— Que voulez-vous dire?

— Il fut un temps où je n'avais pas besoin de requérir votre autorisation, où il me suffisait de vous regarder, de capter un regard de vous, pour que nous nous retrouvions sur le lit le plus proche dans les bras l'un de l'autre.

Rougissante, Viola cligna des paupières et détourna les yeux.

— Taisez-vous!

— Il y avait des étincelles entre nous chaque fois que nous nous trouvions en présence l'un de l'autre, poursuivit-il. Et même un brasier des plus brûlants. Je me rappelle à quel point vous appréciiez que je vous touche. Et à quel point j'étais fou lorsque vos doigts se posaient sur moi.

Il lui suffisait de cette évocation pour sentir renaître son désir, ce désir qui s'était avivé en lui comme braises mal éteintes sous la bourrasque lorsque le rire de Viola avait jailli.

— Notre passion était brûlante… acheva-t-il dans un souffle. Vous ne vous le rappelez plus?

Le sang reflua du visage de Viola, dont le menton se mit à trembler. Comprenant qu'il était parvenu à percer ses défenses, John poussa son avantage :

— Notre passion était également sauvage et exigeante. Je ne peux croire que vous ayez oublié ce que c'était pour nous de faire l'amour, que vous ayez oublié l'urgence, la brûlure, l'extase de…

— Arrêtez! cria-t-elle.

Elle lui jeta son chapeau, qui traversa la pièce dans un tourbillon de paille, de rubans et de plumes, avant de lui percuter la poitrine et de tomber sur le sol. Tout entier à son évocation, John l'enjamba et poursuivit son plaidoyer.

— En sommes-nous réduits pour faire l'amour à ce que je vous l'impose comme une dégradante contrainte? Il n'y a donc plus aucune magie entre nous? Ne me dites pas que nous avons tout détruit…

— Je n'ai rien détruit du tout! s'emporta-t-elle, les poings serrés. C'est vous qui vous en êtes chargé!

John se contrefichait à présent de savoir qui était à blâmer et pourquoi. Ce dont il était certain, c'est qu'elle parvenait comme autrefois à l'enflammer aussi sûrement qu'une allumette. Ce qu'il lui fallait découvrir, c'est s'il était capable de lui rendre la pareille. Car, si ce n'était pas le cas, il n'y avait plus aucun espoir entre eux.

Alors qu'il effectuait le dernier pas vers elle, Viola recula et ne s'arrêta que le dos à l'armoire.

— Vous avez prétendu l'autre jour, poursuivit-il en venant se camper devant elle, que notre vie commune avait été un enfer. En ce qui me concerne, ce n'est pas ainsi que je m'en souviens. Je me rappelle surtout les bons moments que nous avons passés ensemble. Je me rappelle que vous préfériez faire l'amour le matin, après que nous avions pris notre petit déjeuner au lit. La confiture de mûres était votre préférée.

Viola fit une manœuvre pour le contourner, mais il fut devant elle avant qu'elle ait pu lui échapper. Le temps n'était plus à la fuite, ni pour l'un, ni pour l'autre. Passant les bras de chaque côté de son corps, il agrippa l'étagère de l'armoire dans son dos, refermant sur elle un piège dans lequel il aurait souhaité la garder à jamais prisonnière. Insensiblement, il se pencha vers elle. Aujourd'hui comme hier, il émanait d'elle une douce odeur de violette.

Noyé dans ses souvenirs, John se remémora ces matins, il y avait si longtemps, où il s'éveillait près d'elle, baigné dans cette odeur et troublé de sentir sa chaleur contre lui. Fermant les paupières, il inspira profondément, laissant les images issues d'un passé enfui s'imposer à lui. Ils avaient passé leur voyage de noces en Écosse, reclus trois mois durant dans un cottage isolé, à faire l'amour encore et encore. Il se rappelait l'automne dans le Northumberland, le lit massif d'acajou dans leur chambre de Hammond Park, les draps de mousseline d'un blanc neigeux, froissés par leurs ébats. Il revoyait les cheveux de Viola se refermer tel un rideau d'or pur autour de son visage, tandis qu'il se laissait griser par son odeur de violette, plus puissant et entêtant qu'un opium. Une vague de désir enfla en lui au souvenir de tous ces matins où il avait dégusté de la confiture de mûres à même ses lèvres. Peut-être Viola avait-elle raison de dire que leur vie commune avait été un enfer – un enfer de passions brûlantes, assouvies sans retenue… Quant à lui, il préférait un court séjour dans un tel enfer qu'une éternité au paradis.

— Je me rappelle à quel point vous étiez mauvaise aux échecs… reprit-il sans rouvrir les paupières, de peur de rompre la magie de l'instant. Je me rappelle nos promenades à cheval et à quel point vous aimiez, pour vous débarrasser de votre chapeau, le jeter en l'air en riant. Je me rappelle combien j'aimais vous regarder rire…

John ouvrit les yeux et les plongea dans les siens avant de conclure dans un sourire :

— Même si vous ressemblez à un ange, vous pouvez avoir un rire plus émoustillant que celui d'une courtisane.

Si Viola lui rendit son sourire, le sien était plus crispé et sarcastique.

— Vous en parlez en connaisseur…

John fit comme s'il n'avait rien entendu.

— Je me rappelle également qu'il nous arrivait de nous battre comme chat et chien, pour mieux nous réconcilier ensuite.

Il fixa son regard sur ses lèvres roses et pleines, aux commissures creusées de deux minuscules fossettes, avant d'ajouter avec gourmandise :

— En ce qui me concerne, c'étaient les réconciliations que je préférais.

Mais en ce qui concernait Viola, il semblait en aller tout autrement, car sa bouche se réduisit à une mince ligne à peine visible. Elle croisa les bras, plissa les yeux, et darda sur lui son regard de déesse dédaigneuse, capable de réduire en cendres les pauvres humains.

— Votre mémoire vous joue des tours, Hammond.

— Je ne le pense pas, non…

Pour lui en faire la démonstration, il pencha la tête sur le côté et approcha ses lèvres de son cou.

— Allons, Viola… murmura-t-il en déposant un baiser léger là où il savait trouver la peau la plus douce. Faisons la paix…

Il la sentit frissonner. Un soulagement intense s'empara de lui.

— Vous aimez toujours que je vous embrasse ainsi, n'est-ce pas?

Un soupir d'exaspération lui répondit.

— Vous délirez! Je n'aime plus rien de vous. Plus rien du tout!

Viola appuya ses deux paumes contre la poitrine de John et le repoussa. Il ne tenta pas de lui résister et la dévisagea avec curiosité. Plus aucune trace sur son visage de la déesse inaccessible. En lieu et place se trouvait devant lui une femme en proie à la fureur, à la souffrance, à la confusion, au désespoir, à la panique et même à la haine. Mais sur son visage avait également passé furtivement ce qu'il n'y avait plus vu depuis huit longues années : une lueur de désir…

Encouragé par cette découverte, John s'avança et approcha ses lèvres des siennes.

— Ne sommes-nous pas en guerre depuis suffisamment longtemps? murmura-t-il. Ne serait-il pas temps de conclure une trêve?

Viola éleva la main devant elle et repoussa son menton sans ménagement.

— Je veux votre parole de gentleman, Hammond.

— Ma parole? répéta-t-il contre ses doigts gantés.

Il baissa la tête pour lui baiser la paume. Viola, pour l'en empêcher, détourna brusquement la main.

— Avant même que je puisse considérer la possibilité de pouvoir vivre à vos côtés, reprit-elle, je veux votre parole d'honneur que vous ne m'obligerez jamais à honorer mon devoir conjugal par la force.

John se raidit, heurté par ces mots. Lentement, il se redressa et rejeta la tête en arrière pour exhaler un long soupir vers le plafond. La vie aurait pu être tellement plus simple, songea-t-il amèrement, si Dieu avait bien voulu lui donner une femme obéissante et sage, qui se serait contentée de se plier de bonne grâce à son devoir. Hélas, il n'avait pas eu cette chance. À la place, il était tombé sur Viola, qui était à la fois magnifiquement belle, terriblement gâtée par la vie, et incorrigiblement impérieuse et rebelle. Viola qui le haïssait toujours après huit années, mais à qui il suffisait d'un rire pour lui tourner les sens. Au prix d'un suprême effort, il parvint à enfouir une fois encore sa rancœur au plus profond de lui et baissa les yeux pour soutenir son regard.

— Depuis fort longtemps, dit-il d'une voix calme, vous me tenez pour un menteur, un mari volage et un gredin. En quoi ma parole vous importe-t-elle à ce point?

— C'est la seule carte qu'il me reste à jouer. De plus…

Viola marqua une pause, inspira profondément, et lâcha en baissant les yeux sur le jabot de sa chemise:

— De plus, je n'ai pas renoncé à espérer que le mot gentleman continue d'avoir un sens à vos yeux.

— Sans compter, ajouta-t-il sèchement, que si je vous donne ma parole d'honneur, vous pourrez me la jeter à la figure quand il vous plaira à des moments tels que celui-ci.

Elle ne confirma ni n'infirma, mais il n'en était nul besoin. Jamais il ne la prendrait de force, et elle le savait autant que lui. Si Viola avait peur, ce n'était pas de lui mais d'elle-même. À présent, il comprenait mieux cette timidité dont elle avait fait preuve dernièrement. Tous deux avaient conscience de cette limite ténue au-delà de laquelle un homme et une femme ne peuvent plus faire machine arrière, et ne peuvent que céder au tourbillon de passion qui les entraîne. Elle redoutait de s'amollir sous ses assauts, de le laisser l'entraîner malgré elle jusqu'à cette limite où il lui serait impossible de se refuser à lui. Elle voulait se ménager une porte de sortie, garder un moyen de pression sur lui, continuer à pouvoir faire de lui le gredin et le traître, y compris si nécessaire après lui avoir cédé. Ce qui signifiait également qu'elle avait d'ores et déjà peur de lui céder…

Cette conclusion l'emplit d'aise.

— Qu'est-ce qui vous fait sourire? s'impatienta-t-elle.

John ravala son sourire et afficha une expression solennelle pour promettre:

— Jamais je n'userai de la force pour vous contraindre à honorer votre devoir conjugal, Viola. Je ne l'ai jamais fait, et je ne le ferai jamais. Puisque vous semblez avoir besoin de ma parole d'honneur et de gentleman sur ce point, vous l'avez.

Dans ses grands yeux noisette vifs et intelligents passa une lueur de satisfaction.

— Satisfaite? demanda-t-il d'un ton léger. Vous pensez avoir remporté une victoire, n'est-ce pas?

— Oui.

— Vous êtes persuadée que ma promesse vous donne le contrôle de la situation.

D'un air de défi, elle pointa le menton.

— Exactement.

— Vous avez raison, reconnut-il sportivement. C'est le cas. Et cela ne m'ennuie pas le moins du monde. En bien des occasions, j'ai eu tout à gagner à vous laisser prendre le dessus…

Sur ces paroles sibyllines, plus rapide que l'éclair, il s'arrangea pour lui déposer un baiser léger dans le cou, puis recula d'un pas avant de conclure :

— Je ferais mieux de vous ramener à Grosvenor Square, sans quoi nous serons tous deux en retard pour honorer nos engagements respectifs.

La laissant s'étouffer d'indignation sur place, il tourna les talons et se dirigea vers la porte, lançant négligemment par-dessus son épaule :

— Ne traînez pas, Viola… Vous m'avez dit devoir vous rendre au dîner donné par lady Fitzhugh à huit heures, et vous savez bien qu'il vous faut toujours des heures pour vous préparer.

— Où êtes-vous attendu vous-même? s'enquit-elle d'un ton sarcastique en ramassant son chapeau avant de le suivre. Au Temple Bar?

Plus à l'aise et souriant que jamais, John s'arrêta dans le corridor.

— Pourquoi? demanda-t-il avec une feinte innocence. Vous avez une meilleure suggestion à me faire?

De nouveau sœur d'un duc des pieds à la tête, Viola vint se camper devant lui et le fusilla d'un œil noir.

— Je vous posais la question par pure politesse… répondit-elle sèchement. Sachez qu'il ne m'intéresse en rien de savoir où vous passez vos soirées, ce que vous en faites, ni entre les bras de quelle femme vous vous vautrez.

John hocha la tête.

— Cela me soulage grandement de le savoir, dit-il en se dirigeant vers l'escalier. Je détesterais gâcher votre soirée.

Elle lui emboîta le pas dans un bruissement de jupons malmenés.

— N'ayez aucune crainte à ce sujet!

Durant le trajet du retour, pas plus qu'à l'aller, Viola ne décrocha la moindre parole. Son silence buté n'était cependant plus de nature à inquiéter John. La froideur qu'elle lui avait témoignée pour le tenir à l'écart depuis si longtemps n'était que faux-semblant. Tout au fond d'elle, malgré son cœur meurtri et sa fierté blessée, elle continuait d'éprouver du désir pour lui. Elle aurait beau continuer à le haïr, à vouloir le souffleter ou à lui dire d'aller au diable, rien n'était plus pareil après ce qui s'était passé entre eux aujourd'hui. Qu'elle le veuille ou non, qu'elle fût prête à le reconnaître ou pas, Viola s'était adoucie à son égard – juste un petit peu, seulement pour un instant, mais l'essentiel était qu'elle l'eût fait.

Durant la courte période de leurs fiançailles et les débuts de leur mariage, leur relation avait été explosive. Avec un égal abandon, ils s'étaient aimés et combattus sans pouvoir se passer l'un de l'autre. Mais quand leur couple avait battu de l'aile, ils n'avaient plus jamais vécu ensemble, sauf au cours des quelques semaines pendant lesquelles ils devaient sauvegarder les apparences dans la capitale au plus fort de la saison.

Contraints de vivre sous le même toit, ils avaient fait peu de cas de la présence de l'autre. En se croisant dans les couloirs, ils se saluaient d'un hochement de tête, aussi distants que deux navires se croisant au large. Viola lui avait si bien démontré en maintes occasions que sa vue même lui était insupportable qu'il avait fini par y croire.

Dans ces conditions, il ne leur avait pas fallu longtemps pour devenir des étrangers. John en était arrivé à un point où il ne lui importait même plus de savoir comment la jeune fille qui l'avait adoré en était arrivée à le détester. Tout naturellement, il avait cessé d'espérer la reconquérir un jour, certain qu'aucun miracle ne pourrait l'y aider.

Pourtant, aujourd'hui, il avait suffi d'un instant pour que tout change. Au moment où il s'y attendait le moins, le désir qui les avait autrefois réunis avait, tel un phénix, jailli de ses cendres. Il ne pourrait y avoir de retour en arrière dorénavant.

Viola en était consciente, elle aussi. Elle savait qu'il était aussi déterminé qu'elle à parvenir à ses fins, et qu'il ne lui restait que deux armes pour l'en empêcher : la fierté démesurée qui l'animait et la promesse qu'elle lui avait arrachée.

Il fallait reconnaître qu'il s'agissait de formidables atouts, mais ils ne suffiraient pas pour l'emporter. John avait la ferme intention d'avoir un fils, et il lui fallait pour cela retrouver l'épouse passionnée et de bonne volonté qu'il avait eue autrefois. La passion était une qualité dont Viola était toujours abondamment pourvue. Quant à la bonne volonté, c'était une autre histoire… Mais il avait lui aussi un atout dans sa manche : ce désir dont il savait à présent qu'il continuait à vivre en elle, et qu'il avait l'intention d'attiser sans relâche, jusqu'à allumer un incendie qu'elle ne pourrait plus maîtriser.

John n'était pas assez inconscient pour s'imaginer que ce serait une partie de plaisir. Viola se montrait aussi extrême dans le rejet que dans le désir, aussi déterminée dans la haine qu'elle l'avait été dans l'amour. La séduire à nouveau allait requérir toute l'habileté dont il disposait – et sans doute plus encore. Il lui faudrait pourtant faire en sorte que cette reconquête se révèle pour elle comme pour lui plaisante et drôle. Tels étaient les trésors qu'ils avaient partagés aux premiers temps de leur amour: l'humour, la fantaisie, le rire et le pur plaisir de la présence de l'autre. Il ne savait pas comment s'y prendre, mais c'était cette complicité qu'il devait ressusciter entre eux.

À leur arrivée à la résidence des Tremore, John la reconduisit jusque dans le hall, où ils se firent leurs adieux tandis qu'une servante débarrassait Viola de sa pelisse humide et de son chapeau.

— Je vous souhaite le bonjour, Hammond… lança-t-elle en tournant les talons sans autre forme de procès.

John ne lui laissa pas le temps de s'éclipser.

— Viola?

Il attendit qu'elle se tourne vers lui pour ajouter:

— Nous nous voyons jeudi. Je vous emmène faire une sortie.

— Une sortie? s'étonna-t-elle. Où cela?

Un sourire fleurit sur les lèvres de John.

— Vous le verrez bien. Tenez-vous prête pour deux heures.

Naturellement, Viola n'était pas femme à se le tenir pour dit.

— Pourquoi devriez-vous être le seul à choisir le but de cette sortie?

— Parce que je suis votre époux, et que vous me devez obéissance.

Voyant qu'elle ne se laisserait pas amadouer par un tel argument, il précisa:

— Parce que j'ai une idée derrière la tête.

— C'est bien ce que je craignais.

— Nous allons faire un pique-nique.

— Un pique-nique?

Elle ne l'aurait pas regardé autrement s'il était devenu fou.

— Vous avez toujours adoré les pique-niques… fit-il valoir sans se laisser impressionner. C'était l'un de nos passe-temps favoris. À deux heures, ce sera parfait, car c'est toujours aux alentours de trois heures que vous avez de l'appétit.

— Puis-je avoir mon mot à dire?

— Non. Mais, à la sortie suivante, je vous laisserai choisir notre destination. Parce que, naturellement, il y aura une prochaine sortie. Et encore une autre, et...

— Oh, cessez ce petit jeu! s'emporta-t-elle. Lorsque vous avez une idée en tête, il ne sert à rien de discuter avec vous.

— Quand je vous disais que nous avons beaucoup en commun...

Avec un soupir d'exaspération, elle tourna les talons et entreprit de gravir dignement l'élégant escalier de marbre à la balustrade de fer forgé. John la suivit des yeux et, lorsqu'il la vit effleurer du bout des doigts l'endroit de son cou qu'il avait embrassé, il eut envie de crier de triomphe. Aujourd'hui comme hier, Viola perdait tous ses moyens quand il l'embrassait ainsi. Si ce n'était pas un miracle, cela y ressemblait beaucoup...

6

Jusqu'au jeudi, Viola pria pour qu'il pleuve.

Puisque John avait décrété qu'ils iraient pique-niquer, seul un temps de chien pourrait ruiner ce projet. Dieu, cependant, se montra aussi indifférent à ses désirs que son mari. Il fit le jour venu un temps sec et plaisant illuminé par un chaud soleil d'avril – en somme, une journée idéale pour un pique-nique…

Devoir accompagner John dans une telle sortie la mettait au supplice. Comme il le lui avait rappelé, pique-niquer avait été l'un de leurs loisirs préférés autrefois. Bien trop de souvenirs s'y rattachaient. Et, depuis que sa trahison les avait séparés, plus jamais elle n'avait pris le risque de partir en pique-nique.

Quand John lui révéla où il avait prévu de l'emmener, la panique de Viola monta encore d'un cran. Figée sur place, elle saisit d'une main tremblante les gants que lui tendait une servante et ne put s'empêcher de coiffer son mari d'un regard horrifié.

— Où avez-vous dit que nous allons?

John éclata d'un rire sonore que Viola trouva on ne peut plus déplacé. En ce qui la concernait, elle ne trouvait rien d'amusant à cette situation.

— Inutile de faire cette tête! s'exclama-t-il. Ce n'est pas comme si je vous demandais de courir nue dans la rue…

— Hammond, vraiment!

Les sourcils froncés, Viola lui fit remarquer du regard la présence de la servante et des valets de pied qui attendaient leur départ devant la porte.

— Nous allons seulement à Hyde Park, reprit-il. Où est le problème?

S'il faisait mine de ne pas le voir, elle ne le voyait quant à elle que trop.

— Le problème est que nous allons devoir remonter le Row en voiture. Ensemble.

— Je ne vois toujours pas pourquoi cela vous chagrine.

— Vous et moi voyageant côte à côte dans un landau ouvert? précisa-t-elle avec une mimique éloquente. Par un jour comme celui-ci, la moitié du Tout-Londres sera là. Tout le monde va nous voir ensemble…

— Et alors? Nous sommes mariés, Viola. Nous n'avons pas besoin de la présence d'un chaperon.

Sans le quitter des yeux, elle enfila méticuleusement ses gants en bougonnant:

— En votre présence, aucune femme n'est en sécurité, fût-elle accompagnée du plus vigilant des chaperons.

Cela le fit sourire, et il parut tellement satisfait de ce qui devait être à ses yeux un compliment que Viola regretta aussitôt ses paroles.

— Vous vous rappelez? demanda-t-il d'un air complice. J'étais très habile pour trouver toutes sortes de moyens ingénieux afin de nous soustraire aux yeux de votre frère…

— Je ne veux pas remonter le Row à vos côtés, enchaîna Viola sans lui répondre.

— Pourquoi? Vous avez peur que les gens me voient en train de vous embrasser dans le cou?

C'était exactement ce qu'elle redoutait, mais pour rien au monde elle n'aurait voulu l'admettre.

— Hammond… prévint-elle avec un nouveau regard de côté en direction des domestiques. Arrêtez de dire de telles sottises. Ce n'est pas convenable et, de toute façon cela ne m'inquiète absolument pas.

— Non?

— Non. Parce que cela ne se fera pas.

— Qu'est-ce qui vous tracasse, Viola? Vous ne voulez pas montrer à nos relations que nous sommes réconciliés?

— Nous ne sommes pas réconciliés! Et je n'irai pas baguenauder à Hyde Park avec vous pour donner à tous l'impression que nous le sommes.

— Puisque nous ne vivons pas encore ensemble, je ne vois pas où est le problème.

— Si vous étiez sérieux en disant vouloir faire en sorte que nous recevions des invitations conjointes, la nouvelle de notre réconciliation se répandra bien assez vite comme cela. Je n'ai aucunement l'intention de nourrir la rumeur de quelque manière que ce soit. Je n'irai pas.

— Si vous refusez de me suivre…

Laissant sa phrase en suspens, John lança un coup d'œil aux serviteurs, puis se pencha à l'oreille de Viola pour murmurer :

— Si vous refusez de me suivre, je vous charge sur mon épaule et vous conduis jusqu'au landau moi-même. Ainsi, tous les voisins de votre frère pourront assister à la scène. Et comme j'imagine que vous vous débattrez tant et plus, ils sauront que notre réconciliation n'est pas en bonne voie. Cela vous convient-il mieux ainsi?

— Vous m'avez donné votre parole que vous ne feriez pas usage de la force! chuchota-t-elle.

— Pas du tout. Je vous ai donné ma parole que je ne ferais pas usage de la force pour vous mettre dans mon lit. Excepté ce cas de figure, tout autre usage de la force me semble autorisé.

— Ainsi, je pourrai compléter votre charmant portrait en vous traitant également de brute!

— Comme il vous plaira. Comme il me semble vous l'avoir déjà dit, nous autres hommes ne dédaignons pas utiliser de temps à autre l'avantage que nous donne notre gabarit.

Viola ne doutait pas qu'il mettrait sa menace à exécution, et puisque sa stratégie consistait à gagner du temps, il ne lui restait plus qu'à s'exécuter. Pour être débarrassée de lui, elle n'aurait qu'à attendre qu'il se lasse de ce petit jeu.

— Dans ce cas, allons-y, dit-elle en se tournant vers la porte.

Un valet de pied l'ouvrit, et elle ajouta en sortant :

— Plus tôt nous serons partis, plus vite nous en aurons terminé.

— Voilà la Viola dont je me rappelle, plaisanta John en lui emboîtant le pas. Pleine d'esprit, aventureuse, toujours prête à tout essayer…

Son landau les attendait devant l'hôtel. John aida la jeune femme à grimper dans la voiture ouverte, puis s'installa souplement près d'elle sur la banquette de cuir rouge. À leurs pieds se trouvaient un panier de pique-nique et un sac de cuir.

Tandis que la voiture les emportait vers leur destination, Viola dut reconnaître que la tactique de son mari pour regagner ses faveurs ne manquait ni d'à-propos ni d'habileté. Durant leurs fiançailles, elle avait adoré partir en pique-nique avec lui. À l'époque, ils ne sortaient pas seuls. Mais, comme John le lui avait rappelé, il n'avait jamais manqué une occasion de lui donner un baiser passionné ou deux, nourrissant le désir naissant qu'elle avait pour lui. Cela s'était avéré terriblement efficace, et sans doute pariait-il sur un nouveau succès de l'opération.

Il espérait regagner ses faveurs en la courtisant comme au premier jour, à la différence près qu'il avait à présent toute latitude pour la toucher et l'embrasser sans avoir besoin de se cacher. Ils étaient mariés, il pouvait se montrer avec elle aussi entreprenant qu'il le souhaitait, et il ne fallait pas compter sur lui pour se priver de cet avantage.

Comme elle l'avait prédit, Hyde Park était bondé. Voitures et cavaliers encombraient Rotten Row et le trafic ralenti fit de leur traversée du parc un supplice pour Viola. Du coin de l'œil, elle surprit les murmures qu'échangeaient certains couples à leur passage, épiloguant sans doute sur l'incroyable réconciliation de lord et lady Hammond.

Viola détestait être au centre de l'attention collective. Au fil des ans, elle avait eu à supporter plus que sa part de regards scrutateurs, de murmures entendus et de rumeurs. Bien sûr, être la sœur d'un duc lui avait valu une part de cette attention publique, mais c'était l'infidélité de son mari et ses nombreuses maîtresses qui avaient fait d'elle l'une des cibles favorites des ragots mondains. Ils étaient nombreux à la tenir pour responsable de la faillite et de l'infécondité de leur union. Au prix d'un comportement exemplaire en société et d'une vie sans reproches, elle était finalement parvenue à devenir un sujet de discussion bien trop ennuyeux pour la plupart. Mais, à présent que John s'était mis en tête cet absurde projet de réconciliation, son nom suscitait un regain d'intérêt dans les salons et à la une des feuilles à scandales.

Comme l'exigeait la politesse, ils saluèrent de la tête leurs connaissances au passage, mais à son grand soulagement, John ne prit pas l'initiative d'arrêter leur voiture pour pousser plus loin les salutations. Et contrairement à ce qu'elle aurait pu craindre, ce ne fut que lorsqu'ils atteignirent un endroit moins fréquenté du parc qu'il ordonna au cocher de stopper.

Les deux valets de pied qui les avaient accompagnés à l'arrière du landau ouvrirent les portières et se chargèrent du sac en cuir et du panier de pique-nique. À distance respectueuse, ils les suivirent jusqu'à un coin d'herbe ombragé au bord d'un point d'eau.

— Cela fera-t-il l'affaire? s'enquit John.

D'un regard, Viola examina les lieux. Ils n'auraient pas une grande intimité, chacun passant sur le chemin pouvant les apercevoir, mais il était douteux qu'ils puissent trouver un coin plus tranquille par une aussi belle journée.

D'un hochement de tête, elle acquiesça et les serviteurs étendirent sur la pelouse un plaid à leur intention. Viola y prit place, arrangeant les plis de sa jupe d'un blanc ivoire autour d'elle, et John s'assit souplement face à elle tandis que les valets dressaient promptement leur table improvisée. Durant ces préparatifs, elle baissa les yeux sur ses mains et prit tout son temps pour ôter ses gants.

— Viola?

À contrecœur, elle se força à relever les yeux.

— Oui?

— Ce que les gens pensent n'a aucune importance.

— Vous savez bien que cela en a.

— Peut-être. Mais il ne sert à rien de le montrer.

Viola jeta un regard autour d'elle pour vérifier si on les observait, avant de répondre sans chercher à cacher son amertume.

— Vous en parlez à votre aise. Demain, dans les clubs, les commentaires seront en votre faveur. Tout le monde applaudira votre exploit pour avoir su ramener votre femme acariâtre et désobéissante à son devoir.

— Ceux qui diront pareille chose, si c'est le cas, vous connaîtront bien mal, n'est-ce pas?

— Pourquoi? Parce que vous pensez que c'est moi qui vais gagner notre petite guerre?

— Non, parce que vous n'êtes pas acariâtre! s'exclama-t-il en riant. Désobéissante, c'est une autre affaire…

Viola pinça les lèvres pour rester impassible, maudissant le charme dévastateur dont son mari savait faire preuve en toute circonstance. Il pouvait dire ce qu'il voulait – y compris parfois les pires horreurs – et lui donner tout de même l'envie de sourire. Pour prévenir ce risque, elle détourna le regard et s'abstint de lui répondre.

Quand les valets de pied eurent placé le panier et le sac en cuir à côté de John, il leur fit signe de prendre congé à distance respectable, suffisamment loin pour ne pouvoir entendre leur conversation mais assez près pour être en mesure de répondre à leurs besoins au moindre appel.

John desserra le lien de raphia du sac en cuir et en tira une bouteille encore humide du lit de glace sur lequel elle reposait.

— Du champagne? s'étonna-t-elle, arquant un sourcil. Vous avez décidé de jouer le grand jeu pour moi, n'est-ce pas, Hammond?

— En effet, admit-il en tirant deux flûtes à champagne du panier.

En quelques gestes habiles, il fit sauter le bouchon et emplit un verre de cristal d'un liquide doré et pétillant.

— Qu'avez-vous apporté d'autre? s'enquit-elle alors qu'il le lui tendait. Des huîtres, peut-être? Ou alors, puisque nous sommes au champagne, des fraises enrobées de chocolat?

D'un air important, John secoua négativement la tête et se pencha sur le panier.

— Vous n'y êtes pas du tout, dit-il. J'ai choisi quelque chose que vous aimez plus que cela encore: des scones…

D'un geste cérémonieux, il tira des profondeurs du panier un bol empli des pâtisseries rondes et dorées, et le déposa entre eux sur le plaid. Un petit pot de confiture suivit le même chemin.

Viola adorait les scones à la confiture. C'était un autre de ses péchés mignons. John paraissait se rappeler tant de choses à son propos… C'était pour lui un avantage certain. Il en savait beaucoup trop à son sujet – combien elle était affamée à cette heure du jour, quelles nourritures avaient ses faveurs… et à quel point elle était troublée lorsqu'il l'embrassait dans le cou.

— Je présume, lâcha-t-elle dans un soupir, qu'il s'agit d'une confiture de mûres?

Sans lui répondre, John ôta le couvercle du pot, examina l'intérieur et se redressa en feignant la surprise.

— Comment avez-vous deviné? C'est en effet de la confiture de mûres – celle que vous préférez… Quelle coïncidence!

— C'est une tentative flagrante de corruption! lança-t-elle d'un ton accusateur. Une campagne de séduction en bonne et due forme pour regagner mes faveurs.

— Tout à fait exact, reconnut-il en reposant la confiture pour se servir un verre de champagne.

Puis, appuyé sur un bras tendu derrière lui, les jambes allongées à côté de celles de Viola dans une attitude de complète insouciance, il demanda innocemment:

— Une tactique déjà couronnée de succès?

— Déjà? répéta-t-elle après avoir bu une longue gorgée. Vous êtes donc persuadé que votre victoire n'est qu'une question de temps? Il est affreusement présomptueux de votre part d'imaginer que je puisse être défaite aussi facilement, surtout quand vous vous contentez de moyens de pression aussi transparents qu'un pique-nique et un peu de champagne.

John la dévisagea un court instant, feignant la plus totale incompréhension.

— Cela signifie-t-il que vous ne voulez pas de scones?

Viola pencha la tête sur le côté, pinça les lèvres et sentit sa résolution vaciller en portant les yeux sur le panier de pâtisseries dorées à point.

— Avez-vous également apporté la crème?

— Naturellement.

S'empressant de reposer sa flûte, John sortit du panier avec un grand sourire un pot de terre cuite.

Viola comprit qu'il ne lui restait plus qu'à capituler.

— Passez-moi un scone! ordonna-t-elle en reposant son verre sur l'une des assiettes.

John prit le temps de fendre un gâteau dans le sens de la longueur avant de le lui passer, avec le pot de crème et une cuillère.

— Je savais que mon plan fonctionnerait à merveille.

— Vous vous trompez! protesta-t-elle en tartinant son scone de crème. Je ne suis pas dupe le moins du monde. Les scones, la confiture, le champagne…

Elle croqua de bon appétit dans la pâtisserie avant de conclure :

— Vous n'achèterez pas mes faveurs à si bon compte.

— Viola… supplia-t-il en se préparant un scone à son tour. Prenez pitié de moi! Regardez à quoi j'en suis réduit pour vous reconquérir.

La jeune femme ne put résister. Elle sourit en le regardant avaler d'une bouchée la moitié du gâteau, recouvert d'une épaisse couche de crème et de confiture.

— Pauvre homme… compatit-elle faussement. Vous avez l'air de souffrir terriblement.

Il approuva de la tête en avalant sa bouchée.

— Je souffre, en effet. Vous savez bien que je préfère la confiture d'abricots.

Avec le pouce, il essuya sur ses lèvres un reste de crème et de confiture, le lécha consciencieusement, puis releva les yeux sur elle avant de conclure avec gourmandise :

— Mais je dois reconnaître que la confiture de mûres a aussi ses avantages.

Viola surprit la lueur qui illuminait ses yeux, reconnut l'expression de son visage, et sut ce qu'il avait en tête. Combien de fois, quand leur relation était encore sans nuages, l'avait-il observée ainsi ? Le voyant reposer la moitié non mangée de son scone dans son assiette et se rapprocher d'elle, elle se raidit mais n'eut pas la force de mettre plus de distance entre eux. Avec un frisson, elle sentit la hanche de John frôler sa cheville.

— Viola… susurra-t-il en accrochant son regard. Vous avez de la confiture sur les lèvres.

— Vous mentez ! lança-t-elle, la bouche pleine.

Néanmoins, elle prit la précaution de vérifier qu'il la taquinait avant d'affirmer :

— Je n'ai pas de confiture sur les lèvres.

John se pencha en arrière, prit à même le pot une lichette de confiture sur le doigt et se retourna vers elle pour le déposer au coin de sa bouche.

— À présent, vous en avez.

C'était un jeu, leur jeu, celui auquel ils avaient tant joué des années auparavant. Quand il lui faisait la cour, durant ces pique-niques où il parvenait à tromper la vigilance de leur chaperon, il lui maculait les lèvres de confiture pour l'en débarrasser sous ses baisers. Après leur mariage, c'était devenu un élément de leurs rituels matinaux – prendre leur petit déjeuner au lit, se barbouiller les lèvres de confiture et faire l'amour. Aujourd'hui il revenait à la charge, l'obligeant à se remémorer ce qu'elle avait ressenti pour lui, ressuscitant des souvenirs qu'elle s'était efforcée de bannir de sa mémoire.

— *Je me rappelle que vous préfériez faire l'amour le matin*…

John se pencha vers elle, approcha ses lèvres des siennes sans se départir de son sourire entendu, et soudain Viola comprit que toutes ses tentatives pour paraître froide et hostile étaient futiles. Il y avait, aujourd'hui comme hier, dans les profondeurs d'ambre des yeux de John, quelque chose qui la rendait immanquablement disponible et alanguie. Son sourire était toujours ce rayon de soleil qui suffisait à répandre une douce chaleur dans son corps et à la faire fondre comme beurre au soleil.

Il se pencha un peu plus encore, et elle sut qu'elle le détestait – qu'elle le détestait vraiment! – pour l'effet qu'il lui faisait. Enfin, il s'arrêta, sa bouche à quelques centimètres de la sienne.

— Je m'en voudrais de vous laisser tout l'après-midi avec le visage barbouillé de confiture… dit-il dans un souffle. Que diraient les gens? Laissez-moi vous rendre le service de vous en débarrasser. Un tout petit baiser, et il n'y paraîtra plus.

Viola lutta pour reprendre ses esprits et n'y parvint que par un ultime effort.

— Quelle attention noble et désintéressée… répliqua-t-elle froidement. Mais vous oubliez que nous nous trouvons dans un endroit public.

— Aucune importance. Vous oubliez que nous sommes mariés.

Un rire bas et rauque s'échappa de ses lèvres. Elles s'approchèrent des siennes d'un centimètre encore, et Viola sentit la panique la gagner. In extremis, elle plaqua sa main contre sa poitrine et le repoussa.

— Ne suis-je donc pas non plus à l'abri de vos avances en public?

— Vous n'êtes à l'abri de mes avances nulle part.

Viola frissonna. John frissonna lui aussi. L'un et l'autre demeurèrent parfaitement immobiles. Sous sa paume, la poitrine de son mari était ferme. Elle crut sentir sous ses doigts les battements de son cœur, aussi précipités que les siens, mais ce ne pouvait être qu'une illusion. L'épaisseur de ses vêtements ne lui permettait pas d'avoir une certitude sur ce point. Cependant il n'y avait pas à se tromper sur la lueur de désir qui flambait au fond de ses yeux. Il y avait si longtemps qu'il ne l'avait plus regardée ainsi, si longtemps qu'elle n'avait plus eu envie qu'il le fasse...

Mais s'il la désirait encore, il n'en allait plus de même pour elle – il ne *pouvait* plus en être ainsi.

— Cela n'est pas convenable, protesta-t-elle d'une voix redevenue ferme. Vous vous oubliez, Hammond...

Elle fit de son mieux pour se rembrunir et redevenir cette déesse de glace inaccessible qu'il détestait.

— Viola... protesta-t-il à voix basse, sans s'écarter d'un pouce. Vous me paraissez mal placée pour mettre en doute mes bonnes manières, vous qui avez le visage barbouillé de confiture.

Sans lui répondre, Viola éleva la main qu'elle avait plaquée sur sa poitrine jusqu'à ses lèvres, et essuya du bout des doigts la confiture qu'il y avait placée.

— Vous n'avez fait qu'empirer les choses, prétendit-il d'une voix malicieuse. Au lieu d'essuyer la confiture, vous l'avez étalée, si bien que vous avez à présent une grande balafre...

Il tendit la main et caressa sa pommette du bout des doigts :

— Juste là.

Bien malgré elle, Viola laissa échapper un soupir rêveur. Depuis combien de temps John ne l'avait-il pas caressée de manière aussi tendre et affolante? Depuis plus de huit ans, et pourtant il lui suffisait d'une caresse pour faire courir à travers tout son corps le même frisson qu'au premier jour, comme si le temps avait suspendu son vol.

— Des gens pourraient nous voir! murmura-t-elle, au désespoir.

Du bout des doigts, John carèssait sa joue. Ses longs cils battirent quand il pointa les yeux vers ses lèvres.

— Dans ce cas, répliqua-t-il, offrons-leur un spectacle qui en vaille vraiment la peine…

Il y avait dans sa voix basse une tension qui faisait écho à celle qui lui mettait les nerfs en pelote. John était un démon tentateur. Il n'y avait aucun doute à ce sujet.

Du bout des lèvres, il effleura les siennes et une étrange sensation s'empara de la jeune femme. Elle eut l'impression de ne peser guère plus qu'une plume virevoltant dans le vent.

Il y avait tellement, tellement longtemps… Elle avait tout oublié : comment il lui répandait de la confiture sur la bouche rien que pour l'embrasser ; quel goût avaient ses baisers ; quelles sensations uniques lui procuraient ses caresses. Il l'obligeait à se rappeler de choses qu'elle s'était efforcée d'oublier, parce qu'il était trop douloureux de garder en mémoire combien il l'avait comblée, à quel point il lui avait donné de joies.

Mais avait-elle oublié pour autant de quel prix il lui avait fait payer ses largesses ? N'avait-elle donc rien appris au cours de ces années d'humiliation quotidienne ? Rien de tout ceci n'était réel. Il la manipulait pour obtenir d'elle ce qu'il souhaitait, exactement comme il l'avait fait durant leurs fiançailles. John lui avait appris la leçon la plus amère qu'une femme puisse apprendre au sujet des hommes : chez eux, l'amour et le désir font deux. Et cette fois, elle ne pourrait que s'en prendre à elle-même si elle tombait dans le piège.

Cette prise de conscience lui permit de reprendre ses esprits. En sursaut, elle se recula sur le plaid et le repoussa de ses deux mains, plaçant entre eux la distance de sûreté dont elle avait plus que jamais besoin. Un rapide coup d'œil alentour confirma ses craintes.

— Des gens nous observent et parlent.

— Pour dire des horreurs à notre sujet, assurément.

John ne la poursuivit pas de ses assiduités. Bien plus à l'aise qu'elle ne l'était elle-même, il prit appui sur ses coudes avant d'ajouter :

— Embrasser sa propre femme – surtout en public – est pour un homme le comble du mauvais goût. Mes amis n'auront de cesse que de me chambrer avec ça. J'essaierai de garder mon sang-froid, la prochaine fois que vous aurez la figure barbouillée de confiture.

— Le plus simple serait peut-être de vous retenir d'en mettre…

— Mais… Viola… ce ne serait plus drôle.

— J'oubliais que la vie n'est que source d'amusement pour vous.

— Seigneur Dieu ! Je l'espère bien… Ne devrait-elle pas l'être, selon vous ?

Viola se rappelait une époque où la vie n'avait été que source d'amusement pour elle, mais son existence était bien plus monotone désormais. Elle était certes gratifiante, satisfaisante aussi, tissée de moments de bonheur et de tristesse. Mais amusante, excitante, échevelée, elle ne l'était guère – depuis que John n'en faisait plus partie.

Le cœur lourd, Viola trempa un coin de sa serviette dans sa flûte à champagne pour l'humecter et se frotta la joue avec vigueur.

— La trace est-elle partie ? s'enquit-elle en s'obligeant à fixer John droit dans les yeux. Et ne me mentez pas, s'il vous plaît !

— Elle est partie. Mais vous vous êtes frotté la joue jusqu'au sang, si bien que la différence n'est pas flagrante.

Roulant la serviette en boule, elle la jeta sur lui. Elle eut envie de jeter un nouveau coup d'œil autour d'eux pour voir si on les observait, mais se retint. Les ragots lui reviendraient aux oreilles bien assez tôt. Dès le lendemain, chacun dans leur entourage saurait que Hammond avait été vu en train d'embrasser sa femme en public, et que lady Hammond n'avait pas montré beaucoup d'enthousiasme pour le repousser. Chacun s'accorderait également pour conclure qu'il était temps qu'elle accepte de nouveau son époux dans son lit et apprenne à devenir une épouse digne de ce nom.

Mais, sur ce point, Viola était plus que jamais déterminée à ne pas leur donner satisfaction.

7

Après plusieurs années de turbulence, l'opéra de Covent Garden était de nouveau en vogue, et nombre de pairs de première importance y avaient renouvelé la location de leur loge privée. Parce que Dylan Moore était le compositeur le plus renommé d'Angleterre, parce qu'il avait récemment achevé une symphonie après un long silence, et parce qu'il conduisait celle-ci en personne, le théâtre fut plein comme un œuf pour la première du mardi soir.

Hammond y avait une loge à l'année, mais c'était Viola qui l'occupait le plus souvent. Assises près d'elle ce soir-là se trouvaient les deux filles de sir Edward et trois des sœurs Lawrence. C'était tout à fait intentionnellement qu'elle avait occupé chaque siège disponible, car John lui avait fait parvenir un mot samedi annonçant son intention d'assister avec elle au concert de Dylan. Elle lui avait répondu qu'elle avait déjà pris des dispositions pour occuper la loge et qu'il lui faudrait trouver à s'asseoir ailleurs. Ensuite seulement, elle s'était mise en chasse pour trouver les deux ou trois personnes qui lui manquaient.

— Tout cela est tellement excitant! s'extasia Amanda Lawrence, la belle-sœur de Dylan, au milieu des bruits de l'orchestre qui s'accordait. Ma sœur m'a expliqué que son mari n'avait plus dirigé d'orchestre depuis des années...

— Je suis très impatiente de voir cela moi aussi, admit Viola. Je ne l'ai vu diriger qu'une seule fois, et c'était il y a très longtemps. J'étais à l'école en France et mon frère était venu me rendre visite. Dylan était engagé dans une série de concerts en Europe, à l'époque. Anthony m'avait invitée à assister à la représentation parisienne.

Amanda jeta un coup d'œil au programme.

— La symphonie ne sera jouée qu'après une première partie. Connaissez-vous cet autre compositeur, Antoine Renet, qui présente un concerto pour violon et orchestre?

— J'ai très peu entendu sa musique, répondit-elle alors que retentissaient les sonneries invitant les spectateurs à regagner leurs places.

Quelques minutes plus tard, des valets mouchèrent les lumières et la première partie du concert put commencer. L'esprit préoccupé, Viola ne lui accorda qu'une attention superficielle. Elle était pleinement consciente des regards en biais qui lui étaient adressés depuis la salle à travers les lunettes de vue. Quatre jours s'étaient écoulés depuis son pique-nique à Hyde Park avec John et, comme elle l'avait craint, la nouvelle de la réconciliation surprise de lady et lord Hammond avait fait le tour des salons.

À l'entracte, les sœurs Lawrence et Fitzhugh allèrent se chercher des glaces, mais Viola resta assise sur son siège. À leur retour, Amanda n'était plus avec elles. Sa plus jeune sœur, Jane, lui expliqua:

— Je l'ai vue être présentée à une paire de séduisants gentlemen par votre belle-sœur, la duchesse de Tremore. L'un deux paraissait sous le charme.

Elle émit un petit rire coquin avant de conclure:

— Nous n'avons pas voulu nous montrer indiscrètes.

Les sonneries retentirent de nouveau, annonçant le début de la seconde partie, mais Amanda ne reparut pas. Un peu inquiète, Viola regarda par-dessus la rambarde en direction de la loge d'Anthony, pensant que peut-être Daphné avait invité la jeune fille à les rejoindre.

— C'est moi que vous cherchez?

La voix reconnaissable entre toutes la fit se retourner, juste à temps pour voir son mari s'installer sur la chaise laissée vacante par Amanda.

— Que faites-vous ici? s'offusqua-t-elle.

— Cela ne se voit pas? Je viens assister au concert en votre compagnie.

L'air satisfait de lui-même, John s'adossa à son siège et lissa sa cravate. Il paraissait tellement ravi du tour qu'il était en train de lui jouer qu'elle l'aurait volontiers frappé de son éventail. Dans sa veste bleu nuit, son gilet de soie argenté et sa chemise blanche, il était plus séduisant que jamais. Mais son apparence époustouflante et son sourire ensorceleur ne pouvaient masquer le fait qu'il constituait pour elle un mal plus lancinant qu'une rage de dents.

— Vous ne pouvez vous asseoir là, Hammond.

— Bien sûr que je le peux! protesta-t-il, vivante image de l'innocence. N'est-ce pas moi qui paie la location de cette loge?

Viola, qui aurait pu difficilement le contredire sur ce point, préféra ignorer l'argument.

— Je vous avais prévenu que toutes les places seraient prises. Il vous faut partir.

— Partir? Je ne le pourrais pas même si je le voulais, très chère… Dylan est mon meilleur ami, et pour rien au monde je ne raterais l'occasion de le voir conduire cet orchestre. À l'heure qu'il est, il est sur des charbons ardents. Je suis allé le saluer en coulisses. Il m'a demandé de vous transmettre ses hommages.

— Qu'est-il arrivé à Amanda? s'enquit Viola sans se laisser amadouer.

— Qui cela?

— La sœur de Grace Moore, précisa-t-elle en lui frappant l'avant-bras de son éventail replié. La jeune fille qui était assise à côté de moi avant que vous n'usurpiez son siège. Miss Amanda Lawrence.

— Ah, oui… miss Lawrence.

Du regard, il pointa une loge obscure, à gauche et un étage au-dessus de la leur, tout en expliquant:

— Elle a trouvé plus agréable de rejoindre la loge des Hewitt.

Renonçant à exprimer son incrédulité et sa colère, Viola ferma les yeux et se pinça l'arête du nez entre le pouce et l'index. Une migraine commençait à lui vriller le crâne, signe avant-coureur de ce à quoi ressemblerait sa vie tant que son mari n'aurait pas renoncé à son absurde tentative de réconciliation. Il semblait n'avoir d'autre but dans l'existence que de transformer sa vie en enfer.

— La duchesse de Tremore a eu l'extrême obligeance de me présenter miss Lawrence à l'entracte, poursuivit-il. Et puisque lord Damon était en ma compagnie, je lui ai présenté cette dernière. Il lui a suffi d'un regard pour inviter la jeune fille dans la loge de sa famille. Son père, sa tante et ses deux sœurs n'y ont rien trouvé à redire, bien au contraire. Il leur restait justement un fauteuil inoccupé. Quelle heureuse coïncidence, vous ne trouvez pas?

Viola redressa le menton et fixa obstinément la scène.

— Une bien étrange coïncidence, en effet. Qui vous doit beaucoup, à n'en pas douter…

— Pas le moins du monde! protesta-t-il. Il s'est trouvé que lady Hewitt, enrhumée, a dû renoncer à assister à la première. Aussi calculateur et machiavélique que je puisse être, il n'est pas dans mes pouvoirs de donner à distance le rhume à une marquise. Pour le reste, Damon n'a eu qu'à jeter un regard à miss Lawrence, à ses cheveux blonds, à ses yeux noisette, pour se retrouver ensorcelé, le pauvre diable… La foudre lui tombant sur le crâne ne lui aurait pas fait plus d'effet! Je ne l'ai jamais vu ainsi, mais puisque j'éprouve moi-même une passion certaine pour la blonde aux yeux noisette que vous êtes, je ne peux le blâmer d'avoir perdu la tête pour une autre presque aussi jolie que vous.

Viola se retint de faire remarquer que ses préférences l'avaient également porté au cours des ans à rechercher les faveurs de quelques rousses et de quelques brunes.

— Quoi qu'il en soit, répliqua-t-elle, ce n'était pas le meilleur service à rendre à Amanda. Lord Damon est un individu peu recommandable. La preuve : il gravite dans votre cercle…

— Cela ne joue pas en sa faveur, je vous l'accorde… reconnut John avec une grimace. Mais lord Damon est également le fils aîné d'un marquis. Songez à ce qu'un tel mariage apporterait à miss Lawrence. Ce serait une union profitable.

À ces mots, Viola se raidit, songeant aux raisons qui l'avaient lui-même poussé à l'épouser.

— Le profit est naturellement selon vous le principal ressort d'un mariage, dit-elle sèchement. Bien plus que le sentiment amoureux.

S'il perçut un sous-entendu dans ces paroles, John fit comme s'il n'avait rien remarqué.

— Je n'ai pas dit cela. Quand je l'ai laissé au bras de miss Lawrence, Damon m'avait tout l'air d'un homme amoureux. Vous qui paraissez vous être chargée de lancer les sœurs de Grace dans le monde, vous devriez m'être reconnaissante de vous avoir aidée. Comment pouvez-vous me reprocher d'avoir présenté l'une d'elles à un futur marquis?

— J'ai promis à Dylan d'accompagner les premiers pas des sœurs de sa femme dans les salons, reconnut-elle, mais pas pour les pendre au bras d'individus tels que lord Damon. En tant que futur marquis, il est peut-être un beau parti mais, en tant que futur mari, il ne peut que faire le malheur de celle qui l'épousera. Amanda est une gentille jeune fille.

Inébranlable, John hocha la tête.

— Exactement ce qu'il faut à Damon pour se ranger.

— Vous croyez? rétorqua-t-elle d'une voix doucereuse. On ne peut pas dire que cela ait fonctionné en ce qui vous concerne.

— Je n'ai pas épousé une gentille jeune fille.

— Trop aimable! Si vous comptez gagner mes faveurs avec de tels compliments, vous gaspillez votre salive en pure perte…

De nouveau, les chandeliers furent mouchés et Viola, soulagée par cette distraction, s'accouda au balcon. Sous les applaudissements, Dylan Moore traversa la scène, s'installa à son pupitre et se retourna pour s'incliner en direction du public. S'il se sentait nerveux, cela ne se voyait pas.

John se pencha sur sa chaise, s'accoudant lui aussi et profitant de l'occasion pour se rapprocher jusqu'à ce que leurs épaules se touchent.

— Je n'ai pas épousé une gentille jeune fille, murmurat-il dans un souffle, parce que c'était une épouse fougueuse et passionnée que je voulais.

Dans un chuchotement, Viola lui répondit:

— Dites plutôt que vous vouliez une épouse fortunée.

— J'avais *besoin* d'une épouse fortunée... rectifia-t-il sans paraître gêné d'avoir à le reconnaître. Mais ce que je voulais vraiment, c'était une femme pleine de fougue et de passion. Et telle était celle que j'ai épousée. Du moins, jusqu'à ce qu'elle oublie ce que ces mots veulent dire.

Piquée au vif, Viola tressaillit et tourna la tête vers lui.

— Comment pouvez-vous être aussi cruel!

Heureusement, son exclamation d'indignation avait jailli en même temps que retentissaient les premières mesures de la symphonie, empêchant quiconque à part son mari de la remarquer. Pour se faire entendre de lui, elle pencha la tête sur le côté, tout en portant son regard sur la scène.

— Si j'ai tout oublié de la passion, reprit-elle dans un murmure farouche, c'est par votre faute!

— Vous avez entièrement raison.

La tranquille assurance de cet aveu la surprit. Une nouvelle fois, elle tourna la tête vers John. À présent, il se tenait si près d'elle que leurs lèvres faillirent se toucher. Elle aurait dû se reculer – elle savait qu'elle aurait dû le faire – mais elle ne pouvait s'y résoudre.

— John... dit-elle en plongeant dans la pénombre son regard au fond du sien. C'est la première fois que je vous entends reconnaître une part de responsabilité dans le vaste gâchis de notre mariage.

— Oui, c'est vrai... admit-il d'un air gêné. Vous savez, c'est affreusement embarrassant pour un homme d'avoir à reconnaître qu'il s'est trompé à propos de quoi que ce soit.

Cela tient naturellement à notre manque d'entraînement, car nous ne nous trompons presque jamais.

Viola pinça les lèvres.

— Ah! se réjouit-il en baissant les yeux vers sa bouche. Je vous ai presque arraché un sourire. N'est-ce pas?

Précipitamment, elle détourna le regard et fit mine de s'intéresser au concert.

— Absolument pas! mentit-elle. Une fois de plus, vous prenez vos désirs pour des réalités.

— Dans ce cas, pourquoi me gênerais-je?

Tendrement, avec la jointure des doigts, John effleura sa joue. Viola sursauta, agrippant la rambarde d'une main et serrant dans l'autre son éventail de nacre ciselé. Les nerfs tendus à craquer, péniblement consciente des regards braqués dans leur direction, elle sentit sa main s'insinuer dans son dos. Du bout des doigts, il déposa sur sa nuque de savantes caresses, et du bout des lèvres contre son oreille, un baiser aussi léger qu'une aile de papillon.

— Arrêtez tout de suite! ordonna-t-elle tout bas. Des gens nous regardent.

Fidèle à lui-même, John n'en tint aucun compte.

— Si vous avez oublié par ma faute ce que le mot passion signifie, susurra-t-il au creux de son oreille, il me faut réparer mes torts... Ne croyez-vous pas?

— John...

Viola suspendit sa phrase, oubliant ce qu'elle avait été sur le point de dire, tandis qu'il effleurait du bout des lèvres le lobe de son oreille et dessinait à la pointe de son pouce le contour de son menton.

— J'ai en tête plus d'un moyen de vous redonner goût à la passion. Si vous me laissez faire.

Incapable de résister à la langueur traîtresse qui la submergeait, Viola ferma les yeux. Pourquoi fallait-il que le simple contact de son mari lui fasse toujours autant d'effet? Il avait raison en affirmant qu'elle avait tout oublié de la passion qu'ils avaient partagée, même si celle-ci lui revenait en pleine face comme un boomerang. Et à présent qu'elle était parvenue à se détacher de lui, elle ne voulait plus se souvenir de ces petits matins où ils faisaient l'amour, de ces promenades à cheval au cours desquelles il lui suffisait d'être près d'elle pour la faire rire. Elle ne voulait plus jamais ressentir cette joie intense. Il était trop douloureux de devoir un jour y renoncer.

Se forçant à rouvrir les paupières, Viola tourna la tête vers lui mais sans le regarder. Dans le noir, son regard chercha derrière l'épaule de son mari l'une des loges du deuxième niveau de Covent Garden. À n'en pas douter, lady Pomeroy devait s'y trouver, et la vision de la jeune femme à l'étonnante beauté ténébreuse suffisait à éteindre en elle cette étincelle de passion que John s'échinait à ranimer. Combien de fois, au cours de la liaison qu'ils avaient entretenue, Viola n'avait-elle pas été obligée de s'asseoir comme si de rien n'était face à Anne Pomeroy pour jouer aux cartes ou boire le thé? À cette évocation, sa carapace de glace, écran très sûr derrière lequel elle se protégeait depuis tant d'années, se retrouva instantanément en place.

— Pour ce qui est de la passion et des plaisirs de la chair, dit-elle d'une voix posée, je reconnais que vous êtes bien plus compétent que moi. Vous avez tellement plus d'entraînement…

Sans avoir besoin de le vérifier sur son visage, elle sut que ses paroles avaient fait mouche. Contre son oreille, elle le sentit soupirer de dépit. Lentement, sa main se retira de son visage et il s'adossa de nouveau à son siège sans un mot.

Soulagée et de nouveau maîtresse d'elle-même, Viola l'imita, s'appliquant à relâcher la pression de ses doigts autour de son éventail. Son regard se reporta sur la scène en contrebas et elle fit de son mieux pour se concentrer sur ce qui s'y passait. Mais, même si elle ne souhaitait rien d'autre que le succès du concert, même si elle ne doutait pas que Dylan remporterait un triomphe, il lui était difficile de s'en assurer par elle-même. Bien plus que les accents de la musique, elle entendait encore la voix tentatrice de John lui promettre un regain de passion.

Lorsque la symphonie prit fin dans un époustouflant crescendo de cordes, de cuivres et de cymbales, la foule se mit debout comme un seul homme avec un rugissement d'approbation. Brusquement tirée de sa rêverie, Viola se laissa emporter par le mouvement général. Applaudissant à tout rompre, elle regarda Dylan s'incliner pour recueillir l'hommage du public. Sa joie et sa fierté de voir son ami remporter un tel triomphe étaient si grandes que, l'espace d'un instant, elle en oublia toute autre considération.

John, au milieu des rappels, se chargea de la ramener sur terre en se penchant à son oreille :

— Peu importe ce qu'il me faudra faire pour y parvenir, je vous ferai sentir et goûter de nouveau cette passion que nous avons partagée un jour. Je le jure ! Je viendrai vous chercher jeudi prochain à deux heures. À votre tour de décider où nous irons.

Sans lui laisser l'occasion de répliquer, il tourna les talons et quitta la loge. Découragée, Viola laissa son regard errer sur le public, qui n'en finissait plus d'applaudir. Un sombre pressentiment l'habitait car, même si elle tentait de se persuader du contraire, les chances de succès de son mari étaient réelles. Et c'était bien ce qui lui faisait peur.

Le jeudi suivant, John regretta de lui avoir laissé le choix de leur destination.

— Vous plaisantez… grogna-t-il quand elle lui eut dit où elle voulait se rendre.

— Absolument pas !

Alors qu'il l'aidait à monter en voiture, elle ajouta avec un sourire triomphant :

— Je souhaite passer l'après-midi à visiter le musée d'Anthony. Je l'ai entendu dire ce matin qu'il y serait toute la journée.

Son sourire s'élargit encore lorsqu'elle conclut :

— Ainsi, il pourra nous faire la visite guidée lui-même. N'est-ce pas merveilleux ?

Le visage renfrogné, John prit place à côté d'elle et s'abstint de répondre. Une telle perspective avait en ce qui le concernait tout de l'enfer sur terre.

— Viola… protesta-t-il en une ultime tentative pour lui faire changer d'avis. L'archéologie vous ennuie à périr.

— C'était le cas autrefois, reconnut-elle, mais j'ai élargi mes horizons.

— Suffisamment pour être passionnée par les antiquités romaines?

— Oui, répondit-elle en dardant sur lui un regard glacial et hautain. Cela vous surprendra sans doute, mais j'ai réussi à mener sans vous une vie pleine et enrichissante, et j'ai développé des intérêts dans de nombreux domaines.

Cela pouvait fort bien être vrai, mais John ne croyait pas une seule seconde qu'elle avait choisi ce but de promenade uniquement par amour des tessons de poteries romaines. Non. Si elle avait choisi le musée de son frère, c'était parce qu'elle était sûre qu'il s'y trouverait pour les surveiller, aussi altier, attentif et hostile qu'un rapace à l'affût, rendant impossible toute manœuvre de séduction de sa part.

Tandis qu'ils roulaient vers le musée, John étudia à la dérobée le profil de sa femme, illuminé par un clair soleil printanier. Il n'était pas homme à se dérober devant le défi qu'elle lui lançait, et il se promit de tout faire pour lui arracher un baiser avant le soir. Avec son frère rôdant dans les parages, il allait devoir faire preuve d'ingéniosité et de ténacité, mais il avait démontré au cours de leurs fiançailles qu'il n'en manquait pas.

Il s'avéra que Tremore se trouvait effectivement au musée ce jour-là, mais qu'il y servait de guide à un groupe d'amateurs d'antiquités vénitiens. À leur arrivée, on leur indiqua qu'il était en train de leur montrer les collections et qu'il en aurait encore pour deux heures, voire plus.

Cette fois, ce fut au tour de John d'afficher un sourire triomphant.

— Voyez-vous cela… murmura-t-il en fixant Viola, debout à son côté dans l'énorme hall. Votre frère ne peut nous rejoindre. Quel affreux contretemps…

La mine renfrognée de sa femme en disait long sur son état d'esprit.

— Nous reviendrons plus tard, suggéra-t-elle.

— Ce serait dommage! répliqua John en s'efforçant de ne pas rire de sa déconfiture. Maintenant que nous sommes là, autant en profiter. De toute façon, vous avez développé ces dernières années une telle passion pour les antiquités que vous devez être capable autant que votre frère de nous guider à travers le musée.

C'était à lui de la défier, à présent.

— Fort bien… répondit-elle dignement en pointant le menton. Par quoi voulez-vous commencer?

— Je n'en sais rien encore.

En un long regard panoramique, John admira au plafond le vaste dôme sous lequel ils se trouvaient, les murs et les sols de marbre et de travertin, les corridors qui rayonnaient dans toutes les directions. L'immeuble était magnifique. Il lui fallait reconnaître que lorsque Tremore faisait quelque chose, il le faisait bien.

Rejoignant un gardien qui se trouvait à deux pas, il se fit remettre un plan imprimé des lieux et l'ouvrit. Un rapide coup d'œil lui apprit tout ce qu'il avait besoin de savoir sur l'endroit.

— Je vois qu'une nouvelle aile vient d'être ouverte au public…

— Oui, répliqua Viola en desserrant les rubans de son chapeau sous son menton pour le rejeter dans son dos. Mais on n'y expose encore que peu de choses – principalement des armes, je crois. Je ne suis allée qu'une fois dans cette partie du bâtiment.

John lui tendit le plan.

— Raison de plus pour commencer par là… Vous nous montrez le chemin?

Le musée connaissait une grosse affluence, surtout dans la nouvelle aile, et ils passèrent l'heure suivante à louvoyer entre les groupes rassemblés devant des vitrines emplies de boucliers en bronze et de lances en fer. John fut surpris de constater, en écoutant les commentaires éclairés de Viola, que son goût pour l'archéologie s'avérait plus réel qu'il ne l'avait supposé. Alors qu'ils se penchaient sur une collection de poignards ornés de pierres précieuses, il laissa libre cours à sa curiosité.

— Quand avez-vous commencé à vous intéresser à l'archéologie?

Un petit sourire attendri flotta sur les lèvres de Viola.

— J'imagine que l'enthousiasme de Daphné et Anthony doit être contagieux. Ils parlent si souvent de leur passion qu'il est difficile de ne pas s'y intéresser.

Du regard, elle désigna les armes antiques:

— Sans compter que j'ai toujours été fascinée par les pierres précieuses.

— Je me le rappelle fort bien.

Décidant que le moment était venu de passer à l'offensive, John repéra de l'autre côté de la pièce une large double porte débouchant sur un corridor désert. Grâce au plan qu'il avait étudié, il savait que c'était celle qu'il cherchait. Insensiblement, passant comme si de rien n'était d'une vitrine à l'autre, il entraîna Viola dans cette direction.

Tandis qu'elle admirait un bouclier en étain richement ornementé, il se pencha vers elle et désigna la porte:

— Je vais voir ce qu'il y a là-bas. Attendez-moi, je n'en ai pas pour longtemps.

Comme prévu, Viola se récria aussitôt:

— Mais il n'y a rien à voir! Cette partie du musée n'est même pas encore ouverte au public.

— Cela ne signifie pas pour autant qu'il n'y a rien à voir...

Après lui avoir adressé un clin d'œil, il s'engagea dans le corridor et le remonta rapidement sur toute sa longueur, laissant derrière lui plusieurs pièces emplies de paniers de poteries brisées et de mosaïques en cours de reconstitution.

Manifestement, cette partie de l'immeuble servait d'atelier au personnel chargé de la restauration et de l'entretien des collections. Au bout du corridor, il jeta un coup d'œil à gauche et à droite. Une large et haute galerie s'étendait dans les deux directions, éclairée par des puits de lumière ouverts dans le plafond voûté. Optant au hasard pour la gauche, il ne rencontra rien d'autre sur son passage que de nouveaux paniers emplis de poteries brisées. Les lieux étaient déserts.

Dans son dos, les pas de Viola sur le sol de pierre ne tardèrent pas à se faire entendre. Comme il l'avait imaginé, elle n'avait pu résister à la tentation de le suivre.

— John? appela-t-elle d'une voix incertaine.

— Je suis ici! cria-t-il.

Enfin, il la vit déboucher dans la galerie et tourner la tête vers la droite.

— Viola… appela-t-il pour se signaler à son attention.

Depuis l'extrémité de la galerie, il lui fit de la main un signe pour qu'elle le rejoigne, ajoutant afin de l'appâter:

— Venez voir ce que j'ai trouvé.

— Voir quoi? rétorqua-t-elle. Il n'y a rien à voir dans cette section.

— Comment le savez-vous? Vous êtes déjà venue ici?

— Non… Mais cette partie du musée n'est même pas ouverte au public. Je l'ai lu sur le plan.

— Oubliez le plan!

John rebroussa chemin sur quelques pas et fit mine d'observer avec le plus grand intérêt l'extrémité d'une autre galerie vide.

— Bien au contraire, reprit-il, il y a par ici des tonnes de choses à voir…

Feignant la plus parfaite bonne foi, il tourna les yeux vers elle et soutint son regard sans ciller. Viola fronça les sourcils, le visage empreint d'une adorable expression de perplexité. Un instant, elle baissa les yeux pour consulter le plan, puis demanda:

— Que peut-il y avoir de si intéressant? D'autres poteries, je suppose?

— Des tonnes, en effet. Et bien d'autres choses encore.

— Par exemple? fit-elle en avançant enfin d'un pas vers lui.

— Vous voulez une liste? Venez donc voir par vous-même.

John s'engagea dans la galerie de manière à s'effacer de sa vue. Quelques mètres plus loin, il pénétra dans une niche manifestement destinée à accueillir une statue. Appuyé de l'épaule contre l'une des parois, les bras croisés, il écouta avec un sourire ravi sa femme se mettre en marche pour le rejoindre. Son piège avait parfaitement fonctionné, et il n'avait pas été très difficile de l'y faire tomber. Viola avait toujours eu la curiosité et la confiance chevillées au corps.

Enfin, elle déboucha à l'entrée de la galerie et le vit, tout sourire, qui l'attendait dans le renfoncement du mur. La perplexité céda le pas sur son visage à la colère.

— Vous vous êtes joué de moi! lança-t-elle d'un ton accusateur en venant se camper face à lui.

John se redressa en riant et, vif comme l'éclair, ceintura ses hanches pour l'attirer à lui.

— Naturellement… Vous ne vous rappelez pas comme j'étais habile autrefois pour faire en sorte de me retrouver seul avec vous? Sur ce point, je n'ai pas changé.

— Je me le rappelle… lâcha-t-elle d'une voix grinçante. À présent lâchez-moi, et cessez de vous rendre ridicule.

Elle fit mine de le repousser, mais il l'en empêcha. Pivotant sur ses talons, il l'entraîna à sa suite à l'intérieur de la niche.

— Hammond! protesta-t-elle vivement. Qu'est-ce qui vous prend?

Il avait manœuvré en sorte qu'elle se retrouve le dos au mur, coincée contre lui dans l'étroit renfoncement.

— Vous êtes ma prisonnière! murmura-t-il en la fixant droit dans les yeux. Pour retrouver la liberté, il va vous falloir payer une rançon. Vous vous souvenez des règles qui présidaient à nos jeux, n'est-ce pas?

À voir son regard se troubler, il était manifeste qu'elle s'en souvenait. Les yeux levés vers lui, comme hypnotisée, elle passa la langue sur ses lèvres puis décréta, d'un ton qui manquait singulièrement de conviction :

— Il est hors de question que je vous embrasse.

Le sourire de John s'élargit encore. Une main appuyée contre le mur, il joua de l'autre avec les rubans de son chapeau. D'un coup sec, il tira l'une des extrémités et le couvre-chef se retrouva sur le sol.

— Savez-vous ce que je soupçonne ? dit-il en glissant un doigt dans l'encolure de son châle. Je soupçonne que si vous vous laissez si facilement duper par moi, c'est parce que vous désirez secrètement que je vous embrasse. Soyez honnête et reconnaissez-le…

— Si je me laisse si facilement duper par vous, répéta sèchement Viola, c'est parce que vous êtes un maître de la tromperie…

Sur ce, elle fit une tentative pour se sortir du piège dans lequel elle se trouvait, comme si elle était certaine qu'il la laisserait passer. Bien loin de lui donner satisfaction, John réduisit encore le peu d'espace qu'il lui laissait et passa la main derrière sa nuque.

— Il faut respecter les règles… dit-il en lui adressant son sourire le plus tendre. Pour passer, vous devez d'abord m'embrasser.

Viola laissa fuser de ses lèvres un soupir exaspéré.

— Ces jeux ne sont plus de saison ! Il nous était encore possible d'y jouer lorsque vous me courtisiez. Ce n'est plus le cas à présent.

— Croyez-vous ?

Chaque seconde de ce petit jeu du chat et de la souris accroissait le désir de John et sa volonté de ne pas céder. Du regard, il caressa les longs cheveux d'or de Viola, dont il enroula rêveusement une mèche autour de son index avant d'ajouter :

— Pour moi, cela y ressemble grandement. Aujourd'hui comme hier, je dois faire preuve d'une grande patience, user de ruses pour arriver à mes fins, et me contenter de la perspective des délices que je convoite. Après vous avoir conduite à l'autel, je n'imaginais plus avoir à repasser par là, mais puisque vous me contraignez à des mesures désespérées…

— Comment osez-vous prétendre que je vous contrains à quoi que ce soit! s'indigna-t-elle, les yeux étincelants et les poings serrés. C'est bien vous qui…

Viola comprit à son sourire amusé qu'elle ne faisait que s'enferrer un peu plus. Laissant sa phrase en suspens, elle émit un soupir exaspéré et ordonna d'une voix menaçante:

— Laissez-moi passer, Hammond!

John laissa retomber son bras tendu contre le mur et lui enserra doucement la taille, sans cesser de jouer de son autre main avec ses cheveux.

— Je le ferai… susurra-t-il en la fixant droit dans les yeux. C'est promis. Aussitôt que vous m'aurez donné un baiser.

Depuis l'autre extrémité de la galerie, les échos d'une voix masculine familière roulèrent jusqu'à eux, réduisant Viola au silence.

— Messieurs, je sais que vous brûlez d'impatience de découvrir nos poteries exhumées trop récemment pour être déjà exposées. Si vous voulez bien me suivre…

Les yeux écarquillés par la surprise, Viola s'agrippa des deux mains aux bras de John.

— C'est la voix d'Anthony! constata-t-elle dans un murmure empreint de panique. Il va nous surprendre…

— Et alors? fit John sans marquer la moindre émotion et sans bouger d'un pouce. Où est le mal? Nous sommes mariés, à présent. Vous vous rappelez?

— Pour l'amour du Ciel, lâchez-moi! supplia-t-elle tout bas, une nuance de désespoir dans la voix. Il est en train d'amener ses visiteurs italiens par ici…

Ses deux mains fermement arrimées à la taille de Viola, John se pencha en arrière pour jeter un coup d'œil hors de la niche. Ainsi put-il voir, dans la galerie principale, le duc de Tremore tourner dans la direction opposée à celle qu'ils avaient suivie quelques instants plus tôt, entraînant dans son sillage un groupe d'honorables vieillards.

— Ne craignez rien! lança-t-il à voix basse. Ils ne viennent pas par ici.

Quand ils eurent disparu et que le bruit de leurs pas se fut perdu dans les profondeurs du bâtiment, John put enfin en revenir à l'importante tâche qui l'occupait.

— Ils sont partis… constata-t-il d'un air satisfait en enlaçant de nouveau fermement sa femme. Où en étions-nous?

Viola regarda autour d'elle, comme si elle avait pu découvrir quelque porte de sortie qui lui eût échappé. Mais il n'y en avait aucune. De toute part, elle était cernée par des murs, sauf devant elle où John lui opposait le rempart de son corps.

— Laissez-moi passer… répéta-t-elle en désespoir de cause. Je veux partir.

John secoua négativement la tête.

— Et moi, je veux mon baiser.

Viola poussa un grognement de rage et de dépit.

— Les hommes peuvent être de tels enfants, parfois!

John éleva les deux bras et lui prit doucement le visage en coupe entre ses mains. Du bout du pouce, il caressa la petite fossette au coin de sa bouche et inhala son parfum de violette. La morsure du désir en lui se fit plus cuisante et ce fut d'une voix tendue qu'il précisa:

— À cet instant, mes pensées ne pourraient être plus éloignées de l'innocence enfantine…

Dans les yeux de Viola passa une lueur de panique.

— Cessez de m'importuner et tenez-vous-le pour dit! s'emporta-t-elle. Je ne vous embrasserai pas!

Tout en continuant à caresser sa joue d'une main, John glissa l'autre dans son dos.

— Fort bien. Rester ici à vous serrer dans mes bras me convient parfaitement.

— Vous voulez dire que vous avez l'intention de me retenir ici toute la journée?

— Cela ne dépend que de vous. Allons, Viola… soyez raisonnable.

La tête penchée sur le côté, John glissa ses doigts dans les cheveux de Viola. En tâtonnant le long de sa nuque, il eut tôt fait de défaire le chignon compliqué. Avec un tintement délicat, une épingle tomba sur le sol. Puis, lentement, il approcha ses lèvres des siennes, satisfait de les voir s'entrouvrir. Il vit ses longs cils recourbés battre quelques instants et sut qu'elle se rappelait autant que lui leurs petits jeux d'autrefois. Tout comme il l'avait fait au temps de leurs fiançailles, il se faisait un devoir de ne rien précipiter, de tenir la bride haute à son désir afin de laisser à celui de Viola tout le temps nécessaire pour s'éveiller. Très légèrement, il effleura sa joue du bout des lèvres, juste à la naissance de sa bouche.

— Un baiser… susurra-t-il contre son oreille. Donnez-moi juste un baiser et je vous libère.

Viola ferma les yeux et secoua négativement la tête.

— Même si je vous le donnais, vous n'en feriez rien. Je vous connais trop bien pour croire à vos promesses. Ce ne serait que la porte ouverte à plus de privautés encore.

Négligemment, John se mit à jouer avec le bouton qui maintenait en place le châle de Viola. L'instant d'après, il déboutonna et le fit glisser, révélant sa gorge et ses épaules nues au-dessus du décolleté en dentelle de sa robe.

— Qu'est-ce que vous faites? s'alarma-t-elle en tentant en vain de retenir le châle qui tomba sur le sol.

— Cela ne se voit pas? demanda-t-il d'un air matois. Je m'autorise ces privautés que vous m'accusez d'avoir en tête. Vous êtes bien trop longue à vous décider.

Sans autre forme de procès, il pencha la tête et embrassa tendrement sa gorge nue, inhalant au passage son parfum familier et troublant. Des lèvres entrouvertes de Viola s'échappa un petit soupir désespéré. Il connaissait ses points faibles. Les baisers dans le cou en faisaient partie depuis toujours.

À cet instant, des bruits de pas sur les dalles de pierre se firent entendre. Les voix d'un couple discutant à quelque distance flottèrent jusqu'à eux. Avec amusement, John songea qu'il ne devait pas être le seul à avoir songé aux opportunités qu'offrait un musée de s'isoler en compagnie d'une femme...

— Vous devez me laisser passer... murmura Viola, sans trop de conviction à présent. On risque de nous surprendre.

Indifférent à une menace aussi lointaine, John poursuivit à pleine bouche l'exploration de la courbe gracieuse de son cou. Insensiblement, ses doigts précédèrent ses lèvres et se portèrent vers ses seins.

— Il leur faudrait parcourir toute la galerie pour nous surprendre, expliqua-t-il entre deux baisers. Et nous les entendrions approcher bien à temps. De toute façon...

Il se tut, oubliant ce qu'il avait eu l'intention de dire. Sa paume venait d'englober en douceur le volume plein et rond d'un sein de Viola, qui se raidit en poussant un cri étouffé. L'épaisseur de ses vêtements ne rendait pas moins évocateur ce contact troublant. Dans la mémoire de John, le souvenir des formes de sa femme demeurait clair et vivace. Son désir enfla comme une vague, menaçant de tout emporter.

Viola glissa une main entre eux, agrippant son poignet dans l'intention manifeste de le retenir. John se figea sur place, tendu comme une corde, la main posée sur son sein dans l'attente de sa décision. Qu'il ait obtenu d'elle son baiser ou non, il serait dans l'obligation de renoncer si elle lui demandait d'arrêter. Mais pas avant...

Enfin, après une attente qui lui parut interminable, les doigts de Viola se relâchèrent et elle posa sa main sur la sienne – sans la presser tout à fait contre son sein, mais presque. Un soulagement intense s'empara de John. De sa part, c'était un encouragement tacite à continuer.

À travers le tissu de sa robe, il massa plus fermement sa poitrine, le bout de ses doigts caressant la peau douce que laissait à nu le décolleté arrondi. Ce faisant, avec une ardeur nouvelle, il lui dévorait la gorge de petits baisers, remontant lentement le long de son cou jusqu'à son menton.

La respiration de Viola s'était accélérée. En gémissant de plaisir, elle s'agita entre ses bras. D'une voix qui était tout à la fois troublée, misérable et en colère, elle protesta :

— Quelqu'un va nous voir. Oh, John ! Quelqu'un va finir par nous surprendre...

— Dans ce cas, dépêchez-vous de me donner ce baiser.

Avec un soupir de capitulation, Viola tourna la tête pour lui donner enfin ce qu'il s'était promis de lui arracher. Ses lèvres s'entrouvrirent en prenant contact avec les siennes, faisant courir à travers son corps un frisson de plaisir. Elle leva la main pour lui caresser la joue. Ses gants de chevreau étaient doux et frais contre sa peau, contrairement à sa bouche, aussi brûlante et affamée que la sienne. John ferma les yeux pour mieux savourer ce plaisir familier, dont il avait pourtant si longtemps été privé. Il retrouvait Viola telle qu'il se la rappelait. Sa bouche avait bien la même saveur qu'autrefois. Sa lèvre supérieure, qu'il mordillait doucement, demeurait aussi pleine. Ses dents, sous sa langue, gardaient la même perfection nacrée.

Hélas, aussi soudainement qu'elle s'y était prêtée, Viola ne tarda pas à se soustraire à ce baiser. Le visage tourné sur le côté, elle s'agita contre lui et émit un son inarticulé – une protestation, peut-être.

Au-delà du bruit du sang qui battait à ses oreilles et de la faible plainte de Viola, John entendit autre chose – un bruit de pas qui se rapprochaient indiscutablement. Il sut qu'il lui fallait renoncer à pousser plus loin son avantage. Au moins pour ce jour-là.

S'arrachant à regret à leur étreinte, il déposa un rapide et ultime baiser dans le cou de Viola, recula d'un pas, et la laissa libre de ses mouvements. Avant qu'elle ait pu le faire, il se baissa pour ramasser son chapeau et son châle. Après les lui avoir tendus, alors que les pas devenaient de plus en plus proches, il écarta les dernières brumes qui lui engourdissaient l'esprit, redressa sa cravate, et sortit de la niche pour voir qui venait.

Un vieil homme courbé par les ans, vêtu d'une redingote noire fatiguée, portant une paire de petites lunettes rondes, s'arrêta au milieu du corridor en le voyant surgir. Dans le renfoncement du mur à côté de lui, John entendit le bruissement du chapeau de paille et le froissement du châle que Viola remettait en place.

— Ah, enfin! s'exclama John en s'éloignant d'un pas de la niche. Quelqu'un pour nous aider… Voilà des heures que nous tournons en rond, essayant en vain de trouver notre chemin.

Surpris, l'homme regarda tout autour d'eux.

— Y a-t-il quelqu'un avec vous, sir?

— Ma femme et moi cherchions la nouvelle collection d'armes, expliqua-t-il avec la plus parfaite innocence, mais selon toute vraisemblance nous nous sommes perdus.

— Apparemment, répliqua le vieil homme avec un sourire amusé. Vous ne pourriez en être plus éloignés.

John hocha la tête et fronça les sourcils, vivante image de la perplexité.

— Désolé, très chère… dit-il en tournant la tête vers le coin d'ombre où se tenait Viola. Vous aviez raison. Nous nous sommes complètement égarés.

Sa remarque lui valut un regard cinglant.

— Ne vous a-t-on pas remis un plan à votre arrivée? reprit le nouveau venu.

— Un plan? répéta John en arquant un sourcil. Non, je ne pense pas qu'on nous ait donné rien de tel.

— Je le regrette et je vais réparer cet oubli. Je suis M. Addison, directeur adjoint de ce musée. Permettez-moi de vous conduire, vous et votre épouse, jusqu'à la section des armes anciennes.

— Je vous en remercie. Vraiment, c'est très aimable de votre part.

Se penchant vers Viola, la main tendue pour l'inviter à les rejoindre, John ajouta dans un souffle à sa seule intention :

— Votre bouton de châle…

En hâte, elle reboutonna son encolure et le gratifia d'un nouveau regard noir. Puis, après avoir redonné à son menton toute la hauteur qui sied à la sœur d'un duc et repoussé sur le côté les mèches de cheveux qui avaient glissé sur son visage, elle plaça sa main dans la sienne et s'avança dans la galerie.

— Par tous les dieux! s'exclama le vieil homme, les yeux ronds. Lady Hammond!

— Bonjour, monsieur Addison.

Non sans une certaine satisfaction, John nota qu'en dépit de ses efforts pour feindre l'impassibilité, Viola gardait les joues rouges, sa voix n'était pas aussi assurée qu'elle le souhaitait sans doute, et il y avait dans son apparence un désordre qui ne lui ressemblait guère.

— Encore perdue, milady? demanda le directeur adjoint en hochant la tête avec commisération.

Viola lui adressa ce sourire de faible femme à cervelle d'oiseau auquel seuls les vieux messieurs indulgents et les jouvenceaux inexpérimentés pouvaient se laisser prendre.

— C'est cette nouvelle aile, expliqua-t-elle en soupirant. Elle me désoriente complètement...

— C'est pourquoi je vous recommande toujours de ne pas vous aventurer dans le musée sans un plan, répliqua M. Addison avec un sourire indulgent.

Rehaussant ses lunettes sur l'arête de son nez, il étudia John un instant et ajouta :

— Je vois qu'aujourd'hui votre époux vous accompagne.

Viola n'étant manifestement pas disposée à se donner cette peine, John se chargea des présentations.

— Je me présente : lord Hammond.

— C'est un honneur et un plaisir pour moi, milord... fit le directeur adjoint en s'inclinant. Si vous voulez bien me suivre, je vais vous ramener dans le parcours de l'exposition.

À distance, ils emboîtèrent le pas à M. Addison le long de la galerie.

— Il était moins une... murmura John à l'oreille de sa femme. Voilà des années que je ne m'étais pas autant amusé.

Outre qu'il avait gagné son pari en arrachant un baiser à Viola, il avait en effet toutes les raisons de se réjouir. Le trouble qu'il avait su éveiller en elle avait dépassé toutes ses espérances. L'armure de glace se fendillait peu à peu, et tous les espoirs lui semblaient permis.

Comme pour doucher cet enthousiasme, elle se pencha vers lui et lâcha dans un murmure cinglant :

— Profitez bien de votre triomphe, car vous n'en aurez pas d'autre – pas avec moi, en tout cas ! Je suis bien décidée à ne plus me laisser abuser par vos manœuvres.

John l'étudia à la dérobée et sourit de sa mine butée. Furieuse, elle était bien plus belle encore.

— Vous m'en voyez ravi ! conclut-il avec un regard en biais. Voilà un défi qu'il m'est impossible de ne pas relever.

8

Viola contempla le miroir de la modiste, sans vraiment voir le reflet qu'il lui renvoyait ni le costume qu'elle avait fait réaliser pour le bal de charité. Seul le sourire roué et triomphant de son mari lui occupait l'esprit. Décidément, John demeurait l'homme qu'il avait toujours été, prêt à tout et ne reculant devant rien pour parvenir à ses fins. Comme il le lui avait rappelé, elle s'était toujours laissé prendre naïvement à ses pièges. Et, à en juger par ce qui s'était passé au musée, rien n'avait changé. À l'avenir, se promit-elle, il lui faudrait faire preuve de plus de méfiance. Il demeurait aussi doué pour se jouer d'elle qu'il l'avait toujours été.

Hélas, il n'y avait pas que pour cela qu'il était doué... Machinalement, Viola porta ses doigts à ses lèvres. Le souvenir brûlant du baiser qu'il lui avait arraché au musée s'y attardait encore. Mais, comme elle le lui avait reproché, s'il était si habile aux petits jeux de la séduction et de l'amour, c'était parce qu'il avait exercé sans compter ses talents dans ce domaine.

Cette pénible réalité n'aidait cependant en rien Viola. Honteuse et furieuse de sa propre faiblesse, elle ne cessait de s'interroger sur sa conduite de la veille. Fermant les paupières, elle fit défiler dans sa mémoire les images de ces instants volés dans les entrailles désertes du musée. La seule conclusion qui s'imposait, c'était que la femme mûre qu'elle était à présent s'était laissé aveugler au point de perdre la tête, tout comme la naïve jeune fille qu'elle avait été neuf ans plus tôt.

Tant d'années s'étaient écoulées depuis que John ne l'avait plus touchée, embrassée, caressée ainsi... Mais le temps passé n'avait rien changé à l'effet explosif qu'il produisait sur elle, et l'expérience de son orgueil bafoué ne l'avait apparemment pas guérie de la griserie sensuelle que lui procuraient sa bouche et ses mains.

Secouée par un frisson, Viola enroula ses bras autour d'elle et ouvrit les yeux. La glace lui renvoyait l'image d'une femme misérable, en proie à la confusion. Mais comment aurait-elle pu comprendre et accepter ce qu'elle avait dans le cœur et dans la tête? Quelque chose devait clocher en elle, mais quoi?

C'était l'orgueil qui lui avait permis de survivre à son chagrin d'amour. Quand son mari s'était tourné vers d'autres femmes, elle avait réussi à conserver la tête haute, à prétendre – à son intention comme aux yeux du monde – que son infidélité l'indifférait et qu'il pouvait bien faire ce qu'il voulait, avec qui il voulait. Son orgueil l'avait aidée à se satisfaire d'une vie emplie de bonnes œuvres et d'amis fidèles. Alors pourquoi ce même orgueil ne lui avait-il été d'aucun secours pour lui résister?

Une chose était certaine: de nouveau, il la blesserait au cœur et dans sa fierté si elle lui en laissait l'opportunité. Un baiser volé dans la pénombre était un petit jeu qui ne prêtait pas à conséquence, mais elle savait qu'il était capable de lui mentir impunément et qu'elle ne demanderait qu'à le croire. C'était ce qui lui faisait le plus peur: à quel point elle pouvait être crédule devant lui.

— *M'aimez-vous?*

— *Vous aimer? Mais, très chère, je ne vous aime pas... je vous adore!*

Un coup léger contre la porte mit un terme à ses pensées. À son invitation à entrer, Viola vit dans le miroir Daphné pénétrer dans le salon d'essayage de la modiste, vêtue de son costume de Cléopâtre.

— Eh bien? s'inquiéta-t-elle en lissant les tresses de sa perruque. Qu'en penses-tu?

Délibérément, Viola relégua dans un coin de son esprit les événements du musée l'après-midi précédent. Il n'était pas si grave de perdre la tête, du moment qu'elle ne laissait pas John Hammond dérober de nouveau son cœur. Sur cette conclusion rassurante, elle se tourna vers sa belle-sœur et lui sourit.

— Cléopâtre portait-elle des lunettes ?

Daphné fit la grimace et lâcha un petit rire enfantin.

— Je ne les porterai pas pour le bal, bien sûr. Dis-moi plutôt ce que tu penses de ce costume.

Caressant du bout des doigts l'encolure ornée de pierres précieuses de sa robe fuseau blanche, elle précisa sa crainte secrète.

— N'est-ce pas trop puéril, de la part de la duchesse de Tremore, de choisir un tel déguisement ?

Avant de lui répondre, Viola dévisagea avec affection sa meilleure amie au monde, songeant à la femme qu'elle avait été lorsqu'elles s'étaient connues – maladivement timide, complexée et convaincue de ne pouvoir plaire, si désespérément amoureuse d'Anthony et pourtant furieusement déterminée à ne pas le lui montrer. Celle qui se tenait devant elle aujourd'hui n'avait plus rien à voir avec la jeune femme mal dans sa peau qu'elle avait rencontrée et tout de suite appréciée. L'amour que lui rendait si passionnément son mari, les responsabilités afférentes au titre de duchesse de Tremore, avaient suffi à balayer en Daphné toute timidité et à lui donner une bonne dose de confiance en elle. Mais il y avait encore des moments – comme celui-ci – où la timide archéologue à peine sortie de son désert revenait faire une apparition.

— Ce n'est pas le moins du monde puéril, assura-t-elle. Qu'est-ce qui te fait craindre une chose pareille ?

— J'ai toujours éprouvé une fascination pour Cléopâtre, confessa Daphné. Je crains juste de n'être pas convaincante dans ce rôle. Même si ce n'est que le temps d'un bal costumé, ne sommes-nous pas supposées tenir au mieux les rôles que nous endossons ?

— Rassure-toi! lança Viola en riant. Dans ce costume, tu me parais impériale à souhait. À mon avis, Anthony ne sera que trop ravi d'être ton Marc-Antoine. Tu n'auras qu'à faire un geste pour qu'il se lance à la conquête de l'Empire romain.

Les lèvres de Daphné s'incurvèrent en un sourire qui n'était pas sans rappeler un chat devant un bol de lait.

— Tout à fait exact! approuva-t-elle. Il m'a expliqué une fois que je pouvais faire de lui ce que je voulais, parce que nous autres femmes avons sur les hommes un pouvoir auquel ils ne peuvent résister si nous savons correctement l'employer. Il m'a fallu du temps pour comprendre ce qu'il voulait dire par là.

Viola soupira bruyamment.

— Si tu as compris en quoi consiste ce fameux pouvoir, maugréa-t-elle, je compte sur toi pour me l'expliquer à l'occasion. Dieu sait si j'en aurais l'utilité, par les temps qui courent…

Le sourire de sa belle-sœur se fana sur ses lèvres, et elle lui lança un regard empli d'une compassion que Viola ne pouvait supporter. Bien vite, d'une pirouette, elle passa à un sujet de conversation moins sensible.

— Et moi? s'enquit-elle en faisant tournoyer son ample robe autour d'elle. Comment me trouves-tu en marquise de la cour du roi de France?

— Je te trouve magnifique. Comme d'habitude.

— Merci, mais que penses-tu du costume? Te paraît-il authentique?

Daphné pencha la tête sur le côté et la détailla de la tête aux pieds.

— Pour être tout à fait dans le ton, il faudrait que tu te poudres les cheveux.

Viola caressa du plat de la main le velours bleu nuit de sa robe et s'exclama:

— Tu n'y penses pas! Sur ce costume sombre, ce serait un véritable massacre…

— Et encore, tu as de la chance que l'on n'utilise plus du sucre à cet usage.

Cette précision fit grimacer Viola de dégoût.

— Tu veux dire que les marquises se poudraient les cheveux au sucre? N'était-ce pas pour attirer toutes sortes d'insectes?

— Effectivement, admit tranquillement Daphné, ce ne devait pas être joli à voir.

— Pouah! Quelle horreur...

L'espace d'un instant, Viola songea que s'il fallait pour éloigner Hammond attirer les mouches, cela valait peut-être la peine d'essayer. Puis elle se rappela qu'elle s'était juré de ne plus penser à lui.

— La jupe tombe-t-elle bien à l'ourlet? s'inquiéta-t-elle en se penchant pour se rendre compte par elle-même.

— Juste un petit problème de panier, répondit Daphné en se baissant pour ajuster sous le jupon l'une des baleines de l'armature. Si tu ne veux pas t'embêter à poudrer tes cheveux, tu pourrais te costumer en princesse de la Grèce antique. Au lieu de les poudrer, elles les graissaient.

— Elles se tartinaient les cheveux de graisse? fit Viola, ébahie. Pourquoi diable faisaient-elles une chose pareille?

Daphné se redressa, rit de son expression horrifiée, et observa dans le miroir le résultat de ses efforts.

— La graisse était parfumée, expliqua-t-elle. En fondant à la chaleur, elle répandait dans leur sillage une agréable odeur.

Viola fit tourner autour d'elle sa robe bouffante pour juger de l'effet produit.

— Je suis toujours ébahie par l'étendue de tes connaissances... s'émerveilla-t-elle. Je te remercie de ta suggestion, mais je crois que je vais en rester à mon idée première. J'ose à peine imaginer les commentaires de lady Deane si je me montrais au bal, les cheveux couverts d'une couche de saindoux parfumé... Mais, puisque tu es de si bon conseil, comment pourrais-je faire, selon toi, pour éviter de couvrir de talc ce magnifique velours?

— Tu n'as qu'à porter une perruque. La plupart des gens en portaient au siècle dernier.

— Hors de question. Elle me tiendrait chaud à la tête et provoquerait d'insupportables démangeaisons. Je déteste cela !

— Voilà pourquoi tu ne parviens jamais à garder bien longtemps un chapeau sur le crâne ! s'exclama Daphné en riant. Je comprends, à présent…

Un grattement se fit entendre à la porte et Mirelle, la modiste la plus courue de Londres, fit son entrée dans le salon d'essayage.

— Votre Grâce… salua-t-elle en s'inclinant sur le seuil. Lady Hammond… Je viens m'assurer que ces costumes sont à votre convenance. Y a-t-il quoi que ce soit que vous aimeriez changer ? Je suis à votre disposition.

— Je suis enchantée par le mien, déclara Daphné.

La modiste joignit les mains en signe de reconnaissance.

— Votre Grâce est trop aimable.

Puis elle se tourna vers Viola :

— Et vous, milady ?

— Mirelle ? s'enquit-elle en observant son reflet d'un air songeur dans la glace. Qu'utilise-t-on pour poudrer les cheveux ? Du talc ?

— On fabrique de nos jours une excellente poudre à perruques, milady. Les juges et les avocats l'utilisent. Vous pourriez vous en servir sans salir votre robe. Mais si je peux me permettre un conseil, il serait bien dommage de dissimuler ainsi votre chevelure. Vos cheveux sont d'un blond magnifique, que le bleu nuit de votre costume met en valeur.

En écoutant la jeune femme, Viola fut traversée par le souvenir du baiser échangé la veille au musée et se sentit rougir. Elle n'était pas sûre d'avoir envie de mettre en valeur sa chevelure. Étant donné les circonstances, c'était bien trop dangereux.

— Merci, Mirelle… murmura-t-elle distraitement.

— Je suis du même avis, intervint Daphné. Aucune femme, quelle que soit son époque, n'aurait recouvert de poudre d'aussi magnifiques cheveux.

— Alors, je les laisserai tels qu'ils sont.

Sa décision prise, Viola tenta de se convaincre que seul l'ennui représenté par la poudre la rebutait. Le fait que John ait toujours été fasciné par sa chevelure n'était bien évidemment pas pour la motiver.

— Mais nous avons un autre petit problème, reprit-elle en se tournant vers la modiste. Je dois porter ce costume lors d'un bal, et serrée comme je le suis par ce corsage, il me sera difficile de valser bien longtemps. Pas étonnant qu'on ne dansait que le menuet, au temps de nos arrière-grands-mères.

Viola enserra la taille du corsage de soie bleu pâle orné de broderies et demanda :

— Vous serait-il possible de relâcher un peu la pression ici ?

— Un tout petit peu seulement, répondit Mirelle après avoir examiné le vêtement. À trop relâcher la taille, le modelé du corsage en serait gâché.

— Faites ce que vous pouvez.

D'un œil pensif, Viola contempla une dernière fois le costume dans le miroir et hocha la tête d'un air satisfait.

— J'aime beaucoup cette robe, conclut-elle. La jupe de velours est somptueuse et les broderies sont magnifiques.

À ces mots, Mirelle s'éloigna en reculant vers la porte et inclina le torse.

— Toujours heureuse de vous servir, milady.

Mirelle partie, une de ses assistantes aida Viola à ôter la robe de marquise et à se rhabiller, tandis que dans le salon voisin Daphné faisait de même.

— Mirelle avait raison, dit celle-ci quand elles se retrouvèrent toutes deux dans le cabriolet d'Anthony cinq minutes plus tard. Cette robe met particulièrement ta beauté en valeur.

Viola s'adossa à la banquette en soupirant et lui adressa un regard empli de chagrin.

— Il y a tant de belles femmes sur cette terre, Daphné… Mais si la beauté d'une femme ne suffit pas à lui garantir la fidélité de son mari, qu'est-ce qui le pourrait ?

Daphné tendit le bras pour lui serrer affectueusement l'épaule.

— Je ne sais pas, répondit-elle tout bas. Honnêtement, je ne le sais pas.

— Moi non plus, murmura Viola alors que la voiture se mettait en route. Mais j'aimerais tant le savoir…

John était conscient que, pour reconquérir sa femme, il lui faudrait avoir recours à des mesures désespérées. Il savait également qu'il devrait endurer un certain nombre de désagréments.

Ainsi il décida de se tenir éloigné de Grosvenor Square durant quelques jours. Il essaya de se convaincre qu'il le faisait pour que son absence finisse par manquer à Viola, mais à la vérité c'était à lui qu'il avait besoin de donner du temps. Avant toute chose, il lui fallait reprendre les rênes de son désir. Le souvenir de ce qui s'était passé entre eux au musée, du goût des lèvres de Viola, de ses courbes délicieuses entre ses bras, ne cessa de hanter ses rêves pendant les trois nuits – et ses pensées pendant les trois jours – que dura cet éloignement.

Le lundi après-midi, il décida qu'il avait suffisamment recouvré son sang-froid pour prendre le risque de rendre de nouveau visite à sa femme. Mais cette fois, pas question de lui voler un baiser dans quelque recoin sombre… Ce jour-là, il lui fallait se résigner à endurer une tout autre sorte de torture. Son intention était de l'emmener faire les boutiques avec lui.

La suggestion qu'il lui avait faite de redécorer sa maison de Bloomsbury Square n'avait pas suscité l'enthousiasme qu'il avait espéré. En l'emmenant choisir avec lui quelques étoffes et quelques meubles, peut-être finirait-elle par se prendre au jeu et se sentir partie intégrante de ce projet. Outre qu'il comptait bien ainsi servir sa cause, John savait à quel point Viola avait toujours adoré faire du shopping.

En s'annonçant à l'hôtel des Tremore cet après-midi-là et en faisant part à sa femme de ses projets, il sut cependant que la partie était loin d'être gagnée.

— Je n'ai pas envie de sortir, répondit-elle d'un ton las en se laissant glisser sur un sofa du salon. Je ne me sens pas bien.

— Personne ne vous a jamais dit que vous mentez très mal? répliqua John sans se laisser abattre. Coiffez votre chapeau, attrapez votre réticule et allons-y…

— Je vous ai déjà dit que je ne tiens pas à redécorer votre maison.

— Vous oubliez que c'est la vôtre également. J'en ai fait le vœu quand nous nous sommes mariés : ce qui est à moi est à vous. Vous vous rappelez?

Viola croisa les bras d'un air buté.

— Vous n'aviez rien quand nous nous sommes mariés.

— J'avais mes domaines, un titre, une horrible galerie de portraits des vicomtes qui m'ont précédé. Ne me dites pas que cela ne compte pas à vos yeux…

Avec un haussement d'épaules, Viola rétorqua :

— Pourquoi n'emmenez-vous pas plutôt lady Pomeroy faire les boutiques? Elle adore Bond Street, et elle ne vit que pour gaspiller l'argent de son mari.

John se cantonna dans un silence prudent. De toute évidence, elle lui jetait Anne à la figure dans le but de se débarrasser de lui.

Peut-être aurait-il pu tout lui raconter de sa liaison avec Anne Pomeroy. Mais aborder ce sujet reviendrait à sauter dans une fosse aux serpents. Il aurait pu lui dire quelle aventure froide et sans passion ils avaient vécue – l'assouvissement d'un désir physique, la conjonction de deux solitudes et rien de plus – mais il doutait qu'aux yeux de Viola un tel argument ait valeur de circonstance atténuante. Accepter d'en parler avec elle n'aurait fait qu'aggraver son cas. Sa liaison avec Anne remontait à cinq ans. Le futur était tout ce qui importait.

— Préférez-vous marcher jusqu'à Bond Street? s'enquit-il d'un ton plein de prévenance. Ou voulez-vous que nous prenions ma voiture?

Viola émit un claquement de langue agacé, se leva d'un bond et alla se camper devant la cheminée.

— Vous êtes donc sourd? lança-t-elle par-dessus son épaule. Je vous ai dit que je refuse de sortir avec vous.

Insensiblement, comme s'il lui fallait amadouer un animal craintif, John s'approcha d'elle dans son dos et déploya tous ses talents oratoires.

— Viola... vous adorez courir les boutiques, et vous savez à quel point je déteste cela. Je m'imaginais que vous sauteriez sur l'occasion de me torturer en me faisant tester le confort de chaises capitonnées et comparer les nuances de tapis turques. Sans parler des joailliers, chez qui vous pourriez me soutirer une somme extravagante en vous faisant offrir quelque inutile babiole de rubis et diamants à exhiber devant vos amies...

Piquée au vif, Viola pivota sur ses talons pour lui faire face.

— Je n'ai ni envie ni besoin que vous m'offriez des bijoux! protesta-t-elle sèchement. Et comme il me semble vous l'avoir déjà dit, je n'ai aucunement l'intention de dépenser l'argent qui vient de ma famille à redécorer votre maison – même si vous êtes le seul à pouvoir contrôler l'usage qui en est fait.

Elle paraissait particulièrement déterminée à se disputer avec lui ce jour-là, mais John était tout aussi décidé à ne pas lui offrir ce plaisir.

— Si vous n'avez pas envie de faire du shopping, alors nous ferons autre chose.

Il marqua une pause et se prit le menton pour faire mine de réfléchir, avant d'ajouter gaiement:

— Et si nous allions rendre visite à des amis? Ce serait amusant. Nous pourrions nous asseoir dans leur salon, main dans la main, comme deux tourtereaux. Les couples mariés ne se donnent jamais la main – d'autant plus en ce qui nous concerne... Imaginez leur stupeur!

Cette perspective ne parut pas enchanter Viola. Ce fut d'une voix glaciale qu'elle déclina l'offre.

— Je n'irai pas rendre visite à nos amis main dans la main avec vous!

— Très bien, comme il vous plaira! s'exclama-t-il avec un sourire rusé. Puisque vous vous montrez réfractaire à tout romantisme… nous pourrions retourner au musée de votre frère. J'ai entendu dire qu'il s'y trouve de délicieuses fresques romaines cachées aux yeux du public dans quelque réserve. Vous qui êtes la sœur de Tremore, vous pourriez faire en sorte qu'on nous laisse y accéder afin d'y jeter un coup d'œil. Excellente idée! Allons-y…

Manifestement mal à l'aise, Viola détourna le regard et répondit d'une voix sourde:

— Il n'en est pas question.

— Je me suis laissé dire, poursuivit John, que ces fresques sont particulièrement érotiques.

Réalisant qu'elle rougissait, il se mit à rire et vint se camper devant elle. Lui soulevant le menton, il put vérifier le trouble qui se lisait sur son visage.

— Avouez-le, Viola… Vous les avez déjà vues, n'est-ce pas? Comment avez-vous fait? Vous vous êtes introduite dans les réserves pour les admirer pendant que grand frère avait le dos tourné?

— Ne soyez pas stupide!

Mais ses joues se firent plus rouges encore, et John sut qu'il n'était pas tombé loin de la vérité. Ravi de l'aubaine, il ne se priva pas de la taquiner de plus belle.

— Votre curiosité a été la plus forte, n'est-ce pas? J'aurais dû penser à vous demander de les voir, l'autre jour. À quoi ressemblent-elles? Sont-elles aussi polissonnes qu'on le dit? Vous pouvez me les décrire. Je suis votre mari, après tout…

Viola garda le silence, mais son visage prit une teinte pivoine et John comprit que la rumeur ne devait pas exagérer la puissance érotique de ces fresques. Ainsi, songea-t-il, si Tremore et sa femme passaient tant de temps à déterrer toutes ces antiquités, ce ne devait pas être uniquement par amour de l'archéologie…

Détaillant sa femme de pied en cap, il se surprit à échafauder dans le secret de ses pensées quelques fantaisies érotiques de son cru, perdant aussitôt le peu d'intérêt qu'il avait pu manifester pour le shopping.

— Vous savez, reprit-il d'un air pensif, plus j'y songe et plus l'idée de retourner visiter le musée de votre frère me séduit. Même s'il n'y a sans doute rien dans ces fresques que nous n'ayons déjà expérimenté. En fait, si la pièce où elles se trouvent ferme à clé, nous pourrions essayer de…

— Très bien, très bien, très bien ! s'exclama Viola en levant les mains, paumes ouvertes. Vous avez gagné, nous irons à Bond Street.

Sans lui laisser le temps de répliquer, elle tourna les talons et marcha vers la porte d'un pas énergique, faisant virevolter avec force ses jupons de dentelle et sa jupe de soie jaune autour de ses jambes.

— Attendez, j'ai changé d'avis ! lança-t-il derrière elle en riant. Je veux retourner au musée avec vous et admirer les fresques érotiques…

Une porte claquée violemment fut sa seule réponse.

Elle le rejoignit quelques minutes plus tard, coiffée d'un chapeau de paille orné de pensées violettes et jaunes, et tenant dans ses mains gantées un réticule brodé. Marquant juste un bref arrêt au seuil de la pièce, elle lança avant de disparaître :

— Eh bien, qu'attendez-vous ? Allons-y…

Bond Street ne se trouvait qu'à deux blocs de Grosvenor Square. John suggéra de s'y rendre à pied. D'un signe de tête, Viola acquiesça mais, lorsqu'il lui offrit son bras, elle n'y accrocha pas le sien et ce fut côte à côte mais à distance respectable qu'ils se mirent en chemin. Deux valets de pied les suivaient discrètement à distance, prêts à se charger de leurs paquets si nécessaire.

Au carrefour de Bond Street, Viola marqua une pause et se tourna vers lui pour demander :

— Que désirez-vous acheter?

— Aucune idée, répondit John. C'est votre domaine, pas le mien. Les seules boutiques que je fréquente sont celles des bottiers et des libraires, ainsi que celle de mon tailleur.

D'un geste de la main, il engloba la rue commerçante qui s'offrait à leurs regards et conclut:

— À vous de jouer.

Viola laissa son regard errer sur les devantures.

— Bell's serait peut-être un bon choix pour démarrer.

— Bell's?

— C'est un drapier. Le meilleur de la ville. J'ai entendu dire qu'ils ont reçu récemment un arrivage de très beaux velours, et vous avez besoin de nouvelles tentures dans plusieurs des pièces de votre maison. J'ai remarqué que la plupart étaient plutôt fanées et élimées…

Pensive l'espace d'un instant, elle tapota ses lèvres d'un index ganté:

— Bien que, avant de changer les tentures, il faudrait sans doute commencer par faire repeindre. Nous verrons cela.

À ces mots, John se mit à rire, frappé par un souvenir.

— Vous rappelez-vous, lorsque vous avez entrepris de redécorer Hammond Park? demanda-t-il alors qu'ils se remettaient en marche. Vous aviez choisi de repeindre notre chambre dans une vibrante couleur rouge, que vous avez détestée aussitôt les travaux achevés. Moi, je l'aimais, et ne voulais rien y changer. Nous nous sommes longuement disputés à ce sujet.

— Et vous avez gagné, conclut Viola en stoppant devant la porte de chez Bell's pour qu'il la lui ouvre. Il est agaçant d'avoir à me rappeler le nombre de fois où je vous ai cédé.

En la suivant dans la boutique, John lui murmura à l'oreille:

— Tout est affaire de point de vue. Je préfère quant à moi me souvenir des moyens utilisés pour vous convaincre. Si je me rappelle bien, il me fallait toujours pas mal de mots doux et quelques baisers pour vous gagner à ma cause. C'était le côté intéressant de nos joutes.

Viola se raidit et le foudroya du regard.

— J'aimerais que vous cessiez de revenir constamment sur les périodes de notre vie commune qui vous arrangent!

John s'amusa de la voir rougir de plus belle et la suivit jusqu'à un comptoir central où s'empilaient les coupons de tissu. Il s'arrêta juste derrière elle, observant les étoffes par-dessus son épaule. Tout doucement, pour ne pas se faire entendre des clientes qui vaquaient autour d'eux, il lui demanda:

— Cela vous agace, quand je vous rappelle que nos réconciliations se passaient au lit la plupart du temps?

Viola lui lança un regard exaspéré et fit un pas de côté pour se soustraire à sa présence envahissante.

— Êtes-vous vraiment obligé de vous coller à moi comme une ombre?

John fit le tour du comptoir pour se placer face à elle.

— Vous préférez ne pas me répondre, bien sûr... Pour quelle raison vous hérissez-vous comme un oursin chaque fois que j'aborde des sujets intimes?

— J'en ai au moins cinq! répliqua-t-elle du tac au tac. Non: six, en comptant Elsie.

John refusa de la suivre sur ce terrain, préférant palper un échantillon de velours vert mousse, l'une des couleurs préférées de Viola.

— Que pensez-vous de celui-ci?

Prenant garde à ne pas effleurer ses doigts, elle saisit la pièce de tissu qu'il lui tendait, l'étudia un instant, la tête penchée sur le côté.

— Il serait parfait dans votre bibliothèque, admit-elle. Avec ces murs couleur crème et ces alignements de reliures, il serait du plus bel effet.

— Cela ne me dit pas si vous l'aimez.

Reposant l'échantillon sur le comptoir, Viola secoua la tête d'un air buté.

— Peu importe si je l'aime ou non.

— Cela importe pour moi, Viola.

Feignant le plus vif intérêt pour un autre échantillon de velours, elle s'abstint de lui répondre.

— L'aimez-vous? répéta-t-il.

De l'autre côté du comptoir, Viola s'agita, fit passer le poids de son corps d'une jambe sur l'autre, soupira, et enfin se décida à le fixer droit dans les yeux.

— Oui! s'exclama-t-elle. Oui, j'aime ce velours. Vous êtes satisfait?

John sourit et hocha la tête. C'était une minuscule concession, mais elle était néanmoins bonne à prendre.

— Je savais que vous l'aimeriez, avoua-t-il. C'est bien pourquoi j'ai choisi de vous le montrer.

— Comment saviez-vous que je l'aimerais?

— Après le rose, le vert est votre couleur favorite. Je me le rappelle parfaitement. Un bon point pour moi, vous ne trouvez pas?

— Vous n'avez pas changé: vous avez toujours le triomphe modeste…

Sur ce, Viola s'enferma dans un silence maussade, brisé seulement lorsqu'elle requérait son avis sur divers tissus exposés.

Ainsi ils remontèrent toute la longueur du comptoir. Elle lui parlait sur un ton tellement froid et impersonnel que John aurait pu s'imaginer avoir embauché une décoratrice professionnelle. Peu lui importaient ses idées quant au meilleur moyen de donner un coup de jeune à la maison de Bloomsbury Square. Ce qu'il voulait, c'était un sourire, un rire, un baiser – ce qu'il voulait, c'était lui plaire.

Aussi, quand le hasard lui mit entre les doigts une pièce de tissu d'une couleur qu'elle détestait, eut-il une idée qu'il s'empressa de mettre à exécution.

— Finalement, annonça-t-il le plus innocemment du monde, je pense que ce vert mousse serait trop austère dans la bibliothèque. À la place, je verrais mieux cette couleur-ci.

Intriguée, Viola releva les yeux, observa le coupon qu'il tendait vers elle, avant de le dévisager avec horreur comme s'il venait de perdre la tête.

— Mais… ce velours est orange!

John fit mine d'étudier attentivement le coupon, comme s'il peinait à comprendre ses réticences.

— Et alors? J'aime bien la couleur orange. Pas vous?

— Vous plaisantez? Je la déteste! Il n'est pas de couleur plus affreuse et plus vulgaire.

— C'est votre opinion, mais je verrais fort bien quant à moi des rideaux de cette couleur dans ma bibliothèque.

Son expression devint franchement hostile, et ce fut avec une sincère indignation qu'elle s'écria:

— Il n'y aura jamais la moindre touche d'orange dans notre bibliothèque!

— Enfin! triompha-t-il. Enfin une victoire!

En un geste d'exultation puérile, John avait jeté en l'air l'échantillon de tissu, s'attirant les regards intrigués des clientes alentour, et celui plus que réprobateur de sa femme.

— De quoi parlez-vous donc? chuchota-t-elle, gênée.

Il lui sourit crânement, insouciant du fait que dès le lendemain les élégantes de Londres commenteraient sa conduite scandaleuse en sirotant leur thé.

— Vous avez dit: «notre bibliothèque».

Viola se raidit, pointa fièrement le menton et détourna le regard.

— Certainement pas! lâcha-t-elle. Je n'ai pas pu dire une chose pareille.

— Vous l'avez dite! insista-t-il. Inutile de prétendre le contraire.

Furieuse, elle le rejoignit de l'autre côté du comptoir et se campa devant lui.

— C'était une autre de vos ruses, n'est-ce pas? Vous n'envisagiez nullement d'acheter ce tissu orange?

— Bien sûr que non! Mais il n'empêche que vous avez avoué que pour rien au monde vous ne voudriez cette couleur dans *notre* bibliothèque. Vous savez ce que cela signifie?

Il ponctua sa question d'un clin d'œil triomphant et conclut :

— Je viens de remporter un point!

— Un point? Qu'est-ce que c'est que cette histoire?

— Si je remporte suffisamment de points, je gagne.

— Ce qui signifie que nous jouons à un autre de vos petits jeux?

— Toujours le même. Celui qui consiste à reconquérir vos faveurs.

En dépit de ses efforts, Viola ne put empêcher l'esquisse d'un sourire d'apparaître sur ses lèvres.

— Si je vous comprends bien, dit-elle, je serais l'enjeu en même temps que votre adversaire.

— Eh bien… oui. Combien de points dois-je remporter pour gagner?

Ce qui ressemblait furieusement à un rire s'échappa des lèvres de Viola, qui le fit taire promptement en portant la main à sa bouche. Un instant plus tard, sans avoir pris la peine de lui répondre et plus impassible que jamais, elle reprit son exploration des coupons exposés sur le comptoir. Loin de se le tenir pour dit, John la suivit et insista :

— Dites-moi combien, Viola.

— Que diriez-vous de quelques milliers?

— Vous ne jouez pas le jeu. Donnez-moi un chiffre.

— Très bien.

Elle fit mine d'y réfléchir avant d'articuler nettement :

— Dix-huit mille sept cent quarante-deux points… Cela vous convient?

— Seulement? railla John. Vous êtes trop bonne avec moi. Ce qui me permet, naturellement, de remporter un nouveau point.

— Vraiment? s'étonna-t-elle en lui adressant un regard intrigué. Et de quelle façon, je vous prie?

— Si vous me détestiez réellement autant que vous le prétendez, vous m'auriez répondu «un million de points».

Et puisque vous ne l'avez pas fait, vous avez perdu. Vous comprenez la règle du jeu, à présent?

Viola luttait pour conserver son sérieux. John le devinait aux fossettes qui se creusaient insensiblement au coin de sa bouche.

— Vous êtes parfois d'une telle impudence! Je préfère encore ne pas vous répondre. Que diriez-vous de ceci dans *votre* salon de musique?

Ce disant, elle déroulait sur le comptoir une percale beige à motif de feuilles d'or.

— Et que diriez-vous plutôt de ceci? répliqua-t-il en désignant un rouleau de velours.

Il eut beau faire de son mieux pour paraître sérieux, cette fois il n'y parvint pas. Viola lui sourit, plus librement qu'auparavant.

— Vous aimez décidément le rose... susurra-t-elle. Mais plutôt que dans le salon de musique, je vous conseille celui-ci pour votre chambre.

Laissant retomber l'étoffe de ses doigts, John prit appui sur le comptoir et se pencha vers elle pour demander sur un ton de conspirateur:

— Cela suffirait-il à vous y ramener?

— Non.

Elle n'avait même pas marqué l'ombre d'une hésitation.

— Dans ce cas n'en parlons plus, soupira-t-il en se redressant. J'étais prêt à faire ce sacrifice si le jeu en avait valu la chandelle, mais de toute évidence ce velours ne peut servir qu'à un seul usage.

— Lequel?

— Nul doute que sir George le trouverait parfait pour un nouveau manteau.

Viola ne se retint pas d'en rire gaiement. D'un coup, John sentit ses chances de réussite grimper d'un cran.

— Le pauvre homme... commenta-t-elle. Vous n'avez vraiment aucune pitié pour lui, Dylan et vous. Avez-vous composé un nouveau *limerick* à son sujet?

— Non, mais nous nous sommes laissé inspirer par lady Sarah Monforth. Sachant que c'est l'une de vos plus chères amies, je suis sûr que vous mourez d'envie de l'entendre.

— Absolument pas.

Avec un regard alentour pour s'assurer que nul ne se trouvait à portée d'oreille, John se pencha de nouveau vers elle et récita :

— «Il se murmure que le cœur de lady Sarah/Serait aussi aride que le Sahara./Un homme dans son lit affronte la toundra/et gagne à lui parler typhus et malaria.»

Viola éclata d'un rire insouciant, oubliant l'espace d'une seconde qu'elle était censée le haïr.

— C'est l'un des *limericks* les plus vilains qu'il m'ait été donné d'entendre! s'exclama-t-elle en riant de plus belle.

— Je vous le concède, reconnut-il. Mais, pour vous avoir fait rire, vous m'accorderez bien dix points.

— Dix? Je vous en donne deux. Ces vers sont tellement mauvais qu'ils ne méritent pas mieux.

— Naturellement, qu'ils le sont! objecta-t-il. À l'image de celle qui les a inspirés… Pour avoir plus souvent qu'à mon tour dû endurer la conversation de lady Sarah lors de dîners, je suis bien placé pour savoir qu'on en sort aussi accablé que par le typhus et la malaria.

— Vous exagérez…

— À peine. Quand elle s'adresse à vous, lady Sarah brasse le vide avec tant d'éloquence qu'il faut se pincer pour ne pas bâiller d'ennui.

Viola se mit à rire de plus belle et en la regardant, en se laissant subjuguer par l'éclat doré de ses cheveux et la radieuse insouciance de son sourire, John eut le souffle coupé. Les huit années écoulées avaient sans doute changé pas mal de choses entre eux, mais il en était une qui demeurait ce qu'elle avait toujours été: lorsque Viola riait, il avait l'impression de voir le soleil dans toute sa splendeur percer un ciel nuageux.

L'éclaircie, hélas, fut de courte durée. Soudain, Viola cessa de rire. Sur son visage figé par la stupeur, ce fut comme si la trouée dans les nuages s'était brusquement refermée. John comprit alors qu'il lui faudrait plus que quelques mauvais vers pour regagner ses faveurs. Le cœur serré par l'appréhension, il se retourna pour voir ce qui avait bien pu provoquer un tel phénomène.

Une jolie jeune femme aux cheveux bruns couverts d'un chapeau couleur cerise se tenait devant le comptoir, au centre de la pièce, examinant les tissus tout en devisant avec ses voisines. À cet instant, elle leva les yeux et croisa son regard. Quand elle le salua de la tête, une lueur de tendresse passa fugitivement sur son visage. John la salua en retour et détourna le regard.

Lady Darwin... Il y avait bien longtemps que leurs routes n'avaient pas eu à se croiser – deux ans, songea-t-il, peut-être plus. Elle paraissait en forme et il en était heureux pour elle. Peggy avait toujours été une aimable personne et une femme de cœur.

Puis il vit son regard dériver vers la porte du magasin, et il pivota pour voir Viola disparaître en coup de vent dans la rue. Alors que la porte claquait violemment derrière elle, il sentit son cœur sombrer dans sa poitrine. À peine entrevus, ses espoirs de reconquête s'étaient volatilisés.

9

John s'élança à travers le magasin à la poursuite de sa femme mais, au moment où il atteignit la porte après avoir contourné le long comptoir central, deux grosses dames chargées de paquets lui barrèrent la sortie, rivalisant de politesse pour savoir qui sortirait la première. Il lui fallut attendre qu'elles aient déterminé un ordre de préséance, et il lui sembla qu'une éternité s'écoulait avant qu'il soit autorisé à quitter la boutique. Enfin, il émergea en trombe sur le trottoir, juste à temps pour voir Viola s'engager au coin de la rue dans Brook Street, marchant aussi vite qu'elle le pouvait.

— Viola, attendez!

Sans hésiter il s'élança, l'appela encore, indifférent aux regards scandalisés des passants, sans se soucier qu'il se trouvait à Mayfair, quartier chic où il était hors de question d'apostropher quelqu'un en pleine rue et plus encore de se lancer à sa poursuite en courant.

Il la rattrapa au coin de Davies Street.

— Où allez-vous comme cela?

— Chez moi.

Il lui posa la main sur l'avant-bras.

— Vous n'êtes pas chez vous à Grosvenor Square.

— À présent, j'y suis.

D'un geste sec, elle se libéra et ajouta en se remettant en marche:

— Et j'y serai pour toujours, que cela vous plaise ou non.

— Pouvons-nous parler de tout ceci?

— Vous voulez parler au lieu de vous enfuir? lança-t-elle sans même un regard pour lui. Voilà qui vous change, mais non merci. Je ne veux pas parler de tout ceci avec vous parce qu'il n'y a tout simplement rien à en dire. Je ne veux pas vous voir. Je ne veux pas passer de temps en votre compagnie. Je ne veux pas choisir avec vous des draperies pour *votre* bibliothèque. Je veux que vous cessiez de vous accrocher à moi et que vous me fichiez la paix. Vous n'aimez pas avoir Bertram comme héritier? C'est votre problème, pas le mien!

Au coin du pâté de maisons, ils s'apprêtaient à traverser Duke Street quand John retint vivement Viola par le bras, l'empêchant de se jeter au-devant d'un attelage qui passait.

— Viola! s'emporta-t-il. Faites attention, pour l'amour de Dieu...

Elle attendit que la voie soit libre, se libéra une nouvelle fois de son emprise, avant de traverser la rue de manière plus prudente. John resta près d'elle jusqu'à ce qu'ils aient atteint l'autre trottoir mais, quand elle tourna pour s'engager dans le square, il s'arrêta et la regarda s'éloigner, espérant qu'elle se retournerait pour voir s'il la suivait – ce qu'elle ne fit pas.

Le cœur en berne, il se demanda s'il devait prendre la peine de s'entêter. Il lui avait proposé de parler de ce qui venait de se passer, mais comme elle l'avait si justement fait remarquer, qu'y avait-il à dire?

En la regardant traverser le square en direction de l'hôtel particulier des Tremore, il fit claquer son poing contre sa paume ouverte en un geste de pure frustration. Un sort funeste semblait s'acharner contre lui pour ruiner tous ses efforts dès qu'ils commençaient à porter leurs fruits.

Rencontrer Peggy Darwin alors qu'il se trouvait avec Viola était bien la pire des malchances. Devait-il s'attendre à ce genre de rencontres malheureuses dès qu'ils mettraient le nez dehors ensemble?

Tandis qu'elle se frayait un chemin à travers le square, il eut beau ne pas la quitter des yeux, elle ne se retourna pas pour voir s'il était toujours là. Dans ces conditions, peut-être valait-il mieux la laisser, renoncer pour cette fois.

— *Vous voulez parler au lieu de vous enfuir? Voilà qui vous change…*

Piqué au vif par l'écho de sa raillerie, John se remit en marche d'un pas décidé. Il ne la laisserait pas avoir le dernier mot.

Il passa les portes de l'hôtel des Tremore au moment où elle atteignait la dernière marche de l'élégant escalier de pierre.

— Viola! cria-t-il. Attendez-moi.

Elle n'en fit rien, ce qui suscita sa fureur:

— Et c'est moi que vous accusez de toujours m'enfuir au lieu de parler?

Sa voix résonna longuement dans le hall, mais aucune réponse ne lui fut donnée. Ignorant les regards étonnés des serviteurs, John grimpa les marches quatre à quatre. Il était sur le point de la rattraper au bout d'un corridor quand elle disparut dans une pièce en lui claquant la porte au nez. Sans lui laisser le temps de la verrouiller, il appuya résolument sur la poignée et entra, tout étonné de se retrouver dans la chambre de Viola.

Sa femme de chambre, Céleste Harper, se trouvait dans la pièce, occupée à disposer des vêtements sur le lit.

— Harper! ordonna-t-il sans hésiter. Veuillez nous laisser, je vous prie.

— Certainement pas! protesta vivement sa maîtresse. Céleste, restez où vous êtes.

Mais John n'eut pas besoin de réitérer son ordre. La servante savait à qui, au bout du compte, devait aller sa fidélité: c'était le maître qui payait ses gages. Après avoir adressé à chacun d'eux une rapide révérence, elle s'empressa de s'éclipser.

— Comment osez-vous me poursuivre jusque dans ma chambre et donner des ordres à mon personnel! cria Viola aussitôt que la porte se fut refermée. Vous n'êtes pas chez vous. Sortez d'ici immédiatement, avant que je ne demande à Anthony de vous faire jeter dehors!

John lâcha un rire sans joie.

— Vous cacher derrière les basques de votre frère ne résoudra rien, vous savez...

— Sortez! Allez vous trouver une compagnie féminine plus arrangeante que la mienne.

John était à présent trop en colère lui aussi pour mesurer ses paroles.

— J'en ai assez, plus qu'assez de tout ceci! Assez d'être en guerre perpétuelle contre vous! Assez que vous me jetiez constamment à la figure les mêmes reproches. Il n'y a rien que je puisse faire pour changer le passé. Et rien que je puisse dire non plus.

Viola accueillit son accès de colère avec une morgue glaciale.

— John Hammond, à court d'éloquence? se moqua-t-elle. C'est le monde à l'envers! Pourquoi ne me sortiriez-vous pas quelque remarque spirituelle, intelligente ou cocasse, pour me faire rire et penser à autre chose que la déplaisante situation dans laquelle votre inconduite nous a plongés? N'est-ce pas toujours ce que vous faites?

Sa raillerie lui fit mal, très mal, mais John s'arrangea pour n'en rien montrer.

— Croyez-le ou non, répondit-il avec gravité, je n'ai aucune envie de faire de l'esprit. À cette minute, tenter de vous faire rire est au-delà de mes forces. Dieu sait pourtant que j'aimerais... Je ne peux rien dire qui puisse vous faire oublier ce qui s'est passé entre moi et Peggy, Anne, Elsie, ni aucune des autres femmes que j'ai connues. Il va vous falloir surmonter cela.

— Tout oublier et pardonner, c'est cela? Cela vous arrangerait bien!

— Que préférez-vous? rétorqua-t-il sèchement. Que je vous parle de Peggy, pour que vous ayez plus de raisons encore de me mépriser?

Viola se cantonna dans un silence hostile. Rendu plus furieux encore par son attitude, John avoua d'un ton amer :

— De certaines femmes avec qui j'ai eu une liaison, je n'avais rien à faire. Ce fut le cas avec Anne Pomeroy. Elle m'a utilisé, je l'ai utilisée – c'est sordide, sans doute, mais c'est ainsi. Avec Peggy, il en allait autrement. Tous les deux, nous avions une chose en commun : la solitude dans laquelle nous avait laissés un mariage de raison.

Le visage de Viola se tordit sous l'effet de la souffrance, une souffrance qui l'atteignit par ricochet, mais qui ne l'empêcha nullement de poursuivre :

— Peggy et moi nous sommes consolés dans les bras l'un de l'autre. Car, croyez-le ou non, nous avions vraiment besoin de consolation.

— Arrêtez ! s'écria-t-elle en plaquant ses mains sur ses oreilles. Je ne veux pas entendre cela…

Impitoyable, John laissa fuser un rire désabusé.

— Il me semble au contraire que vous mourez d'envie de l'entendre, puisque vous ne cessez de sortir ces fantômes de leur placard pour me les agiter sous le nez ! Peggy et moi sommes restés amants pendant plus d'une année. Elle était d'une compagnie agréable et c'était une femme aimante et chaleureuse. L'un comme l'autre, nous avons apprécié cette liaison pour ce qu'elle était, aussi longtemps qu'elle a duré.

Les mains toujours collées à ses oreilles, Viola secoua la tête.

— Taisez-vous ! lui ordonna-t-elle. Il est déjà pénible pour moi d'avoir à rencontrer vos maîtresses à chaque coin de rue, sans avoir en plus à supporter de vous entendre chanter leurs louanges…

Elle fit une manœuvre pour le contourner et sortir de la pièce, mais John se plaça devant la porte.

— En quoi cela vous gêne-t-il ? Ne m'avez-vous pas dit et répété à quel point vous indiffère le nombre de mes maîtresses ?

Il vit son visage se crisper, sut qu'il était allé trop loin, mais cela ne suffit pas à l'arrêter. Quelque chose en lui –

un mauvais génie, un autre lui-même sur la défensive, assumant sa cruauté – le poussait à frapper plus fort.

— La reine de glace se révélerait donc malgré tout humaine? lâcha-t-il d'une voix tranchante.

Viola détourna le visage. De profil, il vit ses lèvres trembler, se réduire à une mince ligne, et ne s'en voulut que davantage.

— Je pourrais prétendre que ma liaison avec Peggy ne signifie rien, conclut-il, car c'est ce que les hommes disent généralement à leurs femmes. Mais, dans ce cas, ce serait un mensonge.

— C'est bien la première fois que vous répugnez à un mensonge…

— Notre liaison n'était pas anodine, s'entêta John, mais il n'était pas pour autant question d'amour entre nous. Nous étions deux adultes solitaires ayant une attirance l'un pour l'autre, et désespérément besoin de la chaleur d'un contact humain.

— Peggy Darwin était amoureuse de vous!

— Faux!

— Elle était folle de vous, et tout le monde était au courant – tout le monde, sauf vous.

De nouveau, elle tenta de le contourner, mais il l'attrapa par les épaules avant qu'elle n'ait pu lui échapper et plongea son regard au fond du sien.

— Il n'était pas question d'amour entre Peggy et moi, répéta-t-il. Il y avait du désir, un besoin de communiquer, une tendresse partagée, et rien de plus.

Viola détourna brusquement le visage. John lui glissa l'index sous le menton et l'obligea à le regarder. Un filet de larmes dévalait sa joue. En tombant sur sa main, il eut l'impression qu'il lui brûlait la peau comme de l'acide.

Consterné, il la libéra et se réfugia près de la fenêtre. À cette minute, il la détestait pour avoir bâti en huit ans tant de murs entre eux, mais plus encore il se haïssait pour lui avoir donné tant d'occasions de le faire.

— Qu'attendez-vous de moi, Viola? s'écria-t-il, à bout de patience. Que diable pourrais-je faire pour vous plaire?

— Je n'attends rien de vous, répondit-elle d'une voix morne. C'est vous qui voulez obtenir quelque chose de moi. Quelque chose que je ne peux vous donner. Tout est fini entre nous, John, et vous ne pourrez rien y changer. Certaines choses sont au-delà du pardon et de l'oubli.

Pivotant sur ses talons, Viola se dirigea vers la porte.

— Combien de fois devrai-je vous le répéter! cria-t-il dans son dos. Je ne peux rien changer au passé.

— Non, admit-elle sans le regarder. Mais vous pouvez en tirer les leçons. C'est ce que j'ai fait. J'ai appris à ne plus vous faire confiance. Plus jamais.

Sur ce, elle sortit, le laissant seul avec sa colère et sa frustration.

John s'adossa à la fenêtre et regarda ce lit qui était celui de sa femme, dans une maison qui n'était pas la sienne mais celle de son frère. La courtepointe était d'un rose magnolia. Son amusement, quand elle avait découvert les murs du salon de sa maison de Bloomsbury Park peints de cette couleur, lui revint en mémoire. Il aurait volontiers fait repeindre les murs de toutes les maisons qu'il possédait en rose, si cela avait suffi à l'amadouer. Hélas, il était à présent à craindre que rien n'y suffirait.

Le cœur lourd, il tourna le dos au lit et s'abîma dans la contemplation du spectacle que lui offrait la fenêtre, luttant contre une terrible envie de se fracasser le front contre la vitre.

— Bon sang… marmonna-t-il, regrettant déjà les paroles cruelles qu'il venait d'infliger à Viola. Bon sang de bon sang de bon sang…

Combien de fois déjà cette scène pénible s'était-elle répétée entre eux? Viola inaccessible, lui en colère; elle, meurtrie – et lui tout autant –, jurant qu'il lui était impossible d'oublier et de pardonner. L'issue était toujours la même. De guerre lasse, il lui tournait le dos et allait se trouver une femme qui ne le jugeait pas, qui n'avait pas envie de le tailler en pièces, et surtout qui ne le méprisait pas. Peut-être avait-elle raison en affirmant qu'il n'y avait plus rien à faire, que les dommages causés à leur union étaient au-delà de toute réparation. Quoi qu'il puisse dire ou faire, cela ne serait jamais assez. Aussi longtemps qu'il aurait un souffle de vie, il ne pourrait effacer ses torts aux yeux de Viola, car sa présence seule lui était un constant rappel de ses infidélités.

Soudain, un couple se promenant dans le parc en contrebas attira son attention. Le duc et la duchesse de Tremore, côte à côte, arpentaient l'allée circulaire qui ceinturait l'espace vert. Tremore poussait un landau d'enfant devant eux. Comme ils le faisaient aussi souvent que le leur permettaient leurs responsabilités, ils emmenaient leur bébé, Nicholas, en promenade. Beckham, la nurse, suivait quelques pas derrière eux.

Fasciné, John les regarda s'installer sur un banc de fer forgé. La duchesse tira Nicholas de son landau, puis le fit asseoir sur ses genoux, le retenant à deux mains par la taille. S'asseyant auprès d'elle, son mari étendit le bras et le posa sur le dossier du banc, dans son dos.

La scène n'avait rien que de très commun. Semblables à ces couples suffisamment chanceux pour être heureux en mariage, ils formaient un charmant tableau de famille. Les parents discutaient et riaient en faisant prendre l'air à leur enfant, qui enregistrait tout de son œil éveillé, curieux et attentif.

C'est alors que John sursauta en voyant Viola entrer dans son champ de vision. Après avoir traversé la pelouse, elle rejoignit son frère, sa belle-sœur et son neveu. Elle portait son chapeau à la main et, sous le vif soleil, ses cheveux brillaient comme une coulée d'or liquide.

Elle fit halte devant le banc, lança son chapeau dans l'herbe, puis tendit les mains pour prendre Nicholas à sa mère. Au plus grand plaisir du bébé, riant et gigotant, elle l'éleva dans les airs et tourna sur elle-même, transfigurée par un sourire extatique. Incapable de détourner les yeux,

John se sentit vaciller, cueilli au creux de la poitrine par un choc aussi violent et douloureux qu'un coup de poing.

En vain tenta-t-il de se détourner. Ses jambes, comme paralysées, refusaient de le porter. Les mains posées à plat sur la vitre de chaque côté de son visage, il ne pouvait faire autrement qu'observer avec un mélange de fascination et de souffrance sa femme faire des risettes à un bébé qui n'était pas le leur. De toute son existence, jamais il ne s'était senti plus malheureux, plus démuni. Peut-être, songea-t-il amèrement, devrait-il à l'occasion rapporter cet épisode à Viola. Nul doute que sa souffrance serait d'un grand réconfort pour elle…

— Mon Dieu, ce qu'il devient lourd! Je ne parviens plus à le tenir à bout de bras très longtemps…

Viola fit descendre le bébé en douceur, le serra contre elle et prit place sur le banc à côté de sa belle-sœur.

— Pourtant, répondit Daphné, il adore quand tu fais ça.

Elle tendit les mains pour récupérer l'enfant, mais Viola se détourna pour l'en empêcher.

— Laisse-moi le garder encore un peu… plaida-t-elle d'une voix suppliante. Je ne l'ai pas vu de la journée.

— Il va falloir le mettre au lit, prévint Daphné. C'est l'heure de sa sieste.

— Juste une minute ou deux.

Ce disant, Viola fit une tentative pour installer le bébé contre son épaule, mais il se mit à remuer tellement qu'elle dut le laisser se mettre debout dans son giron, retenant ses mains dans les siennes. Le front ridé d'un pli de concentration, tout entier à son effort pour rester debout, le bébé accrochait vigoureusement ses doigts minuscules aux siens.

— On dirait qu'il ne va pas tarder à marcher! commenta Viola, ravie.

— Cela peut se produire d'un instant à l'autre, approuva Daphné non sans une certaine fierté. Il arrive à se hisser, à se mettre debout, mais chaque fois qu'il risque un pas, il se retrouve immédiatement par terre…

Pour mieux observer Viola et le bébé, Anthony se pencha sur le banc et expliqua, non moins fier que sa femme :

— Quand il est resté un moment à l'étude avec moi après le déjeuner, il n'a pas cessé de s'agripper au rebord d'une ottomane pour se mettre debout. Chaque fois qu'il tombait, il recommençait aussitôt. Il a de la suite dans les idées, mon fils...

— Avec les parents qu'il a, fit Viola avec un sourire, le contraire eût été étonnant. Il...

Le bruit de roues ferrées martelant le pavé l'interrompit. Tous trois levèrent les yeux et virent la voiture de John venir se garer devant l'hôtel des Tremore, à une quinzaine de mètres. Viola vit son mari s'encadrer rapidement dans la porte principale, puis s'installer bien vite dans son landau ouvert. Son visage paraissait tellement farouche et renfrogné qu'elle fut soulagée qu'il ne regarde pas dans leur direction.

— Hammond fait vraiment une drôle de tête... murmura Daphné tandis que l'attelage, fouetté par le cocher, se mettait en route. Qu'est-ce qui lui arrive?

— Une rage de dents, peut-être? suggéra Anthony.

Indignée, sa femme lui assena une tape sur l'avant-bras.

— Anthony, vraiment... Ce n'est pas une chose à dire.

Sans quitter des yeux la voiture qui s'éloignait, Viola installa confortablement Nicholas contre son épaule et murmura :

— C'est moi qui suis la cause de sa mauvaise humeur.

Après avoir tourné au carrefour, la voiture disparut et elle se demanda si John avait l'intention ce soir d'aller chercher quelque *consolation* auprès d'une femme compréhensive. S'il en trouvait une suffisamment à son goût, peut-être finirait-il par se tenir éloigné d'elle... Cette perspective aurait dû la réjouir mais, curieusement, elle lui serra l'estomac.

— Pourquoi? s'enquit Daphné. Vous vous êtes encore disputés, tous les deux?

Viola tourna la tête pour soutenir le regard de sa belle-sœur et répondit crânement :

— Il en est toujours ainsi quand nous sommes ensemble, et il n'y a aucune raison pour que cela change.

En lâchant un profond soupir, Anthony se dressa sur ses jambes.

— Si vous êtes décidées toutes les deux à discuter de Hammond, je préfère m'en aller.

— Je n'ai aucune intention de discuter de lui, assura Viola. Aussi, peux-tu rester.

Anthony secoua négativement la tête.

— De toute façon, je dois m'en aller. J'ai rendez-vous avec Dewhurst pour discuter des propositions de réforme que nous allons faire conjointement à la Chambre. Je serai de retour bien à temps pour vous escorter toutes deux à la soirée donnée ce soir par les Monforth.

Viola fit la grimace.

— Je n'irai pas, bougonna-t-elle. Je ne supporte pas Sarah Monforth. Je crois que je vais avoir une migraine carabinée qui m'obligera à rester à la maison.

— J'ai bien plus de raisons de ne pas aimer lady Sarah que toi! intervint Daphné en riant. Après tout, c'est elle qu'Anthony aurait épousée, si je n'y avais pas mis bon ordre.

— Rien que d'y penser, avoua Viola, j'en ai encore la chair de poule!

— Vous n'avez ni l'une ni l'autre de raisons d'en vouloir à lady Sarah, protesta Anthony. L'essentiel n'est-il pas que je ne l'aie pas épousée?

— Mon cher frère, répliqua Viola, même si je n'ai qu'à m'en féliciter, cela ne suffit pas à me faire aimer cette femme. Daphné, nous devrions rester ici toutes les deux ce soir. Nous jouerions au piquet en riant comme des folles autour d'un verre de madère…

— En laissant à lady Sarah un boulevard pour faire les yeux doux à mon séduisant mari? fit mine de s'indigner Daphné. Tu n'y penses pas!

Avec un sourire amusé, Anthony déposa un baiser sur les cheveux de sa femme et conclut:

— Je serai de retour vers sept heures. Essaie de ne pas trop être en retard…

— Tu comptes vraiment me laisser affronter seule lady Sarah? demanda Daphné en regardant son mari s'éloigner.

— Désolée, mais j'ai bien l'intention de passer une soirée tranquille.

Viola embrassa tendrement le crâne de son neveu avant d'ajouter:

— Nicholas me tiendra compagnie. Sa conversation est mille fois plus intéressante que celle de lady Sarah.

Cela fit rire Daphné, qui s'exclama:

— Quand tu la brocardes ainsi, j'en viendrais presque à la prendre en pitié…

Son regard brusquement se porta derrière l'épaule de Viola.

— Attention! lança-t-elle. Ton chapeau est en train de s'envoler.

Viola se retourna et vit le couvre-chef entraîné sur la pelouse par la brise. À regret, elle rendit Nicholas à sa mère et courut le rattraper. Comme si le vent s'amusait avec elle, il lui fallut courir et redoubler d'efforts avant d'y parvenir enfin.

Tout essoufflée, elle retourna s'asseoir à côté de Daphné.

— Pour éviter qu'il ne disparaisse à nouveau, prévint celle-ci en tapotant doucement le dos de son fils, tu ferais mieux de le porter et de l'attacher.

Viola préféra le poser sur ses genoux.

— Je ne peux pas, expliqua-t-elle. Avec ce vent, il me faudrait le retenir avec une épingle et cela me donnerait mal au crâne.

— Je ne comprends pas pourquoi tu t'obstines à porter des chapeaux, s'amusa Daphné. Tu les détestes tellement que tu n'as de cesse d'en être débarrassée…

La remarque de sa belle-sœur réveilla dans la mémoire de Viola un écho indésirable.

— *Je me rappelle nos promenades à cheval et à quel point vous aimiez, pour vous débarrasser de votre chapeau, le jeter en l'air en riant.*

Elle avait tout oublié de ces galopades en pleine nature auxquelles ils aimaient tant s'adonner autrefois. Elle avait oublié tant de choses... Son penchant pour la confiture de mûres. La faiblesse qui s'emparait d'elle lorsqu'il lui embrassait le cou. Cette manie qu'il avait de l'attirer dans des recoins tranquilles pour lui voler des baisers. La facilité avec laquelle il la faisait rire. La lueur du désir au fond de ses yeux. Et à quel point il pouvait la faire souffrir...

— Dommage... commenta Daphné, tendant le bras pour effleurer du bout des doigts l'une des fleurs en tissu qui garnissaient le chapeau. Celle-ci est abîmée. Je ne pense pas qu'il sera possible de la raccommoder.

Mais, en baissant la tête pour se rendre compte des dégâts, tout ce que vit Viola, c'est que de semblables fleurs avaient garni son bouquet de mariée...

— Tant pis, murmura-t-elle. Certaines choses ne sont pas destinées à être raccommodées.

— Nous pourrions peut-être aller faire du shopping demain toutes les deux pour que tu en achètes un autre. Et tu pourrais ensuite m'accompagner chez Bell's.

Les doigts de Viola se crispèrent sur le rebord de son chapeau.

— Le drapier?

Daphné acquiesça d'un hochement de tête.

— J'ai entendu dire qu'ils ont de très beaux velours en ce moment. J'aimerais bien y jeter un coup d'œil.

L'image d'une jolie brune en chapeau rouge fulgura dans l'esprit de Viola.

— Ils ne sont pas si beaux...

— Tu es allée les voir? s'étonna Daphné.

— Hammond et moi nous trouvions chez Bell's cet après-midi même.

Elle marqua une pause avant de préciser:

— Lady Darwin y était également. C'est à cause d'elle que nous nous sommes querellés. Elle était sa maîtresse, il y a quatre ans de cela.

— Il n'a plus de maîtresse à présent, fit valoir Daphné d'une voix douce. Il a rompu avec Emma Rawlins, et j'ai entendu dire qu'elle est partie vivre en France.

— Aucune importance. Il finira par en prendre une autre. C'est ce qu'il a toujours fait. Alors, je n'aurai plus qu'à supporter d'entendre les gens autour de moi commenter ses frasques, comme d'habitude.

Même sans la regarder, Viola pouvait sentir le regard amical et compréhensif de sa belle-sœur fixé sur elle.

— Je sais… lâcha-t-elle dans un soupir. Cela n'aurait rien dû me faire aujourd'hui de rencontrer lady Darwin chez Bell's. Mais cela n'a pas été le cas. Il m'a suffi de capter le regard qu'elle lui a lancé pour comprendre à quel point elle a dû être amoureuse de John. Je sais que c'est une vieille histoire, Daphné. Mais cela fait mal. Cela me fait mal chaque fois que je dois croiser une de ces femmes. Et pourtant, que me demande-t-il aujourd'hui? Il me demande de faire comme si de rien n'était, comme si rien de tout ceci ne s'était jamais produit.

Daphné garda le silence. Tout en caressant le dos de Nicholas, elle regardait dans le vague à travers ses lunettes cerclées d'or. Après un instant de cette méditation muette, elle revint chercher le regard de Viola et posa la plus inattendue des questions.

— Serait-ce si terrible de devoir vivre de nouveau avec Hammond?

Viola la dévisagea comme si elle avait perdu l'esprit.

— Après ce qu'il m'a fait, comment peux-tu poser une question pareille?

— Je suis au courant de tout, assura Daphné. Je n'ignore rien de lady Darwin, d'Emma Rawlins et de toutes celles qui les ont précédées. Mais est-il vraiment si impossible de laisser tout cela derrière toi? Ne pouvez-vous pas, tous les deux, repartir sur de nouvelles bases? Tout recommencer à zéro?

Une telle hypothèse suffit à ranimer la colère de Viola. Elle ne voulait pas d'un nouveau départ. Elle ne voulait plus de John dans son existence – tout simplement parce qu'il n'en valait pas la peine.

— Impossible de repartir à zéro avec un menteur et un coureur de jupons. Il a prouvé qu'il est impossible de lui faire confiance.

— Établir une relation de confiance réclame du temps. Or, même si vous êtes mariés depuis neuf ans, on ne peut pas dire que vous ayez vécu longtemps ensemble. Peut-être avez-vous tout simplement besoin d'un peu de temps pour trouver un terrain d'entente, pour apprendre à vivre ensemble.

Mal à l'aise, sur la défensive, Viola s'agita sur le banc. D'un coup sec, elle arracha du chapeau la fleur de soie abîmée.

— Nous ne sommes jamais arrivés à trouver de terrain d'entente, lui et moi. Et nous ne sommes jamais arrivés non plus à vivre ensemble sans nous entre-déchirer, même lorsque sa seule vue me mettait encore des étoiles plein les yeux. À la vérité, nous nous disputions tout le temps.

Un nouvel écho flotta un instant à la surface de sa mémoire.

— *Si je me rappelle bien, il me fallait toujours pas mal de mots doux et quelques baisers pour vous gagner à ma cause. C'était le côté intéressant de nos joutes.*

Viola serra le poing autour des pétales de la fleur factice. Elle n'avait pas oublié les premiers jours de leur mariage – une suite sans fin de querelles passionnées, suivies de réconciliations qui ne l'étaient pas moins. Tout cela faisait dorénavant partie du passé. Elle ne voulait plus se disputer avec Hammond, même si elle ne tenait pas pour autant à se réconcilier avec lui. Mais ce qui était certain, c'est qu'elle ne souhaitait ni discuter ni entendre parler de lui.

Daphné, quant à elle, paraissait déterminée à maintenir leur conversation sur ce sujet.

— Vous êtes l'un et l'autre plus mûrs, fit-elle valoir. Plus avisés. Plus patients. N'y a-t-il vraiment aucun espoir que vous finissiez par apprendre à vous supporter?

— Est-ce à cela que doit servir un mariage? demanda Viola en fixant sa belle-sœur au fond des yeux. À se supporter l'un l'autre?

Derrière les verres brillants de ses lunettes, les yeux couleur lilas de Daphné se firent graves.

— Crois-le ou non, répondit-elle, mais la plupart du temps c'est bien en cela qu'il consiste, oui… Je suppose que ce n'est pas très romantique, mais c'est pourtant vrai.

Viola fit une moue dubitative. Apprendre à supporter Hammond ne lui paraissait pas seulement manquer de romantisme : c'était tout bonnement impossible.

— Tu ne peux pas comprendre, répliqua-t-elle un peu trop sèchement. Tu es heureuse en mariage, toi.

— Ce que je comprends, c'est que ta fierté a été malmenée. À cause de ce que Hammond t'a fait subir au cours de toutes ces années, tu as d'excellentes raisons de ne plus lui faire confiance. Mais les hommes, eux aussi, ont une bonne dose de fierté mal placée. Et ton mari, j'imagine, plus qu'un autre encore. Sans compter qu'il ne me semble pas du genre à porter son cœur en bandoulière.

— Il aurait bien du mal, maugréa Viola. Il n'a pas de cœur.

— Je crois que tu te trompes. Il en a un, mais il le cache bien. En fait, il me fait beaucoup penser à moi.

Sous l'effet de la surprise, Viola se redressa et secoua la tête.

— Tu plaisantes, je suppose?

— Pas du tout. Nous sommes très différentes l'une de l'autre, Viola. Tu montres ouvertement ton affection et ta confiance à toute personne que tu rencontres et qui te plaît. Jusqu'à ce qu'éventuellement la personne en question te déçoive. Alors tu peux te montrer – pardonne-moi de te le dire ainsi – aussi froide qu'un hiver en Écosse.

Ces paroles firent mouche. Elles étaient trop semblables à celles que John avait employées, pour laisser Viola de marbre.

— Ainsi, répondit-elle d'une voix blessée, je manquerais selon toi de souplesse et de tolérance. En somme, je serais… une sorte de reine de glace.

— Ai-je dit une chose pareille? protesta vivement Daphné. Ce que j'ai dit, c'est que tu vois le monde de manière très contrastée : le blanc ou le noir, le bien ou le mal, le juste ou l'injuste, l'ami ou l'ennemi. Mais tout le monde n'est pas comme toi, ma chère amie. Je ne suis pas ainsi. Et j'ai l'impression que le vicomte ne l'est pas non plus. Nous sommes tous deux, me semble-t-il, plus modérés que toi dans nos impressions, nos réactions et nos jugements. Nous ne manquons pas non plus de fierté, mais nous l'exprimons différemment – la plupart du temps, en dissimulant nos émotions.

— Je ne peux pas croire que tu puisses te comparer à lui! s'entêta Viola. Tu n'as rien à voir avec John! La notion même du mensonge t'est étrangère. Jamais tu ne jouerais avec les sentiments d'autrui. Jamais tu ne te montrerais infidèle à ceux qui t'aiment. Tu ne fuirais pas non plus les situations conflictuelles ou difficiles. S'il t'arrivait de te tromper et de blesser une autre personne, tu le reconnaîtrais et t'excuserais auprès d'elle. Tu ferais tout pour réparer tes torts. Je connais Hammond mieux que toi, et c'est ce qui me permet de te dire à quel point tu te trompes en imaginant être comme lui.

En signe d'apaisement, Daphné posa une main légère sur l'épaule de sa belle-sœur.

— Tu as peut-être raison, reconnut-elle. Mais s'il est une chose dont je suis sûre, c'est que tu as été autrefois amoureuse de lui.

Une douleur familière se fit sentir dans la poitrine de Viola, qui grimaça de dépit.

— Cela est hélas de notoriété publique. Ce qui rend ma naïveté et ma bêtise, je le crains, encore plus flagrantes et impardonnables. Pas facile d'endosser le rôle de la femme amoureuse et trompée…

Le bébé s'agita dans les bras de sa mère et fit entendre une faible plainte dans son sommeil. Daphné reprit ses tendres caresses le long de son dos et commenta, songeuse :

— Ce doit être dur pour un homme de se retrouver méprisé par une femme qui l'a autrefois aimé et adulé, de la voir lui tourner le dos et lui interdire son lit.

Ses joues s'empourprèrent légèrement, et elle fit un effort manifeste pour soutenir le regard de Viola et conclure :

— Le côté… physique des choses compte énormément pour un homme. Plus encore que pour nous. Je pense que tu le sais comme moi.

Viola, qui avait du mal à croire ce qu'elle entendait, ne put retenir son irritation.

— Serais-tu par hasard en train de prendre parti pour Hammond ?

— Je ne prends pas parti pour lui. Je tente d'adopter son point de vue pour mieux le comprendre.

Que sa meilleure amie au monde pût prendre la défense du mari qui la bafouait depuis tant d'années, se révélait pour Viola aussi insupportable qu'injuste.

— Il n'a aucun point de vue ! lança-t-elle d'un ton méprisant. Du moins, aucun qui puisse se justifier. Il m'a menti ! Il m'a dupée ! Il m'a quittée et trompée avec une ribambelle de femmes ! Et pour couronner le tout, c'est moi que la société tient pour responsable !

— Pas entièrement, corrigea posément Daphné. La société lui réserve sa part de condamnation. J'ai entendu les ragots. Beaucoup ne sont pas tendres avec Hammond. De l'avis général, il aurait dû te forcer à regagner le lit conjugal et exiger de toi un héritier depuis bien longtemps. Cela non plus ne doit pas être facile à supporter pour lui. Un homme n'aime pas voir sa virilité remise en cause. Hammond donne l'impression de se ficher de ce que les autres pensent de lui, mais j'imagine qu'il s'agit d'un moyen commode pour masquer la réalité de ses sentiments.

Assaillie par les souvenirs torrides de ce qui s'était passé au musée, Viola se frotta le cou avec irritation.

— Avec toutes les femmes qui sont passées entre ses bras, je vois mal comment on pourrait mettre en cause sa virilité !

— Est-ce si difficile pour toi de comprendre les raisons pour lesquelles il s'est tourné vers ces autres femmes ?

— Comment peux-tu te montrer si cruelle avec moi! gémit Viola. C'est de la cruauté de prétendre que tout est de ma faute.

— Encore une fois, je n'ai rien dit de tel... répondit Daphné sans se départir de son habituelle équanimité. J'essaie juste de comprendre ce qu'un homme comme Hammond a pu vivre et ressentir au cours de ces huit années. Je t'accorde que je le connais mal, et je peux me tromper totalement à son sujet. Anthony dirait que c'est le cas, car selon lui ton mari devrait être pendu, noyé, puis écartelé pour avoir osé faire de la peine à sa petite sœur chérie... Tu sais à quel point ton frère t'adore.

— Anthony déteste Hammond parce qu'il est un bon juge de l'âme humaine. Bien meilleur que moi, j'en ai peur.

— Vraiment? fit Daphné en souriant. Alors que tu es la première, au premier coup d'œil, à avoir deviné qu'une jeune femme timide, empotée et sans aucune entrée dans le monde ferait une bien meilleure épouse pour ton frère que lady Sarah Monforth. Dois-je te rappeler que, lorsque nous nous sommes connus, Anthony était loin de me voir sous un jour favorable?

Ce rappel fit sourire Viola à son tour.

— Il est vrai qu'il lui a fallu un peu de temps pour se ranger à mon opinion... Mais j'avais raison à ton sujet.

— Et si tu avais raison à mon sujet, alors peut-être es-tu meilleur juge de l'âme humaine que tu ne l'imagines. Si tu es tombée amoureuse de Hammond – même si tu étais très jeune à l'époque – je ne peux croire que tu te sois à ce point trompée. L'homme doit avoir quelques qualités, bien cachées sans doute, mais tu as dû les pressentir en lui, sans quoi tu ne serais jamais tombée amoureuse.

Viola secoua la tête avec impatience.

— Je suis tombée amoureuse alors que je ne connaissais rien de sa personnalité et de son caractère. Mais peu importe, en fait. Ce qui compte, c'est que je ne le suis plus aujourd'hui. Toute trace d'amour a disparu entre nous. Et lorsque l'amour s'est enfui, inutile d'espérer le faire revenir...

— C'est pourtant ce que j'ai fait. Ne suis-je pas tombée amoureuse d'Anthony deux fois?

— Daphné... protesta Viola, un ton plus haut. Je ne doute pas de tes bonnes intentions, mais tes efforts sont inutiles. Je ne veux *plus* être amoureuse. Ni de Hammond, ni de qui que ce soit d'autre, d'ailleurs. Inutile d'insister!

Réveillé par ces éclats de voix, le bébé s'agita et se mit à pleurer. Tout au fond d'elle, Viola eut envie de faire de même.

— Ces considérations au sujet de l'amour sont sans objet, conclut-elle un ton plus bas. Du moins en ce qui me concerne.

— Et que fais-tu des autres buts du mariage, insista Daphné en berçant son fils pour qu'il se rendorme. Que fais-tu des enfants, Viola? Tu n'en veux pas?

Cette question fit à Viola l'effet d'un coup de poignard en plein cœur. Elle s'était résignée depuis longtemps à ne jamais devenir mère, mais cela n'avait pas été sans douleur.

— La société me condamne déjà pour n'avoir pas donné d'héritier à Hammond, lâcha-t-elle d'un ton acerbe. Et voilà qu'à présent tu t'y mets aussi?

— Je ne t'ai pas blâmée le moins du monde pour cela. Je t'ai simplement demandé si tu voulais avoir des enfants.

— Mais bien sûr que je voudrais en avoir! s'écria-t-elle, blessée. Toute ma vie, j'ai nourri ce rêve merveilleux: un mari digne de ce nom, à aimer et de qui être aimée, et avec qui avoir une tripotée d'enfants. Quand j'ai épousé John, j'étais persuadée que ce rêve était sur le point de se réaliser.

Les yeux brûlants de larmes contenues, elle dut marquer une pause pour se ressaisir.

— Mais naturellement ce n'était qu'un rêve de gamine romantique et stupide...

Daphné émit un claquement de langue agacé.

— Il n'est en rien stupide de vouloir un mari et des enfants à aimer. Cet homme avec qui avoir des enfants, tu l'as déjà. Or, il se trouve que lui aussi désire à présent fonder une famille. Ne t'es-tu pas demandé si tu ne passais pas, en t'obstinant à le repousser pour des questions de principe, à côté de ta dernière chance de voir ton rêve se réaliser?

— Avec Hammond? demanda Viola d'un air dégoûté. Non, Daphné. Non. Même s'il m'arrivait de... développer de nouveau une sorte d'affection pour lui – ce qui est douteux au plus haut point – quelle différence cela ferait-il puisqu'il ne m'aime pas? Il faut voir les choses en face. John ne m'a jamais aimée et ne m'aimera jamais. Et s'il m'est arrivé d'être amoureuse de lui, il y a longtemps que cela m'est passé et cela ne risque guère de me reprendre un jour...

— Puisque tu le dis.

— Je le dis. De toute façon, même si un mariage ne consiste, comme tu le prétends, qu'à apprendre à se supporter, John et moi sommes condamnés à ne pas y parvenir. Aussi, inutile de s'appesantir là-dessus.

Fort heureusement, Daphné se le tint pour dit. Mais, dans le secret de ses pensées, Viola ne put s'empêcher de revenir encore et encore sur le sujet.

Jamais elle ne pourrait supporter de vivre aux côtés de son mari. Parce que ses jambes se dérobaient toujours quand il l'embrassait dans le cou ou lui caressait la joue. Parce que si elle s'autorisait de nouveau à croire à son sourire, à ses rires et à cette lueur brûlante qu'il avait au fond des yeux lorsqu'il la regardait, elle ne pourrait inévitablement qu'être déçue, une fois encore. Et s'il parvenait à ses fins en lui faisant regagner le lit conjugal, elle risquait de tomber une fois encore amoureuse de lui. Ce qui ne pourrait aboutir qu'à lui briser le cœur.

Viola contempla longuement sans les voir les fleurs de son chapeau, songeant que s'il était un homme pour qui les vœux du mariage n'avaient aucune signification, c'était bien Hammond. Même si elle finissait par lui donner ce qu'il voulait, il ne l'en abandonnerait pas moins au bout du compte. Il la désirait aujourd'hui – cela, elle voulait bien le croire – mais elle avait payé cher pour apprendre que l'amour et le désir sont deux choses bien différentes. Au cours de son existence, Hammond avait désiré des tas de femmes. En somme, elle n'était qu'une parmi d'autres.

Élevant son poing devant ses yeux, Viola desserra les doigts. Le morceau de soie pourpre et jaune s'envola, emporté par le vent. Quand il n'était pas fortifié par l'amour, le désir d'un homme était aussi fragile et volatile que cette fleur, il n'avait aucune substance et ne durait qu'un temps. Dorénavant, elle serait bien inspirée de se le rappeler.

10

En passant les portes de la salle d'armes *Angleo's,* John fut accueilli par le bruit des lames entrechoquées et les cris occasionnels des bretteurs. Pour ce qui était de l'escrime, c'était dans cet établissement que tout gentleman soucieux de sa réputation se devait d'effectuer son entraînement.

À son arrivée, Dylan Moore s'y trouvait déjà. Les deux hommes croisaient le fer à peu près quotidiennement, mais ces derniers temps la fréquence de leurs rencontres s'était quelque peu relâchée. John avait été trop préoccupé par la nécessité dans laquelle il se trouvait de reconquérir sa femme pour penser à autre chose.

Une semaine entière s'était écoulée depuis qu'ils avaient malencontreusement rencontré lady Darwin chez Bell's. Il avait fait depuis plusieurs tentatives pour s'expliquer avec Viola, mais chaque fois elle avait refusé de le recevoir. De plus, c'était aujourd'hui qu'arrivait à son terme le délai de trois semaines qu'il lui avait laissé. Mais, quand il s'était présenté à l'hôtel des Tremore plus tôt dans la journée, ses malles n'avaient évidemment pas été préparées, elle avait refusé une fois de plus de le voir, et pour couronner le tout son diable de frère lui avait ordonné de déguerpir... À moins qu'il ne se résigne à faire appel à la Chambre des lords pour l'obliger à regagner le domicile conjugal, il était dans une impasse. Il ne savait plus que faire.

John se faisait l'impression d'être une marmite que l'on aurait trop longtemps laissée bouillir à couvercle fermé. Aussi avait-il fait parvenir à Dylan, après avoir quitté Grosvenor Square, une note lui demandant de le retrouver ce soir-là chez *Angleo's*. S'il ne faisait pas en sorte de relâcher un peu de pression, il allait finir par exploser...

Son ami leva les yeux vers lui lorsqu'il pénétra dans la salle d'armes. Déjà en tenue et prêt à engager l'assaut, il fendit l'air avec sa lame et gronda :

— C'est vous qui me demandez de vous retrouver ici et vous avez le culot d'arriver en retard ?

Piqué au vif, John ne lui répondit pas qu'il n'avait pas toute sa tête ces temps-ci, ni qu'il était préoccupé, frustré, déconcerté et se sentait impuissant. Sans un mot, il se contenta d'ôter sa veste, son gilet, sa cravate et de les tendre au valet qui patientait près de la porte.

Quand le serviteur les eut laissés seuls, il alla au râtelier décrocher sa rapière préférée et prévint d'une voix maussade :

— Vous seriez bien inspiré de modérer vos paroles et de ménager vos arrières, Dylan. Je suis d'une humeur de chien et j'ai bien l'intention de me défouler à vos dépens.

À son tour, il fendit l'air de sa lame avant de conclure :

— La femme est vraiment l'instrument du diable !

— Soucis conjugaux ? s'enquit son vis-à-vis qui le considérait avec sympathie.

— Si vous saviez...

Les deux hommes se placèrent l'un en face de l'autre, se mirent en garde, croisèrent leurs lames et commencèrent le combat. John fut le premier à se fendre, avec une telle vigueur que l'écho des armes entrechoquées résonna longuement dans la salle.

— La rumeur enfle partout en ville, commenta Dylan tout en parant de son mieux l'assaut. J'ai tout entendu : que lord et lady Hammond sont d'ores et déjà réconciliés, ou qu'ils n'ont jamais été aussi loin de l'être.

John battit brièvement en retraite, avant de se fendre deux fois de suite avec plus de vigueur encore, forçant son adversaire à céder du terrain.

— Réconciliés? répéta-t-il. Je commence à douter que cela soit possible. Dans une réconciliation, il faut être deux.

Bientôt, Moore fit en sorte de reprendre l'avantage. Une lame à la main, les deux hommes étaient d'habileté et de force identiques. Ce fut John qui dut à son tour reculer. En quelques secondes, ils étaient revenus au centre de la pièce.

— Concert à Covent Garden... reprit Dylan tandis qu'ils tournaient lentement autour de l'axe formé par les pointes croisées de leurs armes. Promenade en calèche et pique-nique à Hyde Park, visite au musée, shopping chez le drapier... Cela m'a tout l'air d'une réconciliation, non?

— Disons qu'il y a eu quelques accalmies dans la bataille, répondit John, qui chercha à changer de sujet. Au fait, félicitations pour votre triomphe à Covent Garden l'autre soir. Brillante symphonie. Sans doute la meilleure chose que vous ayez écrite depuis des années, selon moi.

— Merci.

Moore se fendit sans crier gare, John para l'assaut, et ce fut en forçant la voix pour couvrir le bruit des lames que son ami poursuivit:

— J'ai également entendu dire que lady Darwin était allée faire du shopping chez Bell's, elle aussi. Je suppose que la trêve est terminée et que la bataille fait rage.

John aurait dû se douter que Moore ne se laisserait pas si facilement distraire. Il le connaissait suffisamment pour savoir qu'il prenait un malin plaisir à tourmenter ses amis.

— En quoi l'état de mon mariage vous concerne-t-il? demanda-t-il sèchement.

À distance, la confrontation des regards succédant à celle des armes, ils commencèrent à décrire un large cercle sur le parquet, chacun attendant que l'autre fasse le premier pas.

— En rien, reconnut Dylan avec un sourire moqueur. Vous n'êtes pas parvenu à l'amadouer et à la faire revenir avec un ou deux baisers, n'est-ce pas?

Refusant de céder à cette provocation manifeste, John répondit d'un ton dégagé:

— Apparemment pas…

— Elle vous a dit d'aller au diable, c'est cela?

Moore en savait autant que lui sur les femmes. John n'était pas disposé à lui donner une réponse que de toute façon il n'attendait pas. Comme un chien décidé à ne pas lâcher son os, Dylan insista sans la moindre pitié:

— Quand vous avez décidé que vous aviez besoin d'un fils et que vous le lui avez fait savoir, comment pensiez-vous qu'elle réagirait? Vous ne vous attendiez tout de même pas à ce qu'elle convienne sans broncher de cette nécessité? Vous n'imaginiez pas qu'elle ferait taire ses griefs pour se plier à l'évidence et faire son devoir?

— Allez au diable et fichez-moi la paix!

La face levée vers le plafond, Moore éclata d'un rire sardonique.

— Suis-je bête! s'exclama-t-il. Si vous étiez sûr que votre femme retomberait dans vos bras après quelques semaines de cour assidue, c'est à cause de vos légendaires talents amoureux…

La raillerie de son ami fit basculer John dans la colère.

— Je n'ai pas de femme! s'écria-t-il en se précipitant à l'assaut.

Son adversaire para l'attaque, et les deux hommes se retrouvèrent dans un face-à-face tendu, les épées pointées vers le sol et croisées à la garde.

— Voilà huit ans et demi, reprit John avec véhémence, que je n'ai pas de femme à mes côtés.

— Vraiment? Dans ce cas, qui est cette jolie blonde qui prétend s'appeler lady Hammond?

Moore, exerçant une forte pression du poignet, amena leurs armes à décrire un arc de cercle vers le plafond. Avec la vivacité d'un fauve, il plongea derrière John et se fendit pour faire une touche.

John, qui avait anticipé la manœuvre, bondit sur le côté pour esquiver. Souplement, il contourna son adversaire, et lorsque celui-ci se retourna, il n'eut plus qu'à pointer son arme sur sa poitrine:

— Touche!

Satisfait, John regagna le centre de la salle d'armes. Dylan, qui lui emboîtait le pas, ne paraissait pas décidé à renoncer à son harcèlement.

— Vous voyez sûrement de qui je veux parler, insista-t-il pendant qu'ils se remettaient en position. Petite, des yeux noisette, une jolie bouche... Il me semble vous avoir vu épouser semblable femme il y a neuf ans de cela.

— Un homme et une femme ne vivant pas sous le même toit et ne partageant pas le même lit, je n'appelle pas cela un mariage.

Il se fendit, entrechoqua son épée avec celle de son ami et ajouta avec hargne :

— J'appelle cela une farce.

Puis il renouvela son assaut et conclut :

— Notre mariage n'a été qu'une farce depuis l'origine. Tout le monde sait cela.

Pendant quelques minutes, il n'y eut plus que le bruit de l'acier frappant l'acier sous les voûtes. Chacun des deux bretteurs à son tour prenait l'avantage, avant de le perdre tout aussi régulièrement. Et quand les deux hommes marquèrent une pause, ils avaient le souffle court et le front emperlé de sueur.

— Une farce? s'étonna Moore, l'œil malicieux. Je ne vous vois pas rire, Hammond... Serait-ce une farce à vos dépens?

John ne répondit pas. Il feignit de se fendre à gauche et s'élança dans la direction opposée, pensant marquer une nouvelle touche, mais son adversaire ne se laissa pas abuser. Moore contra l'attaque si vigoureusement que l'arme de John alla frapper contre le mur. Avant qu'il ait pu recouvrer son équilibre, ce fut à lui de se retrouver avec la pointe d'une épée pointée sur le cœur.

— Touche! s'exclama Moore. Vous manquez ce soir de concentration.

— Vraiment? Pourtant, je me suis arrangé pour vous toucher le premier...

Les deux hommes se remirent en garde, armes croisées, et reprirent avec une énergie renouvelée le combat. Plusieurs minutes durant, ils se turent, laissant parler les armes. Et lorsque Dylan brisa finalement le silence, John fut surpris par la teneur de ses propos.

— J'ai une suggestion à vous faire.

Il se fendit, manqua son coup et fit retraite aussitôt.

— Une suggestion qui pourrait vous aider à faire la paix avec votre épouse, précisa-t-il.

John essuya de sa main libre la sueur qui coulait sur son front. Lâchant un grand rire libérateur, il ne se priva pas de l'occasion qui lui était fournie de se moquer à son tour.

— Rappelez-moi depuis combien de temps vous êtes marié... Sept mois, c'est cela? Attendez que ces sept mois se transforment en sept années, avant de prétendre me donner des conseils matrimoniaux.

— Je suis sérieux, Hammond.

Son ami recula et pointa sa rapière vers le plafond, signifiant ainsi la fin de leur échange, avant de poursuivre d'un air grave :

— Écoutez-moi, voulez-vous? Vous savez que je déteste interférer dans les affaires de mes amis, mais j'ai vraiment une suggestion à vous faire. Vous n'allez pas l'aimer, mais je vous demande d'y prêter attention, car elle pourrait réellement vous aider.

Intrigué par cette offre qui avait tous les accents de la sincérité, John retrouva son sérieux.

— De quelle suggestion s'agit-il?

— Dites à Viola que vous voulez au moins être ami avec elle.

C'était absurde, et John ne manqua pas de manifester son scepticisme par un ricanement.

— Je croyais que vous vouliez parler sérieusement... Viola et moi, amis? Quelle idée saugrenue!

— Je suis on ne peut plus sérieux, insista Dylan. À défaut de pouvoir redevenir son amant, soyez son ami.

— Grands dieux, Moore! protesta John avec un rire sans joie. Où étiez-vous ces neuf dernières années? Viola me déteste. Vous déraisonnez si vous imaginez qu'une amitié pourrait naître entre nous. Depuis que nous nous connaissons, nous avons été bien des choses l'un pour l'autre, mais certainement pas des amis!

— Raison de plus pour essayer. Cela a bien fonctionné, en ce qui me concerne... Grace et moi étions amis avant de devenir amants.

— Elle était votre maîtresse.

— Après être devenue mon amie.

— Dans ce cas, s'entêta John, cela ne devait pas être à votre instigation. Je vous connais, Moore. Cela ne pouvait être qu'une idée de Grace.

— Je le reconnais. Je n'aimais pas cette idée au début, mais j'ai vite compris à quel point elle m'était profitable.

— Les situations n'ont rien à voir. Vous lui faisiez la cour, à l'époque, alors que Viola et moi sommes déjà mariés. Allons... conclut John en agitant impatiemment son épée. Finissons-en plutôt avec ce combat.

— Je ne vois pas en quoi nos situations diffèrent à ce point, objecta Dylan. À présent que nous sommes mariés, Grace et moi sommes toujours les meilleurs amis du monde.

— Parce que vous ne vous disputez pas en permanence comme chien et chat. Parce qu'elle ne vous méprise pas comme Viola me méprise.

John se mit en garde et ajouta impatiemment:

— Sommes-nous ici pour en découdre ou pour papoter?

Les yeux toujours rivés aux siens, Moore croisa sa lame avec la sienne.

— Si vous deveniez son ami, Viola pourrait tomber de nouveau amoureuse de vous. Est-ce donc ce que vous craignez? À moins que vous ne redoutiez de tomber vous-même amoureux d'elle?

Ces quelques mots suffirent à épuiser les dernières réserves de patience de John.

— L'amour, l'amour, l'amour! cria-t-il en laissant libre cours à la rage qui bouillonnait en lui. J'en ai plus qu'assez de ce mot chimérique et frauduleux!

Sans transition, il lança une attaque rapide et vigoureuse, faisant usage de toute son adresse pour faire reculer son adversaire jusqu'au mur. Ce faisant, il songeait au nombre de fois où Viola lui avait jeté son amour à la figure, à ce prétendu amour que Peggy Darwin, selon elle, lui portait. Il en concevait une telle rancœur, une telle frustration qu'il se vengea avec sauvagerie sur Dylan, l'attaquant encore et encore jusqu'à ce que, poussé à la faute, celui-ci se trouve acculé au mur, le ventre épinglé à la pointe de sa lame.

— Touche!

Manifestement dépassé par une telle violence, Moore le contempla longuement d'un air ébahi.

— Vous en êtes certain? dit-il enfin. Il me semble que c'est plutôt moi qui ai touché un point sensible…

Dégrisé, le souffle court, John pointa sa lame vers le sol.

— L'amour… maugréa-t-il avec amertume. Les gens, et tout spécialement les femmes, n'ont que ce mot à la bouche. Et pourtant, que signifie-t-il? La plupart du temps, il ne sert qu'à recouvrir d'un voile pudique ce qui n'est que désir pur et simple ou infatuation idéaliste – quand ce n'est pas les deux. Est-ce donc cela, l'amour?

— Si vous ne pouvez répondre à cette question, je ne peux le faire à votre place. Tout ce que je peux vous dire, c'est que je l'ai trouvé.

— Comment? fit John. Comment l'avez-vous trouvé? Cupidon vous a transpercé le cœur de sa flèche? Les anges se sont mis à chanter? Est-ce ainsi que cela s'est passé pour vous?

Dylan le dévisagea un moment en secouant la tête d'un air réprobateur.

— Avec quel dédain vous parlez de l'amour! Je n'avais jamais réalisé auparavant la profondeur de votre cynisme.

— Je ne suis pas cynique vis-à-vis de l'amour. C'est juste que…

John se figea sur place. Les mots qu'il avait été à deux doigts de prononcer avaient un goût amer sur ses lèvres. *C'est juste que je ne sais pas ce que c'est.*

Il dévisagea son ami sans le voir, son regard passant à travers lui comme s'il était de verre. En pensée, il vit sa femme élever dans les airs un bébé qui n'était pas le sien et rire de joie et de bonheur. La conscience d'un manque, d'un vide effrayant revint le hanter, comme elle l'avait fait de nombreuses fois au cours de ces dernières semaines. Ce sentiment n'était pas nouveau pour lui, mais aussi loin que remontaient ses souvenirs, il s'était arrangé pour s'en tenir à distance, pour l'enfouir profondément en lui et l'oublier.

— Hammond? fit la voix inquiète de Moore, mettant un terme à sa songerie. Que se passe-t-il?

John battit des paupières.

— Comment?

— Vous restez là à me regarder, pétrifié comme une statue, aussi pâle qu'un fantôme… Vous vous sentez bien?

— Non, répondit-il en se forçant à dire quelque chose. Oui. Enfin peut-être. Je ne sais pas.

Fermant les yeux, il secoua la tête et conclut:

— Restons-en là pour aujourd'hui, voulez-vous?

Mais la question cruciale ne quitta pas ses pensées alors qu'ils rangeaient leurs armes et se rhabillaient pour sortir: qu'était-ce, en fait, que l'amour?

Le magnifique après-midi de mai avait fait place à une nuit douce et nuageuse lorsqu'ils sortirent. Tandis qu'ils attendaient devant chez *Angleo's* l'arrivée de leur attelage, Moore brisa le silence qui était retombé entre eux.

— Hammond… Réfléchissez à ce que je vous ai dit. Suggérez à Viola que vous pourriez au moins être amis.

— Je vous le répète, répliqua John avec agacement, elle ne saurait y consentir. Sa seule réaction sera sans doute de me rire au nez.

— Au moins, proposez-le-lui. Cela vous aiderait à mieux vous entendre.

John lui lança un regard de côté.

— Je vois où vous voulez en venir : un homme et une femme qui arrivent à mieux s'entendre hors d'un lit seraient selon vous naturellement amenés à s'y retrouver un jour ?

Le sourire méphistophélique de Moore était à lui seul une réponse.

— Cela ne dépend que de vous.

En dépit de son humeur noire, John ne put que rire de la rouerie légendaire de son ami. La voiture de Dylan étant enfin arrivée, il le regarda y monter et lâcha avec affection :

— Vous êtes vraiment un diable…

— Bien sûr que j'en suis un ! répondit-il en s'installant tranquillement sur son siège. Je suis peut-être marié, mais il me reste une réputation à soutenir.

D'un coup sur la portière, il signifia l'ordre du départ à son cocher. Longtemps, immobile sur le trottoir, John regarda les fanaux de sa voiture se perdre dans la nuit.

En s'adossant confortablement à la banquette de sa voiture, Dylan arborait un sourire satisfait. Du diable, il avait l'habileté autant que l'allure. Il savait exactement ce que ressentait Hammond en ce moment, et il pouvait déjà prédire que cela n'allait pas s'arranger. Le vicomte était suffisamment aux abois pour proposer à sa femme de devenir son amie. Pauvre John… Chercher l'amitié d'une femme désirée revient pour un homme à vivre un enfer sur terre. Mais ne faut-il pas parfois accepter de traverser l'enfer pour accéder au paradis ?

Au bout du compte, Hammond pouvait fort bien y gagner ce fils tant espéré. Mais, plus important encore, par la même occasion il retrouverait l'estime et l'affection d'une femme aimante. Par expérience, Dylan savait combien un tel trésor est inestimable.

Il aimait bien Hammond, il avait pour Viola beaucoup d'affection, et il espérait qu'ils prendraient son conseil au sérieux. Après tant d'années de mariage malheureux, ils méritaient de se voir offrir une seconde chance.

Cette idée le fit rire tout seul dans la pénombre feutrée de l'habitacle. Dylan Moore dans le rôle d'un conseiller matrimonial, qui l'eût cru ? À présent, il avait hâte d'être rentré chez lui pour tout raconter à Grace.

En attendant sa voiture, John se laissa de nouveau envahir par la question qui désormais le laissait sans répit. Qu'était-ce donc que l'amour ? Les poètes couvraient des pages et des pages pour le célébrer, de même que les musiciens, comme Dylan, qui lui dédiaient des symphonies. Chaque jour que Dieu faisait, des milliers de gens tombaient amoureux ou souffraient à cause de l'amour. Mais qui aurait pu lui dire précisément de quoi il s'agissait ?

Dans son entourage, Moore était un exemple flagrant des ravages provoqués par l'amour. De tous les hommes, il aurait juré qu'il était bien celui qu'aucune femme n'aurait jamais réussi à mener à l'autel. Sept mois après leurs noces, John ne parvenait toujours pas à comprendre ce qui en Grace avait subjugué à ce point le compositeur le plus célèbre d'Angleterre. Elle était certes une très belle femme, et une personne des plus estimables, mais Moore était littéralement fou d'elle, avec une intensité presque effrayante à voir.

L'attelage de John apparut enfin au carrefour. Il se mit en marche pour le rejoindre, puis, sur une impulsion subite, s'arrêta et fit signe au cocher qu'il pouvait repartir. Il rentrerait à pied chez lui. Cela représentait une longue marche, mais la fraîcheur de l'air sur sa peau lui ferait du bien après les efforts physiques qu'il venait de fournir. En cas de pluie trop intense, il pourrait toujours héler un cab pour achever le trajet.

Tout entier absorbé par ses méditations, John reprit sa marche le long du trottoir, les bras croisés derrière le dos. Il devait exister différentes formes d'amour, supposait-il.

Le souvenir de sa sœur Kate s'imposa à lui, et il n'eut pas besoin de sonder longtemps sa mémoire pour que lui reviennent des souvenirs du temps où il était petit garçon, réminiscences toujours vivaces des embrassades qu'elle lui avait données, de ses rires qui le fascinaient, et du terrible vide qui s'était creusé en lui à sa mort. Sincèrement et sans restriction, il avait aimé sa sœur. De cela au moins, il était sûr.

Percy et Constance, amis très chers qu'il portait dans son cœur depuis toujours, lui avaient rendu cette affection avec une confiance et une sincérité qui ne pouvaient être mises en doute. Dernièrement, il avait soigneusement évité de penser à son cousin et ami. Quand il le faisait, la blessure, comme une plaie ouverte, était encore trop douloureuse. Il avait aimé Percy comme un frère. Et puis, Constance lui avait inspiré une tendresse et un respect que peu d'autres femmes avaient obtenus de lui. Mais pouvait-il être sûr pour autant que c'était de l'amour qu'il avait ressenti pour elle?

Il avait souvent repensé à la conversation qu'il avait eue avec elle après les funérailles de Percy. Lorsqu'il avait découvert que son cousin l'avait supplanté dans son cœur et qu'elle l'avait épousé, il s'était lancé dans une beuverie d'une semaine ininterrompue, avait fréquenté les bordels un mois durant, avant de s'apaiser et de laisser le temps effacer toute trace de son premier et dernier chagrin d'amour. Un homme réellement amoureux pouvait-il renoncer à celle qu'il aimait avec tant de facilité, en usant de si piètres moyens? Certainement pas. Sans doute Constance avait-elle raison quand elle affirmait qu'il n'avait jamais été amoureux d'elle.

Devant lui, le trottoir venait de s'élargir en une plus vaste perspective. Stoppant net, il sortit de sa rêverie pour s'apercevoir qu'il était en train de se tromper de chemin. Au lieu de bifurquer vers l'est dans Brook Street, il avait pris la direction opposée et se retrouvait à présent devant les imposantes grilles en fer forgé qui entouraient le parc de Grosvenor Square.

Et pourtant, songea-t-il avec amertume, n'en avait-il pas soupé de cet endroit? S'il lui restait encore un peu d'amour-propre et de lucidité, il lui fallait tourner les talons, se fondre dans la nuit pour y trouver une femme qui l'accueillerait au creux de son lit sans sarcasmes à la bouche.

Bien au contraire, comme si ses jambes le portaient en dépit de sa volonté, John s'avança jusqu'aux grilles. Il serra entre ses doigts les barreaux glacés, contemplant à travers eux le banc sur lequel sa femme s'était assise une semaine plus tôt pour faire fête à Nicholas, son neveu.

Par quelque ironie du destin, son mariage avait tourné exactement comme celui de ses parents, entre lesquels il n'avait jamais existé ni amour ni même affection. Il gardait un souvenir précis de la froide indifférence que s'étaient témoignée sa mère et son père, y compris en présence de leurs enfants. Et malgré tous ses efforts pour ressembler aussi peu à son père que possible, il n'avait pu éviter de suivre son désastreux exemple.

Il se mit à tomber une pluie fine qui emperla son manteau et mouilla sa chemise. Il faisait de plus en plus froid, et il savait qu'il aurait mieux fait de rentrer chez lui, avant que l'ondée ne se transforme en averse qui le tremperait jusqu'aux os.

À regret, il fit volte-face mais, au lieu de partir comme il en avait eu l'intention, il s'adossa aux grilles et laissa son regard s'égarer en direction d'une fenêtre éclairée sur la façade de Tremore House. Un éclat doré passa brièvement dans la trouée de lumière – des cheveux blonds, les cheveux de Viola.

John se rappela celle qu'elle avait été neuf ans plus tôt, jeune fille ouverte et spontanée, vulnérable et passionnée, qui avait tout de suite adoré le jeune noble désargenté qu'il était et lui avait avoué son amour. Il s'était alors étonné – et continuait de s'étonner aujourd'hui – que l'on puisse tomber amoureux en une nuit, après deux danses et un brin de conversation, sans rien connaître de la personne aimée. Comment un tel prodige aurait-il pu avoir une once de réalité ? L'amour reposait sur une imposture. Il en avait été convaincu à l'époque, et rien ne lui avait fait changer d'avis depuis.

Bien sûr, il avait tout de suite saisi le pouvoir que cet amour inconditionnel de Viola lui conférait. Mais il n'en avait jamais compris la nature, tout comme il n'avait jamais réellement compris la jeune femme. Contre la volonté de son frère, connaissant sa mauvaise réputation, sachant qu'il était irresponsable, dévergondé, ruiné, elle l'avait épousé trois mois plus tard, alors que toute femme sensée se serait prudemment éloignée de lui. Et tout cela, uniquement parce qu'elle l'aimait? Il songea à Percy, à genoux devant Constance, sur la place du village devant la paroisse réunie, menaçant de mettre fin à ses jours si elle ne consentait pas à devenir sa femme. Percy, le très digne et réservé Percy, avait fait fi de toute pudeur. Parce qu'il aimait Constance plus que tout. Parce qu'il l'avait aimée comme lui ne l'avait jamais aimée.

Désemparé, le visage levé vers la fenêtre éclairée et les yeux noyés de pluie, John poussa un soupir à fendre l'âme et passa une main dans ses cheveux trempés. Pour quelle raison les hommes aspiraient-ils à ce point à l'amour, s'il avait sur eux un empire comparable à celui de la plus puissante des drogues? Et pourquoi fallait-il que, pour laisser parler son cœur, il faille simultanément renoncer à son intelligence et se conduire comme le plus parfait idiot?

Debout sous la pluie battante et glacée, John demeura ainsi très longtemps sous les fenêtres de Tremore House. Mais il eut beau s'efforcer de comprendre, les réponses aux questions qui lui taraudaient l'esprit continuèrent à se dérober.

11

Viola avait décidé d'aller se coucher tôt ce soir-là. Une migraine persistante l'avait convaincue de ne pas suivre Daphné et Anthony qui se rendaient à un bal. Après un bon bain chaud, elle avait avalé une tasse de thé à la menthe poivrée, avait enfilé ses vêtements de nuit, et s'était glissée dans son lit dès neuf heures. Mais, même si le thé avait eu raison de sa migraine, trouver le sommeil s'était révélé impossible. Sans doute habituée aux horaires tardifs de la saison londonienne, elle n'était pas parvenue à s'endormir. Après une heure passée à se retourner entre ses draps, elle avait fini par se lever, enfiler un peignoir et se mettre à la recherche de Quimby. Au majordome surpris de la revoir, elle avait indiqué qu'elle se tiendrait dans la bibliothèque en attendant le sommeil et lui avait demandé de lui faire porter un thé léger.

Accompagnée d'un valet qui alluma un bon feu dans la cheminée pour réchauffer la pièce, elle se rendit donc à la bibliothèque. Pendant qu'il travaillait, elle longea les étagères à la recherche d'un livre et, lorsqu'il fut sorti, elle se pelotonna dans le recoin d'un sofa avec la ferme intention de se plonger dans la lecture jusqu'à sentir ses paupières s'alourdir.

Ses espoirs de venir à bout de l'insomnie par la lecture furent cependant déçus. Le thé fumait encore dans sa tasse et elle achevait la deuxième page d'un roman de Dumas quand une voix la fit sursauter.

— Bonsoir, Viola…

Alarmée, elle leva vivement les yeux et découvrit John dans l'encadrement de la porte ouverte. Refermant le livre dans un claquement sec, elle se dressa sur ses jambes.

— Que faites-vous ici?

— Je viens me mettre au sec et chercher un peu de chaleur.

Les bras croisés, il s'appuya de l'épaule contre le chambranle. En l'observant plus attentivement, Viola nota le débraillé de sa tenue. Il ne s'était pas changé pour la soirée, ses vêtements froissés étaient détrempés par la pluie, et dans son cou l'humidité faisait friser ses cheveux. Il ne s'était même pas rasé, et Viola fut troublée de découvrir un chaume de barbe sur ses joues. Elle avait oublié à quoi il ressemblait ainsi, depuis qu'ils ne dormaient plus ensemble et qu'il ne la réveillait plus au matin en passant doucement son menton râpeux sur son épaule nue.

Alors qu'elle avait passé la semaine écoulée à l'éviter, le voilà qui réapparaissait au moment le plus inattendu, quand elle commençait à baisser sa garde. Elle savait qu'elle aurait dû lui demander de sortir immédiatement, mais de manière inexplicable elle demeura figée et silencieuse.

Il prétendait être venu se réchauffer, mais c'était elle, à présent, qui se sentait envahie par une chaleur inquiétante, dont le feu qui pétillait dans l'âtre n'était en rien responsable. Repoussant derrière l'oreille une mèche de cheveux qui lui était tombée sur le visage, elle enfonça ses orteils dans l'épaisseur moelleuse du tapis sous ses pieds nus, péniblement consciente d'être trop peu vêtue.

— Quimby aurait dû vous annoncer, dit-elle d'un ton de reproche.

— Ne soyez pas fâchée contre lui, répondit-il avec un pâle sourire d'excuse. C'est un excellent majordome, qui a fait son devoir en prétendant que vous étiez absente, mais je savais que c'était faux. Et, puisque votre frère n'était pas là pour m'en empêcher, j'ai fait valoir mon rang pour le repousser et monter à l'étage contre son gré. Terriblement mal élevé, certes, mais efficace puisque vous voici…

— Comment saviez-vous que je n'étais pas sortie?

— Cela fait deux heures que j'attendais à l'extérieur, adossé aux grilles du parc. Je vous ai vue passer devant une fenêtre, avant qu'il ne fasse tout à fait nuit et que les servantes ne tirent les rideaux.

— Deux heures! s'exclama Viola, les yeux écarquillés de surprise. Par ce temps? Qu'est-ce qui vous prend?

— À votre avis?

John referma doucement la porte avant de s'engager dans la pièce. À pas mesurés, il vint vers elle mais s'arrêta à distance respectueuse :

— Je cherchais le courage de venir vous proposer de faire la paix.

John voulait faire la paix… Viola comprenait ce que cela signifiait. De fait, il avait l'air désolé, mais elle savait que cela ne voulait rien dire. Sans lui laisser le temps de laisser libre cours à son scepticisme, il enchaîna :

— Lorsque nous nous sommes disputés, vous m'avez dit que vous ne me faisiez pas confiance, et vous aviez toutes les raisons du monde pour cela. Je voulais juste…

Laissant sa phrase en suspens, John inspira et relâcha lentement son souffle, comme s'il lui fallait choisir soigneusement des mots difficiles à prononcer.

— Je voulais juste vous voir, murmura-t-il enfin.

— C'est cela que vous teniez à me dire en pleine nuit?

— Oui, avoua-t-il avec un sourire penaud. Lamentable, je sais, surtout après avoir passé deux heures sous la pluie à répéter ce que j'allais vous dire, mais je commençais à avoir froid.

La bouffée de chaleur indésirable qui assaillait Viola se répandit en elle comme une coulée de miel. Elle le savait, il ne lui fallait porter aucun crédit à ses paroles. John pouvait assener les pires mensonges en les faisant passer pour parole d'évangile. Comment aurait-elle pu le croire? Pourtant, malgré tous ses mensonges, ses trahisons répétées, elle aurait aimé y croire…

Dans un silence tendu, les secondes s'égrenèrent avec une insupportable lenteur. Sur la cheminée, le carillon de l'horloge sonna dix heures et demie. Ce fut John, en reculant d'un pas vers la porte, qui mit fin au supplice.

— À présent, dit-il à regret, je vais vous laisser. Je vois que vous comptiez vous coucher tôt.

— Vous n'êtes pas obligé de partir.

Viola se mordit la lèvre, mais il était trop tard pour faire machine arrière. Comment pouvait-elle avoir prononcé une phrase pareille? Faute de pouvoir la retirer, elle tenta d'en atténuer la portée.

— Je veux dire... vous avez froid. Il vaut mieux vous réchauffer un peu avant de partir. Sinon, vous pourriez attraper un refroidissement et... ce serait... dommage.

Sa voix l'avait trahie sur ces derniers mots. Dans les yeux de John passa une lueur d'espoir.

— Vous voulez que je reste?

Un peu honteuse, Viola baissa les yeux et répondit dans un souffle :

— Oui.

Redressant la tête, elle vit son sourire qui s'élargissait et s'empressa de préciser :

— Pour un petit moment, du moins.

À son grand dam, le sourire de John s'élargit encore. Bien évidemment, il ne fallait pas compter sur lui pour avoir le triomphe modeste...

— De toute façon, ajouta-t-elle en se rasseyant sur le sofa, il y a certaines choses dont nous devons parler, tous les deux.

Instantanément, toute trace de sourire disparut du visage de John, qui leva les yeux au plafond.

— Dieu me vienne en aide! Après avoir dû poireauter deux heures sous la pluie, voilà qu'il va me falloir supporter un autre de vos prêches.

Tout en parlant, il avait ôté son habit, qu'il alla pendre à un dossier de chaise devant la cheminée.

— Je suppose que ces «choses» dont nous devons parler n'ont rien à voir avec la pluie et le beau temps? Que diriez-vous de discuter de la politique anglaise en Irlande? Ou des conséquences que pourrait avoir une réforme des lois sur le blé?

Viola n'avait pas la moindre idée de comment il s'y prenait, mais à un moment ou à un autre, quels que soient leurs différends, il s'arrangeait toujours pour la faire sourire. Satisfait de son effet, John vint prendre place à l'autre extrémité du sofa et demanda:

— De quoi voulez-vous que nous parlions?

Elle réfléchit un moment, avant d'avouer avec un rire nerveux qui était le reflet exact de son état d'esprit:

— Je ne sais pas, en fait... Il me semblait qu'en nous asseyant un instant pour discuter, j'aurais des tas de choses à vous dire, mais subitement me voilà bien embarrassée.

— Nous avions pourtant des tas de choses à nous dire autrefois.

— Surtout pour nous disputer.

— Exact, reconnut-il avec une grimace comique. Mais au cas où vous ne l'auriez pas remarqué, cela n'a pas beaucoup changé...

— Je l'ai remarqué.

Un silence gêné retomba entre eux, que Viola brisa au bout d'un instant d'une voix hésitante.

— Voilà neuf ans que nous sommes mariés, pourtant je m'aperçois que je ne vous connais pas... du moins, pas véritablement. Voilà pourquoi, peut-être, je peine souvent à vous comprendre. Lorsque vous me faisiez la cour et aux premiers temps de notre mariage, je me suis montrée très ouverte avec vous. Je n'ai pas hésité à vous révéler nombre de détails sur ma famille, sur moi-même, mes aspirations et mes pensées. Mais, dès que je cherchais à en savoir plus à votre sujet – ce qu'avait été votre enfance, comment vous l'aviez vécue, ce genre de détails personnels – vous vous fermiez comme une huître et détourniez la conversation par quelque blague ou pirouette habile.

Soudain plus sombre, John la dévisagea un instant.

— Où voulez-vous en venir, Viola?

— Vous êtes sans doute mon mari selon la loi, mais dans les faits vous êtes un étranger pour moi. Je sens qu'il nous faudrait remédier à cela, mais je ne sais pas comment faire. Si je vous pose des questions, me promettez-vous de répondre sincèrement?

— Des questions au sujet de mon enfance? Ce fut un cauchemar pour moi. Il n'y a rien d'autre à en dire. Croyez-moi, vous n'aimeriez pas entendre ce que je pourrais vous raconter, et j'ai la plus grande répugnance à en parler. De toute façon, n'est-il pas plus utile de parler de nous plutôt que de moi?

Viola haussa les épaules.

— Nous l'avons déjà fait à de nombreuses reprises, et chaque fois vous vous arrangez pour éviter les sujets qui vous déplaisent en faisant diversion.

John marqua une pause.

— Eh bien, cette fois-ci je vous promets de ne pas me dérober à vos questions. Allez-y! Posez-les-moi.

Il s'adossa au sofa, les bras croisés, et tourna la tête vers elle pour préciser:

— Je vous préviens, je ne peux pas vous garantir que vous aimerez mes réponses. Mais je peux vous assurer en revanche qu'elles seront honnêtes et sans détour. Cela vous convient-il?

Ayant obtenu ce qu'elle désirait, Viola demeura songeuse un moment. Jusqu'à quel point pouvait-elle se montrer directe avec lui? Étant donné qu'il lui avait promis de répondre à toutes les questions qu'elle poserait, il lui était difficile de ne pas chercher à tirer avantage de la situation.

— Avez-vous aimé l'une ou l'autre de vos maîtresses?

— Non, répliqua-t-il sans la moindre hésitation.

— Et moi? enchaîna-t-elle. M'avez-vous aimée, John?

Bien que connaissant déjà la réponse, Viola voulait l'entendre de vive voix, sans esquive ni faux-fuyant.

— Lorsque vous avez demandé ma main en prétendant m'aimer, disiez-vous la vérité ? insista-t-elle.

— Je…

John s'interrompit, passa une main sur ses yeux et lâcha un gros soupir. Puis il laissa sa main retomber sur ses genoux et soutint son regard :

— Non.

Enfin, Viola pouvait contempler la vérité brutale et sans appel. John se contentait de cet aveu, il ne tentait même pas d'argumenter ni de justifier ses actions. Telle était bien la réponse à laquelle elle s'était attendue, confirmant ce qu'elle savait depuis huit ans. Pourtant, aujourd'hui encore, savoir qu'il lui avait menti lui faisait toujours aussi mal. Cependant, songea-t-elle, même si elle se révélait douloureuse, mieux valait une certitude établie qu'un doute lancinant.

— Avez-vous…

À court d'idées, Viola hésita. Il se révélait beaucoup plus difficile qu'elle ne l'aurait cru de lui poser les bonnes questions, celles susceptibles de faire émerger d'autres vérités dérangeantes. Se redressant sur son siège, elle prit une longue inspiration et se lança.

— Avez-vous eu un enfant de l'une ou l'autre des femmes que vous avez connues ?

— Non.

— Vous en êtes sûr ?

— Oui. Il y a des moyens… de prévenir ce genre de choses. Des fourreaux que les hommes utilisent pour… Ils ne fonctionnent pas toujours, mais…

John se tut et s'agita, manifestement mal à l'aise.

— Grands dieux, Viola ! N'exigez pas que je discute de ces choses-là avec vous. Cela m'est impossible !

— Beaucoup de gens disent que le fils cadet de Peggy Darwin est de vous, même si lord Darwin l'a reconnu.

Insensiblement, John se rapprocha d'elle et passa son bras derrière ses épaules sur le dossier.

— Non, Viola ! plaida-t-il avec conviction. Je vous l'ai déjà dit, cet enfant n'est pas de moi. Je sais que la rumeur circule depuis des années, mais je puis vous assurer qu'elle ne repose sur aucun fondement.

— À cause de ces... fourreaux qui ne fonctionnent pas toujours?

— Pas seulement. Je sais compter, et Peggy et moi avons mis un terme à notre liaison un an avant la naissance de William. Aucun bébé ne s'attarde douze mois dans le ventre de sa mère avant de venir au monde. Et je vous jure qu'aucune femme n'est jamais venue me réclamer une reconnaissance de paternité.

Même si elle ne pouvait tout à fait écarter la possibilité qu'il lui mente encore, Viola eut l'intuition qu'il disait la vérité. Et parce qu'elle avait choisi de le croire, elle en éprouva un profond soulagement.

— Puis-je à mon tour vous poser une question?

Sans attendre de réponse de sa part, John ajouta:

— Vous dites que vous m'aimiez. Pourquoi?

Prise de court, non seulement par sa question mais aussi par l'intensité soudaine avec laquelle il l'avait posée, Viola le dévisagea un instant avant de répéter:

— Pourquoi je vous ai aimé?

— Oui. Pourquoi? Vous êtes tombée amoureuse de moi alors que vous me connaissiez à peine. Même aujourd'hui, de votre propre aveu, nous ne nous connaissons pas. Et pourtant vous m'avez aimé. C'est ce que j'ai le plus de mal à comprendre, Viola... Qu'est-ce qui a bien pu vous pousser à avoir le coup de foudre pour un type comme moi?

Les sourcils froncés, il attendait anxieusement sa réponse. Il avait sur le visage l'expression de concentration d'un collégien réclamant à son professeur la solution de quelque problème arithmétique ardu. Manifestement, il attendait énormément d'une réponse que Viola aurait été bien en peine de lui donner.

En un geste d'impuissance, elle agita la main devant elle.

— Mais enfin... comment voulez-vous que je le sache? Parce que vous m'avez facilité la tâche, je suppose. Il me suffisait d'être à vos côtés pour que le monde me paraisse merveilleux et pour être heureuse. Le ciel était plus bleu, l'herbe plus verte, et...

Avec un claquement de langue agacé, elle détourna le regard et bougonna :

— Cela paraît stupide, je le sais, et sans doute à vos yeux absurdement romantique, mais c'était pourtant ce que je ressentais à l'époque. Je ne peux vous dire pourquoi, mais je vous aimais.

Viola déglutit péniblement et se força à soutenir le regard de John pour conclure :

— Je vous aimais plus que ma propre vie.

Il éleva une main tremblante et caressa la joue de Viola.

— Je vous demande de me croire... murmura-t-il, les yeux plongés au fond des siens. Je n'ai jamais voulu vous faire de peine. Si vous ne devez croire à rien d'autre de ce que je vous dis, soyez au moins sûre de ceci. Quand nous nous sommes mariés, je n'avais pour autre ambition que d'être heureux près de vous. N'est-ce pas ce qu'un homme sensé peut attendre de mieux de la vie ? Mais, pour vous, cela ne suffisait pas, n'est-ce pas ?

Viola détourna la tête pour se dérober à sa caresse, plaçant entre eux autant de distance que possible.

— Si vous avez été amoureux un jour, cela ne devrait pas vous étonner.

Frappée par ses propres paroles, Viola le regarda se figer à l'autre extrémité du sofa. Soudain, la faible distance qui les séparait lui parut aussi infranchissable qu'un désert.

— John ? fit-elle d'une voix incertaine. Avez-vous déjà été amoureux une fois dans votre vie ?

— Non, avoua-t-il.

Peut-être était-il incapable d'aimer qui que ce soit ? Elle ne formula pas cette conclusion, mais l'un comme l'autre semblait y être parvenu dans le secret de ses pensées.

En proie à une vague nausée, Viola se radossa au siège et fixa le vide devant elle.

— Vous n'avez jamais été amoureux de moi ni d'aucune autre femme, résuma-t-elle d'un air maussade. Vous n'êtes pas plus amoureux de moi aujourd'hui que vous ne l'étiez hier. Dans ces conditions, donnez-moi une seule bonne raison pour que j'accepte de reprendre la vie commune avec vous, en dehors du fait que je suis légalement votre épouse, que je ne peux faire autrement, et que je dois me conformer à ce que la société attend de moi.

— Si vous voulez… répliqua-t-il avec assurance. J'ai bien plus d'une bonne raison à vous donner.

Regagnant le terrain perdu précédemment, il s'approcha d'elle sur le sofa.

— Nous devrions reprendre une vie commune parce que je vous fais rire, mais aussi parce que vous devenez toute chose lorsque je vous embrasse et que j'aime ça – en fait, j'ai toujours aimé ça.

L'air de rien, il passa de nouveau son bras derrière les épaules de Viola, ignorant sa réaction instinctive de recul.

— Nous devrions reprendre une vie commune, poursuivit-il, parce que chaque fois que je vous tiens dans mes bras, tout le reste disparaît et nous nous retrouvons seuls au monde. Et chaque fois que nous nous disputons, la moitié de mon esprit est toujours occupée à déterminer la meilleure façon de vous débarrasser de vos vêtements.

Viola n'était pas décidée à s'en laisser conter.

— Naturellement, persifla-t-elle, jamais vous n'avez ressenti tout cela avec les autres femmes qui vous sont passées entre les bras…

À ces mots, le visage de John se rembrunit.

— Ce n'est pas la même chose, maugréa-t-il.

— En quoi est-ce différent?

John fit entendre un son qui pouvait ressembler à un rire et expliqua:

— Cela n'a rien à voir parce que vous êtes la seule à me rendre suffisamment fou pour me donner envie de me fracasser la tête contre une vitre.

— Votre explication ne vaut rien. Trouvez autre chose.

— Cela n'a rien à voir parce que vous êtes ma femme, que je suis votre mari, et parce que j'ai envie d'avoir des enfants. Vous en vouliez également, me semble-t-il?

— Dites plutôt que vous avez besoin d'un héritier.

— Non, ce n'est pas ce que je veux dire.

Il dut s'apercevoir combien cette protestation paraissait incroyable, car il modula aussitôt sa pensée.

— Enfin… bien sûr, j'ai besoin d'un héritier. C'est un fait. Mais je voudrais avoir des enfants même si je ne me trouvais pas dans cette nécessité. N'est-ce pas pour cette raison que le mariage existe?

Brusquement refroidie par ces propos, Viola se raidit et lâcha d'une voix sèche:

— Une fois encore, le mariage serait donc avant tout à vos yeux affaire de sagesse et de raison…

— À mes yeux et à ceux de beaucoup d'autres. Regardez un peu autour de vous… La plupart des gens que nous fréquentons envisagent la chose uniquement sous cet angle. Tout le monde ne place pas, comme vous, l'amour au premier rang de ses préoccupations. Dans notre classe sociale, il a rarement son mot à dire lorsqu'il s'agit d'unir deux êtres. C'est même l'une de ces règles intangibles qui gouvernent nos vies dès la naissance.

Sur ce point, elle ne pouvait lui donner tort. De toutes les familles titrées qu'ils connaissaient, Anthony et Daphné faisaient exception. Pour la plupart des couples de leur entourage, l'amour seul ne pouvait être à la base d'un mariage réussi. Il ne s'agissait la plupart du temps que de sceller une alliance mutuellement profitable, d'assurer la transmission du patrimoine et du titre en donnant le jour à des héritiers, puis de retourner chacun de son côté vivre sa vie, en prenant amants et maîtresses tout en feignant de respecter la règle de la vie commune. Ainsi se profilait devant elle l'avenir qui l'attendait si elle finissait par céder à John: un mariage dépourvu d'amour, uniquement motivé par de mesquines considérations matérielles. En somme, exactement ce qu'elle avait cru éviter en l'épousant…

Sans doute, comme tout le monde, pourrait-elle prendre des amants afin de tromper l'insupportable solitude. Hélas, la perspective d'être touchée par un autre homme que John lui semblait insupportable. Pourtant, un réflexe de fierté blessée l'incita à évoquer le sujet.

— Je suppose que ces règles s'appliquent à tous… Je pourrais moi aussi faire comme Peggy Darwin et prendre un amant, si je le veux.

— Bien sûr que non, vous ne le pourriez pas!

John avait réagi avec une promptitude et une véhémence inattendues. Ses paroles avaient explosé dans la pièce avec la soudaineté d'un coup de pistolet.

— Pourtant, vous, vous le pouvez. Vous avez même fait ces dernières années abondamment usage de cette liberté. Ce n'est pas juste.

— La justice n'est pas de ce monde, Viola.

Tournant la tête vers elle pour la fixer droit dans les yeux, il la défia du regard, une expression farouche sur le visage.

— Je vous demande de me donner un fils, Viola… Mon fils, pas celui d'un autre homme! Cela également fait partie des règles qui gouvernent nos vies.

— Mais si je consens à vous donner cet héritier, que se passera-t-il ensuite? Vous repartirez de votre côté et moi du mien? Ainsi, vous pourrez avoir autant de maîtresses que vous le voulez, et tout redeviendra comme avant? La seule différence étant que je serai cette fois libre de faire de même? Est-ce ainsi que vont les choses dans notre monde, John? Si j'accepte de vous revenir, est-ce ainsi qu'elles iront pour nous?

— J'espère que non.

— Sans amour entre nous, comment pourrait-il en être autrement?

— De mon point de vue, cela dépend de vous. Serez-vous de nouveau décidée à me bannir de votre lit? Parce que, si vous le faites, je n'aurai d'autre choix que d'aller chercher les faveurs d'une maîtresse. C'est aussi simple que cela.

— Cela vous arrange de faire comme si l'avenir de notre mariage reposait entièrement sur mes épaules!

— Cela ne m'arrange pas, mais c'est le cas.

— Et si je demeure une épouse fidèle? reprit-elle après un instant de réflexion. Me deviendrez-vous fidèle à votre tour?

Boudeur, John enleva son bras de derrière ses épaules et fixa le vide droit devant lui.

— Aucun homme ne peut répondre à une telle question.

— Non? s'étonna-t-elle. Et pourquoi cela, je vous prie?

— Si je réponds par l'affirmative, vous ne me croirez pas. Si je réponds par la négative, je ruine toutes mes chances de vous ramener un jour dans le lit conjugal. Et si je réponds que je ne sais pas, vous allez me maudire pour mon irrésolution. Quoi que je puisse vous dire, ce sera la mauvaise réponse et j'aurai perdu.

— Mais il ne s'agit pas d'un jeu! s'indigna-t-elle. Il ne s'agit pas de gagner ou de perdre! Je veux simplement…

Viola laissa sa phrase en suspens et se corrigea aussitôt:

— Non: je *mérite* une réponse honnête à ma question. Si je vous reviens, et si je suis pour vous une épouse fidèle qui vous donne des enfants, vous montrerez-vous fidèle vous aussi?

— Je n'en sais rien.

Viola secoua la tête et le dévisagea longuement, les yeux écarquillés par la stupeur.

— Vous n'en savez rien… répéta-t-elle. Quel genre de réponse est-ce là?

— Une réponse honnête! Je vous l'ai dit: nul homme ne pourrait répondre sans présomption à cette question. Quelle que puisse être la réponse que j'y donne, elle ne vous satisfera pas. Posez-m'en une autre! Ferai-je de mon mieux pour être un mari fidèle? Oui! Arriverai-je à honorer cette ambition? De nouveau, cela dépend de vous autant que de moi. Pouvez-vous être une bonne épouse pour moi? Pouvez-vous être la compagne de tous les jours aimante et affectueuse dont j'ai besoin? Puis-je compter sur vous pour ne pas fondre en larmes quand je vous prends dans mes bras, et pour ne pas courir vous enfermer dans votre chambre dont vous m'interdirez la porte à la première dispute? Puis-je compter sur vous pour ne plus vous transformer en reine de glace aussitôt que la situation prend une tournure qui vous déplaît?

Viola se mordit la lèvre. Le coup faisait mal. Le ressentiment qu'elle lisait sur son visage lui faisait plus mal encore.

— C'est cruel de votre part...

— Vous vouliez la vérité.

Laissant libre cours à sa colère, Viola se dressa sur ses jambes.

— Mais enfin! Vous vous conduisez comme s'il était déraisonnable de ma part d'attendre de vous ce que vous réclamez de moi. Une femme a tout le même le droit d'attendre de son mari qu'il lui soit fidèle!

À son tour, John se leva pour venir se camper devant elle et répliqua sur le même ton:

— Tout comme il n'est pas déraisonnable pour un homme d'attendre que sa fidélité en vaille la peine...

Un bruit de sanglots venu de l'autre côté de la porte fermée empêcha toute réponse de la part de Viola. Tous deux se tournèrent vers l'entrée de la bibliothèque, à temps pour voir Beckham pénétrer dans la pièce, portant dans ses bras un Nicholas en pleurs, le visage tordu par la détresse.

— Veuillez m'excuser, milord... fit la nurse tout en effectuant une rapide révérence à l'intention de John.

Viola était plutôt soulagée de cette interruption. Elle commençait à comprendre ce qu'il avait voulu dire, en affirmant qu'elle n'allait peut-être pas aimer toutes les réponses à ses questions.

— Que se passe-t-il, Beckham? s'enquit-elle.

— Je suis absolument navrée de vous déranger, milady, mais nous cherchons M. Poppin.

— Oh, mon pauvre petit! compatit Viola en caressant la joue de l'enfant inconsolable. Poppin s'est encore perdu?

— J'en ai bien peur, répliqua Beckham. Je sais que Nicholas se trouvait avec Votre Grâce dans cette pièce plus tôt dans la soirée, aussi j'espérais qu'il avait laissé ici M. Poppin…

— Je ne l'ai pas vu… répondit Viola en englobant d'un regard panoramique la bibliothèque.

— Qui est M. Poppin? demanda John, élevant la voix pour couvrir les pleurs de l'enfant.

— Son jouet favori, milord… expliqua la nurse, avant de reporter son attention sur Viola. Je ne comprends pas comment j'ai pu le mettre au lit sans remarquer l'absence de son doudou. Il était tellement fatigué qu'il est parvenu à s'endormir sans lui, mais quelque chose a dû le réveiller, et, quand il s'est aperçu que M. Poppin n'était pas près de lui, il s'est mis à pleurer toutes les larmes de son corps. Je ne pense pas qu'il parviendra à se rendormir sans lui.

Viola lança un regard attendri au bébé, qui continuait à pleurer comme si la fin du monde était arrivée.

— Qu'est-ce qui ne va pas, Nicky? dit-elle en le prenant des bras de sa nurse. M. Poppin joue encore à cache-cache avec toi?

Mais Nicholas semblait bien décidé à ne pas se laisser consoler par quelques douces paroles et quelques baisers. Il se mit à pleurer de plus belle. Viola adressa à Beckham un regard consterné.

— Il va nous falloir trouver ce jouet à tout prix.

— J'en ai bien peur, milady.

Viola s'apprêtait à lui rendre le bébé pour entamer les recherches, lorsque la voix de John les fit se figer sur place.

— Je pourrais peut-être…

Pris de remords, il s'interrompit, détourna le regard et croisa les mains derrière le dos.

— Non, rien.

Surprise, Viola étudia attentivement le profil qu'il lui présentait. Sur son visage, il n'y avait plus aucune trace de la colère qui l'animait précédemment. Il avait l'air troublé, déstabilisé, presque embarrassé. Et parce qu'elle ne l'avait jamais vu être embarrassé par quoi que ce soit, elle voulut en savoir plus.

— Oui? dit-elle. Que vous apprêtiez-vous à demander?

De plus en plus intriguée, elle le vit se dandiner d'un pied sur l'autre, comme un adolescent lors de son premier flirt. Après avoir lancé un regard incertain à la nurse, il lâcha dans un murmure:

— J'allais simplement vous proposer de tenir l'enfant pendant que vous cherchez le jouet. Mais cela n'est pas possible, bien sûr…

— Vous voulez porter Nicholas dans vos bras? insistat-elle, certaine de l'avoir mal compris.

Il n'était guère dans l'habitude d'un homme de vouloir s'occuper d'un enfant, surtout d'un bébé en pleurs. Mais d'un rapide hochement de tête, John acquiesça.

— Cela n'a rien d'impossible, bien au contraire! assurat-elle en rejoignant son mari. Tenez…

Elle lui tendit Nicholas, mais il recula d'un pas en secouant les mains d'un air épouvanté.

— Vous n'y pensez pas… Je ne… je ne saurais pas comment le tenir!

Viola reprit l'enfant contre elle et lui montra comment s'y prendre. Après l'avoir observée attentivement durant quelques secondes, John hocha la tête. De nouveau, elle se pencha pour lui confier le bébé toujours secoué de sanglots.

Avec mille précautions, comme s'il lui fallait porter le plus fragile et le plus précieux des trésors, John s'efforça de tenir l'enfant comme elle le lui avait indiqué. En lui posant la main derrière la nuque, il attira Nicholas, assis sur son avant-bras, contre lui. Et pour une raison connue des anges seuls, ce fut alors que l'enfant cessa brusquement de pleurer.

Dans le silence revenu, Viola contempla son mari avec fascination. Comme s'il venait d'assister à un petit miracle, il arborait un visage épanoui et rayonnant de joie. Elle eut l'impression que le sol se dérobait sous elle et dut agripper le rebord du bureau devant lequel elle se tenait. Disputes, reproches et mots blessants s'évanouirent dans son esprit comme brume au soleil. Une joie profonde et presque suffocante s'épanouit au fond de sa poitrine.

— Dieu nous garde… murmura Beckham. Milord, vous avez un don avec les tout-petits!

John prit un peu de recul pour observer son neveu. Celui-ci lui rendit son regard, le visage grave, les sourcils froncés, comme s'il se demandait ce qu'il faisait dans les bras de cet étranger. Puis, les joues encore humides de ses pleurs, il sourit et laissa fuser un bruit inintelligible qui ressemblait fort à un cri d'affection.

— Si on apprend en ville une chose pareille, plaisanta John en appuyant son front contre celui du bébé, je n'ai pas fini d'en entendre parler au club… Alors, si tu le veux bien, nous allons garder cela pour nous.

Comme pour lui répondre, le bébé gazouilla gaiement, et Viola le vit élever une main en l'air avant de l'abattre maladroitement sur la joue de son mari. Tournant la tête, John souffla dans la paume de sa main, faisant rire le bambin avec une facilité déconcertante. Même les enfants, songea-t-elle, n'étaient pas à l'abri de son charme naturel.

À présent tout à fait à l'aise, John rit avec Nicholas et l'installa plus confortablement dans le creux de son bras.

— Quel bel enfant tu fais quand tu ne pleures pas… commenta-t-il en l'examinant plus attentivement. Tu as les yeux de ta mère, à ce que je vois… Dans vingt ans, aucun cœur de femme ne sera à l'abri.

Nicholas s'agita, s'appuyant des deux mains contre la poitrine de John, accrochant ses doigts au jabot de sa chemise et à sa cravate de soie. Avec un petit cri de détresse, il lança autour de lui un regard inquiet.

— Pas d'accord pour faire le bourreau des cœurs? fit John avec un étonnement feint. Ce n'est pas moi qui t'en blâmerai. Si tu veux mon avis, les femmes n'ont été créées que pour transformer la vie des hommes en enfer. Autant garder tes distances avec elles aussi longtemps que tu le pourras.

— Quelle terrible chose à dire à un enfant! protesta Viola. Nicholas, surtout ne l'écoute pas…

— Il ne m'écoutera pas de toute façon, rétorqua John avec fatalisme. Nous autres hommes sommes incapables de nous tenir à l'écart du beau sexe. Autant demander à l'aiguille d'une boussole de ne pas indiquer le nord… C'est tout simplement impossible.

Le bébé appuya de nouveau fortement des deux mains contre sa poitrine pour manifester son impatience.

— Pop! lança-t-il. Pop, pop!

— Oui, je sais… dit John en acquiesçant d'un signe de tête. Tout cela ne doit pas nous faire oublier notre principal sujet de préoccupation. Merci de me le rappeler.

Le bébé sur le bras, il se mit à déambuler à travers la pièce, faisant grand cas de rechercher le jouet perdu. Mais regarder derrière le pianoforte, sous les tables, entre les chaises, ne l'empêcha nullement de continuer à prodiguer ses sages conseils à son neveu.

— Le pire, mon garçon, c'est que les femmes sont plus importantes pour nous que toute autre chose au monde… et qu'elles le savent.

John ploya les genoux pour vérifier les rayonnages inférieurs d'une bibliothèque.

— Il faut donc faire attention en leur présence à garder l'esprit clair.

En se redressant, il fixa Nicholas et ajouta:

— Sois tout spécialement vigilant avec les questions pièges, celles qui feront de toi un perdant quoi que tu puisses répondre.

Les yeux grands ouverts, fasciné, le bébé le dévisageait gravement.

— Rappelle-toi bien cela, car tu peux compter sur elles pour te les poser à la moindre occasion.

Viola soupira bruyamment, ce qui n'arrêta pas John pour autant. Il se mit en marche vers l'endroit où elle se trouvait.

— Bien sûr, confronté à ce genre de situation, on s'arrange pour y répondre de la pire manière possible – en leur disant quelque chose qui leur fait de la peine, en guise de basse vengeance.

Arrivé devant elle, il s'arrêta et chercha son regard avant de conclure :

— On le regrette toujours, après coup. Et on se sent coupable et plus malheureux qu'une pierre.

Il reprit ses recherches, laissant Viola réaliser ce qui venait de se passer. Pour la première fois depuis leur mariage, John venait à sa manière de lui présenter des excuses. Au cours de toutes les disputes qui les avaient dressés l'un contre l'autre durant ces neuf années, cela ne s'était jamais produit. Certes, il s'agissait une fois encore uniquement de mots, mais de mots qu'elle n'avait jamais entendus auparavant dans sa bouche.

À peine remise de sa surprise, elle vit son mari se pencher derrière un divan avec un cri de triomphe.

— Ah ! Le voilà !

Entourant d'un bras protecteur l'enfant pendu à son cou, il se baissa souplement et se redressa en brandissant un ours en peluche à fourrure chocolat.

— M. Poppin, je présume ?

Nicholas poussa un cri d'extase, s'empressant d'écraser le jouet sous son bras. Ceci fait, il se pencha vers John et enfouit son visage dans son cou en poussant un énorme soupir de soulagement. Sa main libre, comme un oiseau hésitant, s'éleva en l'air, avant d'aller flatter paresseusement la joue rugueuse de l'homme qui le tenait dans ses bras.

Le cœur empli d'une émotion trop dangereuse pour être tolérée, Viola se détourna. Le seul fait d'avoir à regarder ce tableau attendrissant lui faisait mal. Face à cette scène de simple bonheur familial, comment aurait-elle pu ne pas penser à ce qu'il attendait d'elle et qu'elle refusait de lui donner? Au bord des larmes, elle baissa les yeux sur les livres qui encombraient le bureau et entreprit de les ranger en piles bien nettes. Inutile de songer au bébé qu'ils auraient pu avoir, qu'ils pourraient encore avoir tous les deux. Depuis longtemps, elle avait renoncé à voir ce rêve se réaliser.

— Eh bien, eh bien... fit la voix réjouie de John dans son dos. N'est-ce pas intéressant? J'ai à présent un membre de la famille Tremore de mon côté.

Avant de se retourner pour lui faire face, Viola prit sur elle pour retrouver son aplomb.

— À votre place, lança-t-elle avec une assurance qu'elle était loin de ressentir, je n'en tirerais aucune fierté. Nicholas est encore à l'âge où l'on fait des risettes à tout le monde.

— Peut-être, admit John. Mais je suis dorénavant à ses yeux quelqu'un de très spécial. N'est-ce pas moi qui ai retrouvé M. Poppin?

Après avoir déposé un baiser sur la tête de son neveu, il fit mine de murmurer à sa seule intention:

— Ta tante est un peu remontée contre moi, ces temps-ci. Glisse-lui un mot en ma faveur, à l'occasion...

Viola fit signe à Beckham d'aller reprendre l'enfant. La nurse rejoignit John, mais celui-ci, manifestement peu désireux de se débarrasser de son tendre fardeau, hésita à le lui rendre.

— Hammond... protesta Viola, à bout de patience. Il est tard et cet enfant devrait dormir depuis longtemps.

— Bien sûr.

À regret, il glissa précautionneusement le bébé à moitié endormi entre les bras de sa nurse, qui l'emporta hors de la pièce. Trop fatigué ou trop heureux d'avoir retrouvé son ours pour se sentir privé des bras de son oncle, Nicholas ne fit pas entendre une plainte.

Quand la porte se fut refermée sur eux, un silence de tombeau retomba dans la pièce. Après un instant de ce face-à-face silencieux, John fit un pas vers elle.

— Viola…

Prudemment, elle alla se réfugier derrière le bureau, comme si les piles de livres avaient pu la protéger de lui.

— Il est tard, dit-elle d'une voix tendue.

— Pas si tard que cela.

À petits pas lents et délibérés, John continua d'avancer vers elle, lui laissant tout le temps nécessaire pour s'enfuir si elle le voulait. Mais, pour quelque stupide raison, elle n'en fit rien.

Il ne s'arrêta que lorsqu'il fut tout près d'elle. Ses cils, noirs et épais, battirent une fraction de seconde. Dans sa main, il souleva une mèche des cheveux de Viola, la porta à sa bouche, y donna un baiser, et inhala longuement avant de murmurer tout bas :

— Violette…

Pour empêcher ses mains de trembler, Viola agrippa le rebord du bureau dans son dos. Songeant à tous les rêves romantiques qui avaient nourri sa jeunesse, elle tenta de se rappeler qu'ils n'avaient été que chimères et ne lui avaient apporté qu'amères déceptions.

John fit passer les cheveux de Viola par-dessus son épaule, puis lui caressa le visage de ses deux mains. Du bout de ses pouces, il souligna la courbe de ses joues, dessina l'arête de son nez, les arcs de ses sourcils, puis descendit jusqu'à ses lèvres. Il fit tout ceci avec une étrange concentration, une lenteur délibérée, suivant du regard les parties du visage de la jeune femme qu'il caressait.

— Je suis venu ici dans un but précis, dit-il en la fixant enfin dans les yeux. Dans le but de faire la paix et de vous embrasser.

— Vous ne m'aviez rien dit de la seconde partie de ce programme.

— Pour ne pas vous effrayer.

Saisissant son menton entre le pouce et l'index, John fit basculer en douceur la tête de Viola et posa ses lèvres sur les siennes. Plus rien ne compta dès lors pour elle que ce baiser, aussi grisant que celui qu'ils avaient échangé au musée, aussi enivrant que tous ceux qu'ils avaient partagés autrefois. Rien de plus facile que d'oublier les écueils de la réalité quand il l'embrassait ainsi ; quand ses mains, comme en terrain conquis, glissaient dans son dos et jusqu'à ses fesses, sur lesquelles elles se refermaient, l'attirant plus étroitement contre lui ; quand sa bouche, ferme et impérieuse, commandait à la sienne de s'ouvrir.

Lâchant le bureau auquel elle se cramponnait, l'une des mains de Viola s'éleva en tremblant jusqu'à la joue hérissée de barbe de John. Cédant à la pression, ses lèvres s'entrouvrirent. Sous ses doigts, lorsqu'elle passa la main derrière la nuque de John pour approfondir le baiser, elle rencontra ses cheveux, aussi doux et lourds qu'une soie humide.

Leurs langues se mêlèrent. Sur ses hanches, Viola sentit les mains de John assurer leur emprise. Il la retenait captive contre le bureau, mais elle n'aurait sans doute pas bougé d'un pouce s'il lui avait laissé la possibilité de s'enfuir. Un flot d'images érotiques enfouies au fond de sa mémoire revenaient l'assaillir, troublantes et tentatrices. Ces mains qui la retenaient prisonnière, elle les revoyait caresser son corps nu baigné par le soleil matinal, sur le grand lit d'acajou qu'ils avaient partagé à Hammond Park. Un frisson de plaisir la secoua tout entière.

Avec un grognement sourd, elle passa les deux bras autour du cou de John. Il répondit à cette avance par un grondement inarticulé, et contre toute attente il mit fin au baiser. Le souffle court, il se pencha et d'un grand geste débarrassa la surface du bureau, envoyant valser par terre les livres qui s'y trouvaient. Aussitôt après, prenant ses fesses en coupe dans ses mains, il la hissa de manière qu'elle se retrouve assise sur le plateau.

D'un coup sec, il tira sur la ceinture de la robe de chambre de Viola, la dénouant sans le moindre effort. Un instant plus tard, le vêtement glissait sur ses épaules. Du bout des doigts, à travers le tissu de sa chemise de nuit, il caressa longuement les pointes durcies de ses seins. Le plaisir, un plaisir qui lui était depuis trop longtemps interdit, se leva en Viola avec la rapidité et la force d'un cyclone, la faisant frissonner et gémir. Les yeux fermés, la tête rejetée en arrière, elle crispa les doigts dans les cheveux de John et attira sa tête vers ses seins.

Trop heureux de lui donner satisfaction, il titilla le mamelon dressé du bout de la langue. De la main gauche, il fit de même sur l'autre sein, faisant rouler entre le pouce et l'index la pointe durcie à travers le léger tissu. Vaincue par le torrent de sensations qui déferlait en elle, Viola enserra la tête de John entre ses mains, l'incitant à poursuivre ses caresses. Le besoin urgent de sentir ses mains, sa bouche sur son corps annihilait en elle toute volonté. Cela faisait si longtemps qu'elle ne s'était plus livrée ainsi, si longtemps qu'elle ne s'était plus laissé entraîner dans ce maelström de passion! Toute honte bue, elle ne cherchait plus à retenir les sons étranges et étouffés qui montaient de sa gorge. Ils traduisaient avec plus d'éloquence que des mots l'incendie qu'il avait su allumer en elle, et contre lequel elle ne se sentait plus de taille à lutter. Comme dans un rêve, elle s'entendit murmurer son nom.

Se redressant alors, John porta une main à l'encolure de sa chemise de nuit. De ses doigts impatients, il entreprit de défaire les boutons nacrés qui la fermaient, tandis que son autre main s'immisçait sous l'ourlet du vêtement, au-dessus du genou.

— Seigneur... gémit-il en dévorant de baisers la gorge dénudée de Viola. Comme cela a pu me manquer!

Ces mots balbutiés dans la fièvre de la passion firent à Viola l'effet d'une douche froide. Qu'est-ce qui lui avait tant manqué? Le corps offert d'une femme complaisante? Avec ces questions lui revint la pleine conscience de ce qui était en train de s'accomplir, et ce fut la panique qui acheva de lui clarifier l'esprit. Seigneur Dieu! Qu'était-elle en train de faire?

Alors que la main de John poursuivait sa progression irrésistible le long de ses cuisses, Viola se raidit et referma violemment les jambes.

— Non, John! gronda-t-elle en attrapant son poignet. Non!

John se figea instantanément. Son souffle rauque et précipité faisait écho au sien.

— Viola...

— Laissez-moi tranquille! lança-t-elle, un ton plus haut, en tirant sur son poignet.

Il hésita quelques secondes, et Viola mit à profit ce court répit pour prendre le dessus.

— Non, non et non! cria-t-elle en se redressant.

Et elle le repoussa violemment des deux mains pour se libérer. Profitant de l'effet de surprise, elle se glissa sur le côté et s'enfuit. Dans sa hâte à lui échapper, elle se prit les pieds dans sa robe de chambre à moitié défaite et faillit trébucher.

— Je... j'ai perdu l'esprit! marmonna-t-elle en secouant la tête d'un air hébété. Je dois avoir perdu l'esprit, il n'y a pas d'autre explication... Suis-je à ce point inconsciente pour me précipiter tête baissée dans tous vos pièges?

— Viola...

Le son de sa voix décupla sa colère et la fit se retourner brusquement. Avec rage, elle rajusta sa robe de chambre autour de son corps.

— Je ne peux pas croire que je puisse me rendre aussi ridicule en votre présence et avec un tel acharnement! Je peux me montrer tellement stupide, parfois!

Le souffle toujours précipité, son visage reflétant une stupéfaction toute différente de la sienne, John fit un pas vers elle, la rejoignit, tenta de la reprendre dans ses bras. Vive comme une anguille, elle lui échappa et courut se réfugier à l'autre bout de la pièce.

— Le pire, poursuivit-elle avec véhémence, c'est que je ne peux même pas vous blâmer pour ce qui est arrivé. Ce n'est pas comme si vous m'aviez menti, cette fois. Vous avez admis ne m'avoir jamais aimée. Vous n'avez même pas été en mesure de me promettre d'être fidèle. Et pourtant, à peine vingt minutes plus tard, me voilà prête à vous laisser parvenir à vos fins! Pouvez-vous me dire où sont passés mon bon sens et ma dignité? Huit ans sans vous, à me construire une vie qui vaille la peine d'être vécue! Et après quelques sorties, deux ou trois mots doux et une paire de baisers volés, voilà que je me conduis d'une manière aussi scandaleuse qu'une de vos catins!

John se passa une main nerveuse sur le visage et émit un grognement de protestation.

— Mais vous êtes ma femme! protesta-t-il. Il n'y a rien de scandaleux à avoir envie de faire l'amour avec moi… Car c'est bien de cela que vous aviez envie à l'instant, avouez-le! Pourquoi avoir si subitement changé d'avis? Pourquoi avez-vous peur?

D'une main tremblante, il remit un peu d'ordre dans sa chevelure et se détourna d'elle avec un nouveau soupir de dépit.

— Bon sang, Viola! lança-t-il par-dessus son épaule. Parfois, il m'arrive de désespérer de parvenir simplement à vous comprendre.

De nouveau parfaitement maîtresse d'elle-même, Viola répondit d'une voix glaciale :

— C'est pourtant simple : je vous demande juste de partir et de me laisser en paix.

John traversa la bibliothèque à grands pas, comme si c'était lui à présent qui était pressé de fuir sa présence. Le dos tourné, il acheva de rajuster sa mise. Viola en profita pour faire de même, et durant tout ce temps ils n'échangèrent pas une parole.

Enfin, John gagna la chaise où il avait abandonné son manteau et l'enfila rapidement.

— Les trois semaines de répit que je vous avais laissées sont écoulées, dit-il. Je viendrai vous chercher demain à midi. Vous feriez bien de choisir dès ce soir dans quelle maison vous souhaitez vivre. Dans le cas contraire, Tremore peut s'attendre à recevoir sous peu des nouvelles de la Chambre des lords.

Viola, qui s'apprêtait à se rebiffer, renonça à laisser libre cours à sa révolte dès qu'il se fut tourné vers elle. John avait dans les yeux une telle lueur de défi, son visage reflétait un tel orgueil, son expression une telle détermination, qu'il était inutile d'argumenter.

— Je vous ai donné ma parole, lui rappela-t-il d'une voix tendue qui tremblait légèrement. Je veux une femme qui m'accueille dans son lit de son plein gré. Loin de moi l'idée de vous traiter comme une catin.

Sur ce, après s'être sèchement incliné devant elle, il gagna la porte et s'éclipsa.

En regardant le vantail de bois se refermer derrière lui, Viola songea qu'il se trompait s'il imaginait qu'elle avait peur. Ce n'était pas la peur qui lui mordait les entrailles à cet instant.

Ce qui lui donnait l'envie de prendre le premier bateau pour la France, c'était le fait qu'un homme qui lui avait causé tant de mal et qu'elle avait appris à mépriser, puisse prendre un bébé en pleurs dans ses bras et le faire rire. En dépit de tous ses mensonges et de toutes ses trahisons, il suffisait que John Hammond lui donne un baiser pour allumer en elle un incendie qu'elle était incapable d'éteindre.

Il n'était plus temps de se leurrer… Elle n'était plus une jeune fille innocente, mais elle désirait toujours cet homme avec la même ardeur.

Le pire, en fait, était qu'elle pouvait très certainement tomber une nouvelle fois amoureuse de lui. Rien de plus tentant ni de plus facile… Il lui suffisait de suivre sa pente naturelle, de se laisser faire, de lui dire oui, de lui donner ce dont il avait désormais besoin plus que tout, et d'accepter de ne rien obtenir en échange – pas même la promesse d'une fidélité rejetée comme un piège.

Décidément, John se trompait en imaginant qu'elle avait peur. Viola n'avait pas peur. Elle était terrifiée.

12

John dut attendre les premières lueurs du jour pour que s'apaisent sa colère et son désir, et pouvoir de nouveau penser clairement. Cela s'avérait une impérieuse nécessité, car il lui fallait à présent déterminer une conduite à tenir.

Tout en réfléchissant, les yeux fixés sur l'assiette de son petit déjeuner, il s'amusait du bout de sa fourchette avec les morceaux de bacon qui s'y trouvaient. S'il ne s'était pas laissé aveugler la veille par la passion, il aurait évité de chercher à profiter de la situation comme il l'avait fait. En ne se laissant pas dicter sa conduite par ses sens, il aurait pu prendre son temps, user de persuasion, convaincre Viola, la courtiser, pour l'amener en douceur là où il la voulait : dans sa chambre, dans son lit.

Au lieu de cela, il avait répondu à sa réaction de panique en se montrant autoritaire et menaçant. À présent qu'il lui avait rappelé que le délai de trois semaines était écoulé, si elle refusait de le suivre, il ne pourrait faire autrement que mettre à exécution sa menace d'en passer par la Chambre des lords. Mais, même en admettant qu'elle finisse par s'exécuter, il lui faudrait, à présent qu'il l'avait braquée contre lui, déployer des trésors de patience et de ruse pour se faire pardonner.

Avec un soupir de frustration, John laissa bruyamment retomber sa fourchette dans l'assiette. Il ne souhaitait à personne l'enfer qu'il était en train de vivre. La plupart des hommes, dans sa situation, auraient traîné de force leur épouse jusqu'au lit conjugal. Mais savoir ce que les autres auraient fait à sa place ne lui était d'aucune utilité. Il n'était pas ce genre d'individu, ne l'avait jamais été. Ce qu'il voulait, c'était une femme passionnée, aimante, consentante. Était-ce trop demander?

Elle lui avait reproché de ne pouvoir lui faire confiance. Il n'avait pas eu la présence d'esprit de rétorquer qu'il faut être deux pour bâtir une relation de confiance, et que les femmes aussi peuvent faire souffrir les hommes. Il aurait pu promettre à Viola qu'il ne fréquenterait jamais plus d'autre lit que le sien, mais il lui était impossible de faire cette promesse sans être sûr qu'elle ne lui interdirait pas la porte de sa chambre à la première dispute. Il ne laisserait aucune femme faire de lui la victime d'un chantage au sexe; or c'était exactement, même si elle ne s'en rendait pas compte, ce que Viola avait tenté de lui faire subir. Pourraient-ils jamais surmonter cet obstacle?

L'idée soufflée par Dylan Moore de proposer à Viola de devenir son ami lui revint en mémoire. Plus que jamais, la suggestion lui parut complètement folle. Mais il était vrai que Moore, artiste fantasque et génie musical, pouvait se permettre un grain de folie…

Soupirant de plus belle, John fit rouler entre ses doigts les petits pots de confiture posés sur le plateau – mûres et abricots, en provenance directe de Hammond Park.

Les jours heureux qu'il y avait coulés en compagnie de Viola, il les avait enfouis au plus profond de sa mémoire, où ils s'attardaient, confus et brumeux. Pourtant, ils continuaient de le séduire, le ramenant à une époque où la vie avait été source de contentement pour lui, et même de bonheur. Il avait su rendre Viola heureuse – de cela, il était sûr. Et il refusait de croire qu'un tel bonheur leur fût désormais interdit. Il devait y avoir un moyen pour faire revenir ces jours bénis. Il le fallait.

— *Dites à Viola que vous voulez au moins être ami avec elle…*

Les yeux toujours fixés sur les petits pots de confiture, John se redressa sur sa chaise. Après tout, peut-être Moore ne lui avait-il pas fait une suggestion si sotte que cela... Autrefois, c'était bien une certaine forme d'amitié qu'ils avaient partagée, Viola et lui, lors de l'été de leur voyage de noces en Écosse, et durant l'automne qu'ils avaient passé ensemble dans le Northumberland. Ils avaient été amants, également, et s'étaient disputés avec constance et passion, mais il y avait eu aussi des rires et des jeux entre eux, et John avait été plus satisfait du choix de son épouse qu'il n'aurait pu l'imaginer. Puis tout s'était détraqué.

Il ne souhaitait rien d'autre – Dieu, comme il le souhaitait! – que retrouver ce temps heureux. Ce déjeuner qu'il chipotait du bout de sa fourchette, il aurait aimé le partager au lit avec elle, et ôter sous ses baisers la confiture de mûres qu'il aurait préalablement étalée sur ses lèvres.

— Le courrier, milord...

Surpris en pleine rêverie, John regarda Pershing poser sur le plateau la pile de missives. Habituellement, c'était son secrétaire qui se chargeait de cette tâche.

— Où est passé Stone, aujourd'hui?

— M. Stone a attrapé la rougeole, répondit le majordome. Sur les conseils de son beau-frère, qui est médecin, il a préféré se retirer chez sa sœur à Clapham tant qu'il est contagieux. M. Stone vous fait part de ses regrets de ne pouvoir être à votre service pendant au moins une dizaine de jours.

— Envoyez-lui une lettre. Dites-lui de rester chez sa sœur jusqu'à complète guérison.

— Bien, milord.

Alors que le domestique se retirait, John parcourut rapidement son courrier. Il y trouva une invitation à dîner chez lady Snowden, adressée à lord et lady Hammond. La comtesse de Snowden, songea-t-il amèrement, était manifestement plus optimiste que lui ce matin quant à l'état de son mariage. S'ensuivait un message de Tattersall's, confirmant que la jument qu'il leur avait achetée deux semaines auparavant avait bien été livrée à son domaine du Northumberland. Il avait choisi cette monture pour Viola. C'était un pur-sang de quatre ans plein de fougue, capable de pointes de vitesse étonnantes. Mais, étant donné les derniers événements, la jument serait devenue une vieille carne avant que sa femme ne se décide à la monter... Puisque cette missive ne nécessitait aucune réponse, il la jeta dans les flammes de l'âtre tout proche et poursuivit le dépouillement de son courrier. En diagonale, il parcourut le rapport que lui adressait son régisseur de Hammond Park. Vinrent ensuite une facture de son tailleur et une autre de son bottier, lui rappelant la tenue qu'il avait fait réaliser spécialement pour le bal de charité de Viola, et pour lequel il n'avait toujours pas reçu d'invitation. La lettre suivante lui était envoyée par Emma Rawlins.

John s'attarda d'un air songeur sur l'enveloppe scellée délicatement parfumée. En dépit du désagrément qu'elle lui causait, il ne pouvait qu'admirer la détermination et la constance de son ex-maîtresse. Combien de missives lui avait-elle fait parvenir ainsi depuis leur rupture? Une douzaine, au moins. Il avait lu les premières – d'abord une lettre d'excuses pour s'être montrée trop possessive, ensuite une autre de reproche pour la réponse formelle qu'il lui avait adressée, enfin une condamnation cinglante de son manque d'attentions et de son attitude glaciale à son égard. Après celle-ci, il avait ignoré les autres, ne prenant même plus la peine de les lire ou d'y répondre. Il avait entendu dire qu'elle avait vendu le cottage qu'il lui avait offert et s'était exilée en France. Espérant qu'elle y resterait, il lança dans le feu crépitant l'enveloppe parfumée, sans même l'avoir décachetée.

Ne conservant que le rapport de son régisseur, qu'il pourrait lire en se rendant à Grosvenor Square, ainsi que l'invitation de lady Snowden, dont il devait faire part à Viola avant d'y répondre, John se leva de table. Puis il monta à l'étage pour se laver et se raser.

Tandis que son valet l'aidait à effectuer ses ablutions matinales, John tenta de deviner quelle serait la prochaine initiative de sa femme. Viola pouvait se montrer aussi imprévisible que le temps. S'il fallait s'en tenir à l'état d'esprit dans lequel elle se trouvait lorsqu'il l'avait quittée la veille, il devait s'attendre à ce qu'elle refuse tout bonnement de le recevoir.

Mais, à son arrivée à l'hôtel des Tremore cet après-midi-là, il eut la surprise de découvrir que Viola aurait été bien en peine de le recevoir, étant donné qu'elle avait quitté la ville.

— Où est-elle partie? demanda-t-il en fixant les jolis yeux violets de la duchesse de Tremore, qui venait de lui annoncer la nouvelle.

Daphné tournait doucement sa cuillère dans sa tasse de thé. Derrière ses lunettes cerclées d'or, elle le dévisagea un instant avec attention.

— Avant de décider si je dois vous répondre ou non, j'aimerais vous poser une question, Hammond.

— Je vous écoute.

— Si Viola refuse de regagner le domicile conjugal, est-il vraiment dans votre intention de demander à la Chambre des lords de l'y obliger?

Un sourire désabusé flotta sur les lèvres de John.

— Duchesse, répliqua-t-il d'un ton qu'il espérait léger, il m'arrive de penser que même la Chambre des lords ne pourrait forcer mon épouse à faire ce qu'elle ne veut pas faire.

La duchesse ne parut pas se satisfaire d'une telle réponse. Sans se départir de son impassibilité coutumière, elle continua de le fixer gravement. John soupira et chercha ses mots. Comment aurait-il pu lui dire ce qu'à cet instant il ignorait lui-même? En désespoir de cause, il donna à sa belle-sœur la réponse la plus directe et la plus honnête qu'il put trouver.

— Je refuse d'envisager la possibilité qu'elle ne revienne pas. C'est une éventualité que je rejette totalement.

— Pendant combien de temps pourrez-vous maintenir cette position?

— Le temps qu'il faudra… assura-t-il, les mâchoires serrées. Le temps que Viola fasse preuve d'un peu de bon sens et accepte ce qui est de notre intérêt commun.

Daphné tapota sa cuillère sur le rebord de sa tasse et la reposa délicatement dans sa soucoupe.

— Vous êtes bien conscient, dit-elle, que cela risque d'être long.

Sur ce point, il aurait difficilement pu la contredire. Les lèvres pincées, John acquiesça d'un signe de tête.

— J'en sais suffisamment, conclut la duchesse. Ce n'est pas l'amour qui motive votre décision de regagner les faveurs de votre femme.

De sa part, était-ce un constat? une accusation?

— Viola est à Enderby, reprit Daphné sans lui laisser le temps d'en décider.

Sa soudaine capitulation le surprit et, quoiqu'il ait pris garde de ne pas le montrer, elle dut le remarquer, car elle demanda dans un sourire:

— Vous ne vous attendiez pas à cela, n'est-ce pas?

— Non, duchesse. Je ne m'y attendais pas.

— Je ne trahis pas un bien grand secret. En vous lançant à la recherche de votre femme, sans doute auriez-vous commencé par là. Les serviteurs n'auraient pu que vous avouer qu'elle s'y trouve. Après tout, c'est vous qui les payez.

— Est-ce l'unique raison pour laquelle vous me l'avez dit?

Les grands yeux lavande de sa belle-sœur s'agrandirent sous l'effet d'une surprise dont il n'aurait su dire si elle était feinte ou réelle.

— Quelle autre raison pourrais-je avoir? s'étonna-t-elle.

— Une raison plus sérieuse… En acceptant simplement de prendre le thé en ma compagnie, vous bravez déjà la colère de votre époux.

— Certes.

Cela ne paraissait pas l'inquiéter outre mesure. John se doutait que, sous ses dehors placides et sereins, la duchesse tenait le cœur de l'orgueilleux duc de Tremore dans le creux de sa main – un autre de ces miracles dus à l'amour, sans doute…

— Si vous vous avisez de rendre de nouveau sa sœur malheureuse, poursuivit-elle, autant vous prévenir tout de suite que Tremore vous provoquera en duel. Croyez-moi, ce serait sans le moindre remords qu'il vous passerait une lame à travers le cœur.

— Et vous? s'enquit John avec curiosité. Partagez-vous son animosité à mon égard?

— Non, répondit-elle sans hésiter. Je ne la partage pas.

Cela fit rire John qui s'exclama :

— J'ai du mal à comprendre pourquoi!

— Est-ce si difficile à comprendre?

Il y avait à présent de la compassion dans ses yeux vifs posés sur lui. Mal à l'aise, John s'agita sur sa chaise.

— Hammond… reprit-elle d'une voix radoucie. Je sais à quelles extrémités le désespoir peut pousser. Contrairement à mon mari et à ma belle-sœur, je me suis retrouvée un jour sans argent et sans moyen de subsistance. Je peux vous assurer que ce fut pour moi le moment le plus pénible de mon existence. J'aurais pu faire n'importe quoi – n'importe quoi, m'entendez-vous? – pour éloigner de moi cette fatalité. Si le destin n'avait pas placé sur ma route le duc de Tremore et le billet pour l'Angleterre qu'il avait envoyé à mon père avant sa mort, j'aurais pu envisager d'épouser un homme par intérêt.

Elle marqua une pause lourde de sens avant d'ajouter :

— Ou pire encore.

— Je suis heureux que cela n'ait pas été le cas.

— À part moi-même, vous avez un autre allié dans la famille.

Elle lui sourit et précisa :

— J'ai cru comprendre que mon fils vous a pris en amitié.

Au souvenir de Nicholas et de M. Poppin, John lui rendit son sourire.

— Vous avec donc eu vent de notre rencontre?

— Oui, grâce à Beckham.

— Vous avez un merveilleux petit garçon, duchesse…

En prononçant ces mots, John se sentit gagné par l'envie qui lui avait transpercé le cœur lorsqu'il avait épié, par la fenêtre, Tremore et sa famille assis dans le square. Son sourire se figea sur ses lèvres. Il détourna le regard et répéta dans un murmure :

— Un merveilleux petit garçon.

— Merci.

Elle se leva du sofa.

— J'espère que vous êtes sincère dans votre désir de remettre votre mariage sur la bonne voie et de fonder une famille. Car, dans le cas contraire, Hammond, Dieu vous vienne en aide…

John se leva à son tour.

— Parce que sinon votre époux me provoquera en duel ?

— Non, rétorqua-t-elle en le fixant droit dans les yeux. Parce que je lui éviterai cette peine en vous déchargeant moi-même un pistolet dans la poitrine. Pour vous punir de votre stupidité, si ce n'est d'autre chose.

John, qui avait vu le visage de sa belle-sœur se durcir et toute compassion déserter son regard, murmura :

— Vous êtes sérieuse.

Daphné tendit la main vers lui.

— Je le suis.

— Alors, je peux tout de suite vous rassurer.

John s'inclina pour lui faire le baisemain et ajouta en se redressant :

— J'ai sans doute de nombreux défauts, mais je puis vous assurer que je suis sincère. Obstiné, cynique, sans aucun doute. Un bien mauvais mari – je vous l'accorde. Mais un mari sincère.

— Je l'espère. Dans votre intérêt aussi bien que dans celui de Viola.

John quitta Grosvenor Square sans avoir tout à fait compris ce qui lui valait les bonnes grâces de la duchesse. Il rentra chez lui, à Bloomsbury Square, mais ne fit pas préparer ses bagages pour se rendre à Enderby.

La leçon de la veille lui avait été profitable. Il ne voulait plus compromettre par trop de précipitation ses chances de succès. Si Viola avait fui, c'était pour éviter la perspective d'une bataille légale avec lui. Dans ces conditions, donner à sa femme un peu de temps pour se remettre était sans doute ce qu'il avait de mieux à faire. Sans compter que son absence prolongée l'amènerait peut-être, pour changer, à de meilleurs sentiments à son égard.

John laissa s'écouler une semaine. Ensuite, accompagné de son valet et d'une paire de valets de pied, il fit le voyage jusqu'à Enderby, où ils arrivèrent une heure avant le dîner. Leur arrivée causa quelque émoi parmi la domesticité, car le maître d'Enderby n'y avait plus mis les pieds depuis des années et n'avait pas fait savoir qu'il comptait s'y rendre. Ce fut à un certain Hawthorne, majordome, qu'il demanda où se trouvait Viola.

— Je crois que lady Hammond fait une courte sieste, milord. Puis-je vous faire patienter au salon pendant que je vais la prévenir?

— Voyez-vous cela… rétorqua-t-il en le toisant avec un sourire suffisant. Vous auriez le culot de me faire patienter comme un vulgaire visiteur dans mon propre salon, Hawthorne?

Le visage du majordome s'empourpra violemment.

— Non, milord…

— Bien! Faites porter mes bagages dans ma chambre, voulez-vous? Et veuillez expliquer à mon valet, Stephens, la façon dont les choses se passent ici à Enderby. Faites-lui visiter les lieux, la buanderie, la cuisine, indiquez-lui les heures de repas – enfin ce genre de choses. Vous savez ce que vous avez à faire, bien sûr.

Manifestement soulagé de ne pas se faire renvoyer par un maître qu'il n'avait jamais rencontré, Hawthorne hocha la tête avec empressement.

— Oui, milord.

John tourna les talons et se mit à gravir, la main posée sur la rambarde métallique ouvragée, le grand escalier qui menait à l'étage. Bien qu'Enderby ait fait partie de ses domaines avant leur mariage, Viola en avait fait sa résidence principale au fil des années. Elle y vivait même en permanence depuis leur séparation, deux ans plus tôt. Quant à lui, c'était à Hammond Park qu'il vivait le plus clair de son temps, et il avait du mal à se rappeler la dernière fois qu'il avait franchi le seuil de cette demeure. Mais il y avait passé la majeure partie de son enfance. Et, quand il avait terminé ses études à Cambridge, Enderby était devenu son foyer jusqu'à la mort de son père. Autant dire qu'il se rappelait parfaitement où se trouvaient les chambres…

Viola avait grandement modifié la décoration, nota-t-il en achevant de gravir les marches. Avec ses couleurs pastel et ses profusions de fleurs, la maison semblait aussi féminine qu'elle pouvait l'être. S'il l'avait su, son père s'en serait retourné dans sa tombe. Il ne restait plus à John qu'à puiser quelque réconfort dans cette idée…

Il s'arrêta devant la porte de la chambre de Viola, tourna doucement la poignée, et pénétra sans faire le moindre bruit dans la pièce. Voyant qu'elle était effectivement endormie, il s'approcha mais se figea près du lit lorsqu'une lame du parquet grinça sous son poids. Le bruit la fit gémir dans son sommeil. Elle se tourna sur le côté, vers lui, faisant glisser sur son visage quelques mèches de cheveux. Elle avait tout d'une lionne endormie.

Pour manifester sa présence, John toussota et la vit s'agiter de plus belle. Puis ses paupières battirent avant qu'elle n'ouvre lentement les yeux.

— Surprise? dit-il en lui adressant son sourire le plus charmeur.

— Vous!

En un instant, elle fut hors du lit, dressée sur ses ergots et pleinement réveillée. Songeant à sa mésaventure de la semaine précédente, John décida de ne pas la bousculer. Une approche en douceur s'avérait préférable. Pourtant, la possibilité de la taquiner un peu qui lui était offerte, était trop tentante pour être ignorée.

— Je m'apprêtais à me glisser contre vous pour vous réveiller d'un baiser, expliqua-t-il d'un air déçu, mais vous vous êtes réveillée trop tôt. Dommage. Encore un plan machiavélique gâché par votre faute...

Les yeux de Viola se plissèrent. John songea que, si elle avait été une lionne, il aurait déjà porté dans sa chair l'empreinte de ses crocs. À défaut, elle opta pour un rugissement indigné.

— Que faites-vous ici?

Il fit de son mieux pour feindre la surprise.

— Comment cela? C'est ma maison!

Cela ne parut pas l'adoucir le moins du monde. Pointant la porte derrière lui d'un doigt vengeur, elle lança un ton plus haut:

— Sortez de ma chambre!

Mais, bien loin de gagner la porte, John s'en éloigna le plus possible. Le nez levé en l'air, tout en déambulant d'un mur à l'autre, il feignit le plus vif intérêt pour la décoration.

— C'est donc votre chambre? Oh, mais suis-je bête... Cela ne peut qu'être votre chambre: elle est peinte en rose!

Avec un regard inquiet vers la porte de communication ouvrant sur la chambre qui lui était réservée, il demanda d'une voix blanche:

— Dites-moi... vous n'avez pas repeint ma chambre en rose, n'est-ce pas?

— Dommage que je n'y aie pas pensé!

John lâcha un soupir de soulagement qui n'était feint qu'à moitié.

— Profitez bien de votre sieste, ma chère, nous nous verrons au dîner. Au fait... sommes-nous ici à l'heure de Londres, ou sacrifions-nous au rythme de la campagne?

En butte à son silence obstiné, il conclut:

— Aucune importance! Je le demanderai à Hawthorne. Voudrez-vous faire une partie d'échecs, après le dessert? À moins que vous ne préfériez jouer au piquet?

À bout de patience, Viola enfouit son visage entre ses mains.

— Dieu doit me haïr! Je ne vois pas d'autre explication pour qu'Il ne cesse de vous lancer ainsi dans mes jambes...

John fit entendre un rire sarcastique et marcha d'un pas alerte jusqu'à la porte de communication.

— Vous n'iriez quand même pas jusqu'à me comparer aux sept plaies d'Égypte?

Viola pointa fièrement le menton.

— Pourquoi pas? répliqua-t-elle d'un air de défi. Impossible de trouver meilleure comparaison pour rendre compte de vos méfaits... À présent, allez-vous vous décider à sortir de ma chambre?

Décidant de ne pas tenter le diable, John ouvrit la porte, fit un pas dans la sienne et se retourna, comme pris d'un doute :

— Au fait, qu'avez-vous demandé au chef pour le dîner? Rien de trop affreux, j'espère...

Un rictus de joie mauvaise déforma le beau visage de Viola. Elle le rejoignit au seuil de leurs chambres.

— De la ciguë!

Aussitôt après, la porte lui claquait au nez.

John s'attarda quelques instants, l'oreille collée contre le vantail. Il ne lui fallut pas attendre longtemps pour saisir à travers l'épaisseur de bois le cri de rage espéré :

— Quel homme insupportable!

Avec un sourire satisfait, il tira le cordon et commença à se changer pour le dîner.

13

Convaincue que John l'y rejoindrait, Viola avait passé ses premiers jours à Enderby sur des charbons ardents. Au moindre bruit de roues sur les pavés de la cour, elle se précipitait aux fenêtres de la villa, certaine de voir débouler l'attelage de son mari. Mais, lorsqu'une semaine avait fini par s'écouler sans qu'il donne le moindre signe de vie, elle en avait conclu qu'il avait peut-être renoncé à son projet de réconciliation. Alors, l'impensable était survenu.

Elle avait commencé à s'ennuyer de lui...

Cela lui arrivait surtout la nuit quand, assise devant l'âtre, incapable de trouver le sommeil, l'épisode torride de la bibliothèque de Grosvenor Square revenait la hanter. Pire que tout, elle s'était mise à rêver de lui, de ses baisers et de ses caresses, ce qui constituait un tournant inquiétant – et particulièrement humiliant.

Elle fit donc profil bas au dîner ce soir-là, gardant la plupart du temps les yeux baissés sur son assiette, ne s'autorisant en direction de John, assis à l'autre bout de l'interminable table, que de brefs regards à la dérobée. La situation lui semblait irréelle. Elle n'était pas habituée à le voir évoluer dans cette maison qu'elle avait fini par considérer comme sienne – ce qui ne pouvait être qu'une illusion, bien sûr.

— *Qu'attendez-vous de moi, Viola ?*

Cette question que John lui avait posée des semaines auparavant fit écho dans son esprit. À l'époque, elle n'avait pas hésité à lui donner une réponse claire et définitive :

elle voulait qu'il s'en aille et la laisse en paix. Aujourd'hui, elle n'était plus sûre de pouvoir répondre de la même façon. D'une certaine manière, elle se trouvait au pied du mur. Ce n'était pas le fait que le délai de grâce qu'il lui avait laissé fût achevé qui la gênait, mais bien plutôt l'état de confusion dans lequel elle se trouvait – sans oublier sa frustration. John n'était même pas en mesure de lui promettre qu'il lui serait dorénavant fidèle. Cela la mettait d'autant plus en colère qu'elle aurait été prête à le croire s'il lui avait fait cette promesse, au risque de se rendre doublement ridicule.

Pour compliquer la situation, il y avait ce qui s'était passé entre eux dans la bibliothèque. Cet épisode la troublait autant qu'il l'effrayait. Viola ne voulait plus souffrir. Elle ne voulait plus prendre le risque de croire à ses promesses pour se retrouver, quelques semaines ou quelques mois plus tard, obligée de sourire dans un salon à la dernière en date de ses maîtresses.

— *Qu'attendez-vous de moi, Viola ?*

À bien y réfléchir, elle continuait à attendre de lui ce qu'elle avait toujours voulu : l'amour, la fidélité, et des enfants. Malheureusement, de son propre aveu, John n'était en mesure de lui garantir qu'une seule de ces trois choses. Ce n'était évidemment pas assez. Elle ne comprenait pas pourquoi il trouvait déplacée l'exigence qu'il lui soit fidèle. Il n'était tout de même pas déraisonnable pour une femme d'attendre de son mari qu'il ne la trompe pas – surtout quand il exigeait d'elle la même chose !

Soudain, John reposa bruyamment sa fourchette sur la table, la tirant de ses pensées.

— Cela ne peut pas continuer ainsi.

Levant les yeux de la tarte aux pommes qu'elle chipotait dans son assiette, Viola s'étonna :

— Qu'est-ce qui ne peut pas continuer ainsi ?

— Votre mutisme.

— Je ne suis pas d'humeur à faire la conversation.

— Je le constate, en effet. Qu'est-ce qui ne va pas, Viola ?

La bouchée de tarte qu'elle ne parvenait pas à avaler se transforma en sciure sur sa langue. Viola s'empressa de la faire passer avec une gorgée d'eau et se força à soutenir son regard pour répondre :

— Où comptez-vous…

Mal à l'aise, elle s'interrompit, lança subrepticement un regard aux serviteurs présents dans la pièce, avant de fixer de nouveau le contenu de son assiette avec attention.

— J'ai cru comprendre, reprit-elle tout bas, que Stephens avait préparé votre lit dans votre chambre.

— Pourquoi ? répliqua-t-il avec un sourire malicieux. Vous auriez préféré que je dorme dans la vôtre ?

— John !

Les rêves érotiques qui avaient hanté ses deux dernières nuits lui revinrent en bloc. Viola se sentir rougir violemment. D'un regard de reproche, elle désigna à John le majordome et les deux valets de pied qui patientaient, impassibles, près de la desserte.

— Hawthorne ? fit-il en continuant de la dévisager.

Le majordome s'avança d'un pas.

— Oui, milord ?

— Sortez tous les trois. Je vous appellerai si nous avons besoin de vous.

Après s'être incliné, le majordome sortit dignement, les deux valets sur ses talons. Viola les regarda quitter la pièce avec consternation.

— Le repas n'est pas terminé ! protesta-t-elle. Pourquoi les avez-vous congédiés ?

— Parce que je veux parler sans que vous puissiez les utiliser comme prétexte pour m'en empêcher.

— Vous voulez parler ? répéta-t-elle, n'en croyant pas ses oreilles. Vous ?

Après avoir siroté une gorgée de vin, John acquiesça d'un hochement de tête et s'accouda à la table.

— J'ai beaucoup réfléchi à notre conversation de l'autre nuit dans la bibliothèque. Vous m'avez dit ne pas vouloir d'un simulacre de mariage, comme s'en contentent la plupart des gens, qui font un ou deux enfants avant de vivre leur vie chacun de leur côté. C'est ainsi que mes parents ont vécu, et je ne veux pas moi non plus d'un mariage de ce genre. Je pense qu'il n'y a pour nous qu'une façon d'éviter cela. Il faut que nous devenions amis.

— Je vous demande pardon?

Aux yeux de Viola, cette conversation devenait plus ahurissante de seconde en seconde.

— Vous m'avez bien entendu… insista-t-il en hochant tranquillement la tête. Il est clair que nous avons passé huit années à ne pas nous entendre, sans vraiment chercher à mieux nous connaître. Vous ne me faites pas confiance, et je reconnais que vous avez d'excellentes raisons pour cela. Ce que je suggère, c'est que nous devenions amis pour y remédier.

Viola, qui trouvait une telle perspective aussi plausible que de voir un jour les cochons voler, s'insurgea avec force.

— Je n'ai jamais rien entendu de plus absurde! Vous et moi, amis? Où avez-vous été chercher une idée pareille?

— Dylan.

— Dylan?

— Croyez-le ou non, c'est lui qui m'a fait cette suggestion. Il nous aime autant l'un que l'autre, et il se dit fatigué de nous voir fâchés. Il voudrait pouvoir nous inviter tous les deux à dîner chez lui en même temps, et il espère nous voir faire la paix. Il pense que si nous devenions amis, tout ira beaucoup mieux.

Viola accueillit cette explication avec un certain scepticisme.

— Je n'aurais jamais imaginé que Dylan puisse se montrer si prévenant et si optimiste…

— À présent que le voilà père, il est dans l'obligation de se montrer optimiste.

— Dites plutôt que son nouveau statut de père et d'homme marié le prive dorénavant de scandaleuses escapades en votre compagnie.

— En tout cas, ce n'est pas moi que cela prive, car je ne prise plus ce genre d'excès…

— Par pitié, n'essayez pas de me faire croire que vous avez fini par entrevoir la portée de vos erreurs et que vous n'allez plus vous encanailler au *Temple Bar*.

— Il ne faut jurer de rien, mais cela fait longtemps que je n'en ai plus envie, et plus longtemps encore que je ne l'ai pas fait. Malgré les sollicitations pressantes de certains de mes amis, je passe la plupart de mes soirées à mon club. D'ailleurs, au cas où vous ne l'auriez pas remarqué, je ne fais plus la une des potins, ces temps-ci.

C'était vrai, mais Viola ne pouvait s'empêcher de se demander combien de temps cela durerait.

— C'est étrange, poursuivit-il d'une voix rêveuse mais, depuis que Dylan s'est marié, nous sommes devenus de plus proches amis. Autrefois, il nous arrivait de nous retrouver dans le même bordel ou à la même table de jeu, mais il en va tout autrement cette saison. Il m'arrive encore occasionnellement d'aller boire quelques verres avec lord Damon et sir Robert, je l'admets, mais c'est Dylan que je fréquente le plus.

Il avait su éveiller sa curiosité, et ce fut sans le moindre sarcasme que Viola demanda :

— Si vous ne fréquentez plus les bordels et les tripots, que faites-vous donc, tous les deux ?

— Nous croisons le fer, principalement. Nous nous rencontrons chez *Angleo's* presque tous les soirs.

— Je vous envie, confessa-t-elle après avoir avalé son dernier morceau de tarte nappé de crème anglaise. J'ai toujours voulu apprendre l'escrime lorsque j'étais petite, mais cela ne m'a jamais été permis.

— Pour quelle raison ?

— Pensez-vous que l'on enseigne aux jeunes filles de bonne famille les mêmes choses qu'aux garçons ?

— Qu'appreniez-vous, alors ? s'enquit John.

— À marcher en portant des livres sur la tête sans les faire tomber, alors que nous aurions probablement mieux fait de les lire… Mais voyez-vous, il est plus important d'apprendre l'art éminemment féminin de marcher gracieusement que le grec, l'histoire ou les mathématiques. J'ai également appris à jouer du piano, à pratiquer l'aquarelle et à confectionner des coussins brodés.

— Mais pas d'escrime?

— Non, hélas!

John la dévisagea en silence. Une expression d'enfant espiègle passa sur son visage. Même à l'autre bout de la table immense qui les séparait, Viola put discerner les petites rides de rire qui marquaient le coin de ses yeux.

— Vous voulez apprendre? demanda-t-il enfin.

Perplexe, Viola fronça les sourcils.

— Apprendre l'escrime, vous voulez dire?

— Bien sûr, quoi d'autre?

Sans attendre de réponse, John se leva, descendit toute la longueur de la table et vint se placer derrière sa chaise

— Vous avez fini votre dessert, constata-t-il. Venez.

— Pour quoi faire? s'enquit-elle, soudain inquiète, la tête tournée vers lui.

— Pour prendre votre première leçon. Vous disiez que vous aviez toujours voulu apprendre l'escrime.

— Quand j'étais petite fille! Il y a longtemps de cela.

— Je sais qu'à vingt-six ans vous êtes bonne pour la tombe, plaisanta-t-il, mais je pense que nous aurons avant cela le temps de vous donner une leçon ou deux.

En douceur, il la prit par les bras et l'incita à se lever.

— Voyez le problème sous cet angle… suggéra-t-il avec détermination. Vous me détestez, n'est-ce pas?

— Oui! répondit-elle sans hésiter.

— Eh bien, je vous offre la seule opportunité que vous aurez jamais de me tenir au bout d'une épée.

Il ne fallut à Viola que deux secondes pour surmonter ses réticences.

— Qu'attendons-nous?

— Je savais que cette idée vous plairait!

Penchant la tête sur le côté, John déposa un rapide baiser dans le cou de Viola, puis se détourna avant qu'elle ait eu le temps de protester.

— Mon vieil équipement d'escrime est-il toujours au grenier? s'inquiéta-t-il en gagnant la porte.

Viola le suivit le long du corridor, en direction de l'escalier.

— Je ne sais pas, avoua-t-elle. Est-ce là que vous aviez l'habitude de le ranger?

— Dans mon enfance, oui.

Ils se rendirent au grenier, où ils découvrirent ce qu'ils cherchaient, soigneusement entreposé dans une malle. John choisit deux rapières et lui en tendit une. Puis, dans le grand espace libre au centre des combles, il vint se placer face à elle.

— Faites exactement comme moi, lui indiqua-t-il.

Se plaçant de profil, il éleva sa main gauche en l'air derrière lui et pointa son épée vers elle. Avec application, Viola l'imita.

— Parfait, approuva-t-il. À présent, regardez-moi bien et essayez ensuite de m'imiter.

Vif comme l'éclair, il avança d'un pas, le genou fléchi, l'arme brandie au bout de son bras. La pointe mouchetée de l'épée vint se loger juste sous les côtes de Viola. Quand il se remit en position d'attente, elle essaya de l'imiter mais rencontra aussitôt un problème.

— Je ne peux pas écarter les jambes comme vous le faites, se plaignit-elle. Ma jupe me gêne.

Tout sourire, John se redressa.

— Eh bien, si votre jupe vous pose réellement un problème…

— Non, l'interrompit-elle. Inutile d'y penser.

— Mais je vous assure que…

— Non! répéta-t-elle, un ton plus haut. Ôtez-vous cette idée de la tête.

— Vous ne pourrez jamais m'ôter cette idée de la tête, dit-il en se détournant pour examiner les recoins du grenier. Mais, si vous avez décidé de vous montrer prude, il va nous falloir trouver une autre solution.

Posant son arme sur le sol, il marcha jusqu'à une vieille malle couverte de poussière.

— Quand j'étais petit, expliqua-t-il en soulevant le couvercle, on rangeait là-dedans un tas de vieilles nippes.

Après avoir remué un instant les vêtements, il tira de la malle un pantalon et le brandit vers elle.

— Celui-ci devrait vous aller, dit-il. Je le portais quand j'avais quatorze ans.

Avant de refermer la malle, il en sortit également une chemise de lin dont la blancheur n'était qu'un souvenir et vint lui présenter les deux pièces de vêtements. Viola s'en saisit et attendit un instant qu'il se détourne pour la laisser s'habiller, mais bien évidemment il n'en fit rien.

— John, dit-elle d'un ton de reproche, si vous voulez que nous soyons amis, il va falloir être gentil avec moi.

— Naturellement… assura-t-il avec un sourire plein de sous-entendus. Je peux me montrer *extrêmement* gentil avec vous.

— Ce n'est pas ainsi que je l'entendais. Tournez-vous !

Soupirant bruyamment, il s'exécuta.

— C'est un comble ! maugréa-t-il pendant qu'elle se déshabillait en hâte. Il m'est interdit de voir les dessous de ma propre femme…

— Vous avez déjà vu suffisamment de dessous comme cela, rétorqua-t-elle sèchement. Vous n'avez pas besoin de voir les miens.

Après avoir enfilé son costume d'escrime improvisé, Viola fit savoir à John qu'il pouvait se retourner. D'un regard gourmand, il la détailla de la tête aux pieds et se mit à rire.

— Ils font beaucoup plus d'effet sur vous qu'ils n'en ont jamais fait sur moi… commenta-t-il en allant ramasser sa lame puis en revenant se placer au centre du grenier.

Viola retroussa les manches de la chemise et roula le bas du pantalon trop long. Puis elle renfila ses pantoufles, ramassa son épée et le rejoignit.

À la lueur tremblante des lanternes qu'ils avaient pris soin d'amener, ils se placèrent l'un en face de l'autre, croisèrent leurs armes comme ils l'avaient fait auparavant, et cette fois elle fut capable de ployer le genou en portant un coup en avant comme il le lui avait montré.

— On appelle cela se fendre, expliqua-t-il. Faites-le de nouveau mais, cette fois, essayez de m'atteindre où vous voudrez sur le torse.

Viola se mordit la lèvre et pencha la tête sur le côté, comme si elle étudiait très attentivement la question. Avec lenteur, elle baissa les yeux le long de son torse.

— À un endroit décent! s'empressa de préciser John.

Elle se fendit de nouveau, visant l'estomac mais, sans lui laisser le temps d'y parvenir, il fit dévier son arme en levant la sienne.

— Cela, reprit-il, c'est une parade.

Viola se redressa en hochant la tête.

— Je vois.

— Bien.

John revint se camper devant elle. L'épée pointée vers le sol, il la défia un instant du regard.

— Vous me haïssez, n'est-ce pas?

— Oui!

— Alors montrez-le-moi. C'est le moment ou jamais de laisser sortir toute cette haine que je vous inspire.

La voyant indécise, il agita impatiemment son arme.

— Allez-y! lança-t-il vivement. Montrez-moi ce que vous avez dans le ventre!

Viola leva son arme et la pointa vers lui. Imitant sa posture précédente, elle se fendit de nouveau, mais son assaut manqua de conviction et il para l'attaque en faisant simplement un pas de côté.

— Pathétique… commenta-t-il en secouant la tête.

— Que voulez-vous exactement? s'insurgea-t-elle. Que je vous blesse?

Il répondit par un rire caustique qui titilla un peu plus la colère que Viola sentait peu à peu monter en elle.

— Avec de tels assauts, railla-t-il, vous ne risquez pas de me faire bien mal. Allez! Essayez encore. Cela pourrait vous aider de penser à toutes les raisons que vous avez de me haïr. Pourquoi me haïssez-vous, au fait?

— Pourquoi?

Viola le dévisagea comme s'il avait brusquement perdu la tête.

— Comment pouvez-vous me demander cela? J'ai tant de raisons de vous en vouloir que je serais bien en peine de faire une liste…

— Essayez quand même. Ou plus exactement, faites-le-moi sentir à la pointe de votre épée.

Piquée au vif par son attitude de défi, Viola porta une nouvelle attaque, plus rapide et déterminée cette fois.

— C'est mieux! se réjouit-il en bloquant l'assaut d'une simple torsion du poignet. Vous êtes sur la bonne voie. Pourquoi me haïssez-vous?

— Vous m'avez menti avant même que nous soyons mariés, voilà pourquoi!

Viola avait accompagné ce cri vengeur en lui portant d'estoc et de taille plusieurs coups d'épée aussi fougueux que désordonnés.

Cette fois, John parut sincèrement impressionné.

— Bravo! approuva-t-il en la regardant reprendre son souffle. Il se pourrait bien que vous ayez un don pour l'escrime…

— Vous faites une cible très motivante.

— C'est exactement sur cela que je comptais.

Agitant son épée devant elle, il l'encouragea:

— Allez-y, ne vous arrêtez pas! Je veux voir tous ces ressentiments qui macèrent en vous depuis trop longtemps, exposés au grand air pour une fois.

— C'est donc à ça que tout cela rime? gronda-t-elle en se fendant à l'improviste, mais sans atteindre pour autant sa cible. Vous vous imaginez qu'il n'en faudra pas plus pour tout arranger?

John se fendit, mais avec suffisamment de lenteur pour la laisser parer l'assaut comme il le lui avait appris.

— Certes non, admit-il. Mais cela pourrait constituer un bon début.

L'un et l'autre reculèrent d'un pas.

— Ainsi, reprit-il, vous me haïssez parce que je vous ai dit avant notre mariage que je vous aimais, ce qui s'est révélé être un mensonge. C'est bien pour cela que vous me haïssez?

— Pas seulement. Vous oubliez Elsie.

— Ah, oui… Elsie.

Il affichait un calme et une impassibilité si révoltants que Viola lui aurait volontiers jeté son épée à la figure. Au lieu de cela, elle porta un coup de lame en avant, recula vivement quand il para son attaque, et sans attendre repartit à l'assaut. Leurs armes s'entrechoquèrent.

— Lorsque j'ai appris son existence, reprit-elle, j'ai été anéantie. Il m'était devenu insupportable de dormir à vos côtés. Et, à cause de cela, vous m'avez tout simplement tourné le dos! Je vous hais de m'avoir abandonnée ainsi!

— Vous oubliez de préciser que j'ai attendu un mois avant de partir! Un mois à dormir seul, à ne plus trouver le sommeil de vous savoir dans la pièce voisine, enfermée à double tour! Vous ne vouliez rien entendre. Vous vous contentiez de fondre en larmes chaque fois que je vous adressais la parole, de vous mettre à crier chaque fois que je vous touchais.

— Vous avez attendu un mois? Quelle grandeur d'âme! Quelle abnégation de votre part d'avoir attendu tout un mois avant de vous enfuir!

Avec ces mots, Viola eut l'impression qu'une digue se rompait en elle, libérant un flot d'amertume trop longtemps contenu. Elle repartit à l'assaut, jouant de sa lame autant que de sa langue, dont elle n'aurait su dire, à cette minute, laquelle des deux était la plus acérée.

— Vous m'avez quittée sans un mot d'explication! Vous vous êtes contenté de faire vos bagages et de partir de

nuit, comme un voleur! Pas un au revoir, pas un mot…
J'étais à ce point amoureuse de vous que j'aurais pu éventuellement vous pardonner pour Elsie, mais vous ne m'en avez même pas laissé l'opportunité! Vous n'avez jamais tenté de vous mettre à ma place, d'envisager les choses de mon point de vue. Vous m'avez brisé le cœur, et vous vous en moquiez!

À bout de souffle, elle s'efforça de calmer sa respiration avant de reprendre:

— Deux mois plus tard, vous réapparaissiez comme par enchantement. Vous vouliez faire la paix, disiez-vous. De tous les arrogants, de tous les prétentieux, de tous les malfaisants, vous êtes bien le…

Rattrapée par sa fureur, Viola ne put conclure et se lança à corps perdu dans un nouvel assaut. Une fois, deux fois, trois fois leurs épées s'entrechoquèrent violemment avant qu'elle ne batte en retraite, pantelante.

— Je ne disais pas que cela, corrigea John. Et je ne me sentais pas spécialement arrogant, croyez-moi – surtout lorsque vous m'avez giflé en me conseillant d'aller au diable.

— Mais vous n'êtes pas allé au diable, n'est-ce pas? Vous avez préféré les bras de Jane Morrow. J'ai dû en conclure que vous ne souhaitiez pas tant que cela vous réconcilier avec moi.

— Si c'est ce que vous avez présumé, répondit John en haussant les épaules, vous vous trompiez.

Il porta une attaque avec suffisamment de lenteur pour qu'elle puisse la parer sans problème.

— Vraiment? répliqua-t-elle. Vous aviez une telle façon de me montrer à quel point vous teniez à notre mariage…

— Jane ne signifiait rien à mes yeux, expliqua-t-il en se redressant. Tout comme je n'avais aucune importance pour elle.

— Ainsi, vous m'avez détruite une deuxième fois pour quelqu'un qui ne signifiait rien à vos yeux. Comme c'est charmant… Je suppose que vous ne cherchiez dans ses bras qu'à oublier la peine que je vous faisais?

— En fait, oui.

Viola eut un rire caustique.

— Et Maria Allen? Un autre baume pour votre fierté masculine malmenée?

— Si cela vous fait du bien de présenter les choses ainsi…

John prit une profonde inspiration et se redressa, la lame pointée vers le sol, avant d'ajouter:

— Vous n'allez probablement pas me croire, mais je voulais également me réconcilier avec vous, cette fois-là à Brighton.

— À Brighton? répéta-t-elle. De quoi parlez-vous?

— Je parle de ce séjour que vous avez fait à la mer, il y a deux ans de cela, lorsque je vous ai rejointe. Vous vous rappelez?

À contrecœur, Viola acquiesça d'un hochement de tête.

— Dois-je vous rappeler également quel accueil vous m'avez réservé?

Sans attendre de réponse de sa part, il enchaîna:

— Vous m'avez jeté un regard méprisant, qui aurait glacé le sang de n'importe quel homme, et vous m'avez conseillé de retourner voir mes catins. Sur ce, vous m'avez tourné le dos et vous êtes partie. Avant même que j'aie pu défaire mes malles, vous aviez quitté la ville pour courir vous réfugier dans les basques de votre frère.

— Mon départ de Brighton ne vous a pas pour autant empêché de séduire Maria, n'est-ce pas?

— Non, reconnut-il. Vous le savez bien, puisque j'ai été blessé en duel à cause d'elle. Vous voulez tout apprendre de cette histoire? Elle n'a rien de très glorieux. J'étais le dernier en date des nombreux amants de Maria, quand son mari a subitement décidé qu'il en avait assez d'être cocufié. Il m'a convoqué sur le pré où nous nous sommes logé pour l'honneur une balle dans l'épaule l'un de l'autre. Stupide, je vous l'accorde, mais véridique.

— Vous oubliez la suite! se récria Viola. Apprenant la nouvelle, j'ai accouru toutes affaires cessantes à Hammond

Park, folle d'inquiétude à votre sujet – Dieu seul sait pourquoi! Vous étiez alité, mais le médecin était parvenu à stopper l'hémorragie. Je vous ai demandé comment vous alliez, et que m'avez-vous répondu? «Désolé de vous décevoir, très chère, mais je vais survivre à ma blessure. Vous pourriez peut-être essayer l'arsenic...»

Soulevée par une indignation rétrospective, Viola se fendit, manquant son coup par trop de précipitation.

— Après mon aventure avec Maria, répliqua John, que vouliez-vous que je vous dise? Quelque chose comme: «Désolé, une fois de plus je me suis mis dans un sale pétrin, mais si vous voulez bien rester, je promets d'être sage.» Est-ce cela que vous vouliez entendre? Vous m'auriez ri au nez! Rien de ce que j'aurais pu dire n'aurait été de nature à apaiser votre fureur.

— Les mots importent peu! C'est ce que vous avez fait qui m'insupporte. Avez-vous une seule fois songé à ce que ma vie pouvait être à cause de vous? Savez-vous qu'il m'a fallu côtoyer au fil des ans toutes vos autres femmes, sachant que vous préfériez leur compagnie à la mienne?

— C'est faux! J'aurais cent fois préféré couler auprès de ma femme des jours heureux. La femme qui aurait dû être la mère de mes enfants. La femme qui aurait dû se trouver dans mon lit et qui ne s'y trouvait pas. La femme qui n'a cessé de me faire sentir qu'elle me méprisait, qu'elle me mépriserait toujours, et qu'elle préférait se trouver n'importe où plutôt que près de moi.

— Vous imaginez donc que cela suffit à excuser toutes vos fautes?

— Je ne cherche pas à les excuser. Je cherche juste à vous faire comprendre *pourquoi* je les ai commises.

John affichait un calme olympien. Il se sentait si peu coupable qu'il ne s'imaginait pas en position d'accusé et ne tentait rien pour se défendre. Son attitude incompréhensible ne faisait qu'entretenir la rancœur de Viola.

Avec un grondement de rage, elle leva son épée au-dessus de sa tête et se lança une nouvelle fois à l'assaut, sans se soucier de technique ni de style. Aveuglée par son ressentiment, elle lui assena au hasard des coups d'épée, encore et encore. John para chacune de ses attaques avec une aisance qui frisait la désinvolture, mais il n'en recula pas moins à travers le grenier, comme s'il était décidé à lui laisser le rôle de l'agresseur et de meneur de jeu.

— Je vous hais! cria-t-elle, tout à fait hors d'elle. Je vous hais pour toutes ces femmes que vous avez caressées, embrassées, et à qui vous avez fait l'amour. Je vous hais d'avoir donné à toutes vos maîtresses ce qui aurait dû n'être qu'à moi!

Le dos de John heurta le mur. Viola frappa une dernière fois, surprise de voir sa lame venir se loger directement sous le cœur de John. Il ne tenta même pas de parer l'attaque et prit le coup de plein fouet.

— Je vous hais! reprit-elle, pantelante, en reculant d'un pas. Je vous hais pour avoir accepté tout l'amour que je vous donnais, avant de vous en débarrasser comme d'un meuble encombrant. Je vous hais pour n'avoir pas fait plus de deux pauvres tentatives de réconciliation. Et je vous hais pour ne revenir vers moi que contraint par la nécessité.

Complètement essoufflée, Viola jeta son arme, qui alla percuter le sol en cliquetant. Elle sut que ses larmes allaient avoir raison d'elle en voyant l'image de John se brouiller.

— Et plus que tout encore, conclut-elle en réprimant un sanglot, je vous hais pour avoir réveillé toutes ces douleurs en moi, alors que j'étais finalement parvenue à surmonter votre trahison.

Elle se détourna, prête à s'enfuir, mais John l'en empêcha. Elle entendit son épée produire un bruit étrange en se fichant dans le plancher. Aussitôt après, ses deux mains enserrèrent fortement ses bras. Et lorsqu'il se mit à parler, elle put constater avec amertume qu'il n'était même pas essoufflé par le combat.

— Vous prétendiez vouloir mieux me comprendre, dit-il en cherchant son regard. C'est uniquement dans ce but que je vous ai expliqué tout ceci. Je ne peux rien changer au passé. Mais je peux vous assurer que je ne tournerai plus le dos cette fois-ci, et que je ne vous laisserai pas le faire non plus. Cette fois, nous allons trouver un moyen de vivre ensemble sans nous détruire l'un l'autre. Voilà pourquoi nous devons être amis.

Viola secoua la tête d'un air buté.

— C'est impossible.

— Pourquoi?

D'un haussement d'épaules, elle parvint à se libérer de son emprise. Cette fois, John la laissa filer. Elle ne prit pas la peine de lui répondre. Outre que cela n'aurait servi à rien, elle était à présent épuisée. Sans attendre qu'il ait éteint les lanternes, elle s'engagea dans l'escalier. Mais elle ne tarda pas à le sentir descendre juste derrière elle. Jusqu'à la porte de sa chambre, ils se cantonnèrent dans un silence tendu. Là, elle se retourna et lui dit simplement:

— Bonne nuit, John.

— Pourquoi est-ce impossible, Viola? insista-t-il. Vous qui plaidez toujours pour que nous puissions parler, dites-le-moi donc.

Après avoir laissé fuser de ses lèvres un soupir de frustration et d'agacement, elle répondit:

— Parce que des amis doivent se faire confiance. Or je n'ai aucune confiance en vous.

— Dans ce cas, il me reste à vous prouver que je mérite votre confiance.

Il se montrait tellement raisonnable et sage… Viola se sentait toujours en danger quand il adoptait une telle attitude. Nerveusement, elle se passa la langue sur les lèvres.

— Par vos belles paroles, vous essayez une fois de plus de m'abuser. Vos protestations d'honnêteté ne sont qu'un stratagème de plus pour m'attirer dans votre lit.

John croisa les doigts et demanda avec un sourire rusé:

— Un stratagème qui fonctionne?

— Non. Je suis à présent immunisée. Plus aucun de vos trucs n'aura d'effet sur moi.

— Alors vous n'avez plus rien à craindre, n'est-ce pas?

— Rien du tout.

Viola se retourna pour poser la main sur la poignée de sa porte.

— Je ne crains rien, ajouta-t-elle, parce que je vous hais toujours.

John posa sa main sur la sienne pour l'empêcher d'ouvrir.

— C'est faux, répliqua-t-il avec assurance. Vous ne me haïssez plus, désormais. La nuit où je suis venu vous voir à Grosvenor Square, lorsque je suis arrivé trempé pour être resté deux heures sous la pluie, vous m'avez laissé rester. C'est là que j'ai compris que vous ne me haïssiez plus.

Sa main retenant toujours celle de Viola prisonnière, il se pencha vers elle. Leurs corps se frôlèrent, à peine mais suffisamment pour que le cœur de la jeune femme se mette à battre la chamade. Avec une infinie tendresse, John lui embrassa les cheveux, puis la tempe, la joue. Enfin, ses lèvres se posèrent tout contre son oreille et elle l'entendit murmurer:

— Vous ne me haïssez plus et, si nous devenons amis, vous n'aurez plus jamais aucune raison de me haïr.

Viola sentit un frisson de souffrance, de désir et de peur mêlés lui remonter l'échine. Elle eut l'impression de se noyer dans un tumulte d'émotions confuses.

— Je vais faire en sorte que vous puissiez me faire confiance à nouveau, promit-il en lui caressant la main sur la poignée de la porte. Je vais faire le nécessaire pour que vous n'ayez plus aucune raison d'avoir peur de moi.

Puisant dans ses dernières réserves de courage, Viola protesta:

— Je n'ai pas peur de vous.

Mais, naturellement, c'était un mensonge. Jamais elle n'avait eu autant peur de lui qu'en cet instant. Il dut s'en rendre compte, car il lui fit un clin d'œil.

— Il me semble que ce n'est plus moi qu'il faut taxer de menteur… Bonne nuit, Viola.

Avant de pénétrer dans sa chambre, elle le regarda gagner sa porte et disparaître dans la sienne. Et, tandis que Céleste l'aidait à passer ses vêtements de nuit, elle se surprit à épier dans la pièce voisine le murmure grave de la voix de John parlant à son valet.

Il avait raison en prétendant qu'elle ne le haïssait plus. Depuis qu'il était revenu vers elle, elle avait compris que sa haine lui échappait un peu plus chaque fois qu'ils discutaient. À chacun de ses sourires, elle sentait la magie renaître entre eux. Comme un glacier rongé par le soleil, son ressentiment diminuait chaque fois qu'il la faisait rire, qu'il avait pour elle un geste gentil, ou qu'il l'embrassait. Et, sans sa haine, elle n'avait plus aucun bouclier, plus aucune arme pour se protéger de lui. Sans sa haine, elle se retrouvait exposée et sans défense, à sa merci.

Mais qu'était donc devenue sa fierté? En se mettant au lit, Viola se roula en boule, serrant ses oreillers contre elle. L'orgueil, songea-t-elle avec amertume, était une bien belle chose, mais il condamnait la plupart du temps à une vie solitaire.

Si John et elle devenaient amis, elle ne tarderait pas à tomber une nouvelle fois amoureuse de lui. Sans doute le savait-il. Sans doute était-ce même sur cela qu'il comptait. S'ils devenaient amis, elle ne tarderait pas à croire en sa sincérité, à s'imaginer qu'il serait capable de tomber amoureux d'elle, alors qu'il ne l'avait jamais été d'aucune femme. Et si elle commettait l'erreur de lui faire confiance, ce serait le premier pas qui la mènerait fatalement jusque dans son lit, où elle lui tendrait son cœur en offrande pour qu'il en use à sa guise. Dieu lui vienne en aide, alors. Car, si John s'avisait une fois de plus de lui tourner le dos en rejetant son amour, le cœur de Viola s'écraserait à grand bruit sur le sol, où il éclaterait en mille morceaux.

14

Le lendemain matin, ne voyant pas Viola descendre pour le petit déjeuner, John décida de le lui apporter au lit. À la cuisine, apprenant qu'aucune nourriture ne lui avait encore été servie, il rassembla sur deux plateaux quelques-uns de leurs mets préférés et se fit suivre par deux servantes pour les lui porter.

En ouvrant la porte, il découvrit Viola assise dans son lit, occupée à lire ses lettres arrivées avec le courrier du matin.

— Que faites-vous ici? s'exclama-t-elle en le voyant pénétrer dans la pièce.

John fit signe à l'une des servantes de déposer le plateau du thé sur la table de chevet, prit des mains de l'autre le second, et du regard leur demanda de sortir.

— Cela ne se voit pas? répondit-il. Je vous apporte votre petit déjeuner au lit.

— Vous ne pouvez pas faire ça! protesta-t-elle d'un air indigné. Je vous interdis de vous imposer ainsi dans ma chambre!

John regarda la porte se refermer, alla s'asseoir au bord du lit et déposa comme si de rien n'était le plateau dans son giron.

— Il ne rime à rien de m'interdire ce qui est déjà fait, dit-il en servant le thé. De toute façon, c'est ma maison et j'ai le droit d'y faire ce qui me plaît.

Viola se laissa retomber contre la tête de lit capitonnée avec un grondement de fureur.

— Je renonce, maugréa-t-elle. Jamais vous ne me laisserez en paix…

D'autorité, John lui prit des mains le paquet de lettres et les laissa tomber sur le sol.

— Je me réjouis que vous commenciez à entendre raison, dit-il en brandissant devant lui un couteau et un petit pot de verre. Confiture de mûres, lady Hammond?

Viola était si belle dans la lumière du matin, avec ses cheveux d'or cascadant librement sur ses épaules et ses joues roses, qu'il dut retenir son souffle. Sa nuisette était une bricole de mousseline légère, si transparente qu'elle ne dissimulait pas grand-chose de la splendeur de ses seins au-dessus du drap. Ses aréoles marquaient d'une tache sombre le tissu que soulevaient les pointes dressées.

Il n'en fallut pas plus pour l'exciter instantanément, et John songea que, si Viola ne lui cédait pas bientôt, elle finirait par le rendre fou. Au prix d'un gros effort de volonté, il se força à quitter des yeux sa poitrine pour se concentrer sur son visage.

Sans doute devina-t-elle la tournure prise par ses pensées, car elle détourna le regard, le rouge aux joues. Nerveusement, elle roula des hanches pour se redresser sur le lit, et ce simple geste faillit avoir raison de la patience de John. Il se consola en se disant que, quoi qu'elle pût en dire, elle avait envie de lui autant qu'il avait envie d'elle. Mais il n'avait pas l'intention de commettre la même erreur deux fois de suite. S'il allait trop loin, trop vite, elle allait lui échapper de nouveau. Baissant les yeux sur le plateau qui se trouvait entre eux, il s'efforça de se concentrer sur la nourriture.

S'appliquant à ne pas en faire tomber, il cueillit une noisette de confiture au bout de son couteau, reposa le pot, puis tartina une tranche de pain chaude et beurrée. Avec un sourire tentateur, il tendit lentement le toast vers elle. Viola se mordit la lèvre, hésita un instant, puis s'en saisit avec un soupir. Satisfait, John en prépara un second pour lui et commença à manger. Tout en entamant son assiette d'œufs au bacon, il l'observa à la dérobée, guettant l'opportunité qu'il lui fallait. Elle se présenta à la troisième bouchée, et mentalement il remercia Dieu d'avoir donné aux hommes la confiture de mûres.

Il reposa sa fourchette et se pencha vers elle au-dessus du lit. Surprise, Viola se figea, le toast à mi-course de sa bouche, ses grands yeux noisette fixés sur lui. Il approcha sa tête de la sienne jusqu'à sentir son souffle sur sa peau.

— Vous avez de la confiture sur la figure.

— Arrêtez… protesta-t-elle faiblement en détournant le visage.

— Arrêter quoi? De vous désirer?

Tout doucement, John éleva la main jusqu'à la bouche de Viola et fit rouler sous ses doigts la confiture pour lui en barbouiller les lèvres.

— Désolé, reprit-il d'une voix rauque. Je ne peux m'en empêcher. Je vous désire, et je désire que vous me désiriez en retour. Ce désir est si fort, en fait, qu'il me rend un peu fou. C'est à cause de lui que je peux rester des heures sous la pluie à vous attendre, ou me forcer à courir les boutiques avec vous. C'est lui aussi qui me pousse à vous parler de choses si intimes que ma pudeur naturelle se révolte.

Il prit une profonde inspiration avant de conclure:

— Et c'est lui, également, qui m'a incité à louer une maison dont le salon est peint en rose. Même à l'époque où nos relations étaient au plus mal, je ne pouvais m'empêcher d'espérer secrètement qu'un jour il nous serait de nouveau possible de vivre ensemble.

Sous ses doigts, il sentit les lèvres de Viola trembler.

— Je ne vous crois pas.

— Libre à vous, reconnut-il en dessinant le contour de sa bouche. Mais vous rappelez-vous, au moins? Vous rappelez-vous combien vous me désiriez, vous aussi, chaque matin au petit déjeuner? Vous rappelez-vous à quel point nous aimions cet instant de la journée et nos petits jeux sensuels? N'était-ce pas une époque bénie?

— Oui… admit-elle. Mais je me rappelle également que cela n'a pas duré longtemps.

Abandonnant ses lèvres, John fit glisser sa main derrière la nuque de Viola, l'attirant à lui, réduisant encore l'espace qui les séparait.

— Savez-vous quand les choses ont commencé à se gâter entre nous? Quand nous avons cessé de nous amuser ensemble. Quand nous avons cessé de jouer à nos jeux favoris et que je ne suis plus parvenu à vous faire rire.

— Il est certains dommages que même le rire et les jeux ne peuvent réparer, John.

— Je le sais.

Il baissa les yeux sur ces lèvres boudeuses enduites de confiture qui plus que jamais le tentaient. En lui, il sentait le désir bouillonner avec une telle force qu'il ignorait s'il pourrait encore le contenir longtemps.

— Mais je sais aussi, ajouta-t-il dans un murmure, qu'il n'est rien que ne puisse effacer un baiser.

— Ce serait donc aussi simple que cela, selon vous? Aussi facile?

— Oui. Tout peut être très simple. Il suffit de le vouloir. Je pense que c'est vous qui compliquez inutilement la situation.

John était à bout. Il lui fallait l'embrasser, coûte que coûte, une seule fois, avant de la laisser en paix comme elle le demandait si instamment. Ses lèvres se posèrent au coin de sa bouche, où il goûta la confiture à même sa peau. La déflagration de plaisir qui le secoua fut si intense qu'il faillit envoyer valser le plateau qui le gênait pour s'allonger sur elle. Mais au lieu de cela, au prix d'un effort surhumain, il se tint parfaitement immobile, assis au bord du lit, luttant pour dominer le désir implacable qui faisait rage en lui, inspirant son parfum de violette et goûtant sur sa bouche la saveur douce-amère des mûres.

Viola, en détournant le visage, mit fin à ce baiser. John se retint pour ne pas lui en arracher un autre de force. Il lui fallait battre en retraite. Tant qu'il en était encore temps.

Tant que cela lui était encore possible de le faire. Elle n'était pas prête à lui donner plus, et il ne voulait pas par trop de précipitation la braquer contre lui.

Pesamment, il laissa sa main retomber sur le lit, se recula, reprit sa fourchette et recommença à manger ses œufs au bacon. Viola fit de même, sans le regarder, les yeux obstinément fixés sur son assiette. Ils avaient l'un et l'autre pratiquement terminé leur repas lorsque John se fut suffisamment ressaisi pour engager la conversation sur un terrain des plus anodins.

— Alors? Me ferez-vous l'honneur de me faire visiter la propriété, pour me montrer ce que vous en avez fait?

Levant les yeux, il engloba du bout de sa fourchette le décor environnant et précisa :

— À l'extérieur, du moins. Car je sais déjà quelle fantaisie florale et féminine vous avez aménagée à l'intérieur.

— Si c'est comme ça, répliqua sèchement Viola, vous pourrez faire tout seul le tour du propriétaire.

— Mais si vous me laissez seul, protesta John avec une feinte innocence, je ne pourrai pas vous attirer dans les coins sombres pour vous voler des baisers. Vous aimez mes baisers, avouez-le. Au train où vont les choses, je parie qu'avant le dîner vous vous pâmerez devant moi comme au bon vieux temps. Habillez-vous. Je vous attends en bas.

— Je ne me suis jamais pâmée devant vous, protesta-t-elle en balayant du plat de la main les miettes de pain tombées sur sa nuisette. Jamais. Et ce n'est pas aujourd'hui que cela risque de changer.

John se releva et se pencha sur elle, appuyant ses deux bras tendus de chaque côté de ses hanches.

— La journée sera longue, susurra-t-il en déposant un baiser dans son cou avant qu'elle n'ait pu l'en empêcher. Et la nuit plus longue encore…

Sans trop avoir à se forcer, Viola prit plaisir à faire visiter la propriété à John, lui expliquant en détail les améliorations qu'au fil des ans elle y avait apportées. Il aima le labyrinthe de buis qu'elle avait fait planter dans les jardins, se montra indigné qu'elle ait osé raser le hangar à bateaux menaçant ruine près de la rivière, et trouva très belles et fonctionnelles les nouvelles écuries. Le grenier à blé qu'il avait fallu construire pour remplacer l'ancien, devenu trop petit, trouva également grâce à ses yeux.

— Vous avez fait ici un excellent travail… la félicita-t-il en faisant halte au bord de la petite rivière qui se jetait un peu plus loin dans la Tamise. Tout est arrangé de façon impeccable, et je trouve très judicieuses les améliorations que vous avez apportées à la propriété.

— Merci.

Soudain, quelque chose attira son attention, et Viola le vit se diriger vers le quai en bois. Amarrée au bord, une barque se balançait mollement.

— Les rames sont à l'intérieur! s'écria-t-il, tout joyeux. Ce serait un crime de ne pas en profiter. Nous pourrons faire une promenade le long du cours d'eau.

À ces mots, Viola sentit une sourde appréhension la gagner. Mal à l'aise, elle saisit le premier prétexte qui lui passa par la tête.

— Il fait un peu frais pour aller sur l'eau.

— Frais! s'exclama John. Pas le moins du monde… L'après-midi est superbe. Ce n'est pas comme si je vous proposais de vous baigner.

Sans attendre, John enleva son manteau et le déposa au bord du quai.

— Je ne veux pas ramer! renchérit Viola.

— De quoi vous plaignez-vous? dit-il en roulant avec soin ses manches de chemise le long de ses avant-bras. C'est moi qui ferai tout le travail… Vous n'aurez qu'à être belle et à contempler le paysage pendant que je tirerai sur les rames en vous admirant et en vous récitant du Shelley.

Au bord de la panique à présent, Viola le regarda dénouer sa cravate, défaire trois boutons de son encolure et ôter son gilet.

— Non, John ! lança-t-elle en faisant mine de s'éloigner. Je ne veux pas y aller.

— Vous n'avez pas le choix. C'est le moins que vous puissiez faire pour vous faire pardonner d'avoir détruit mon hangar à bateaux. Allons, Viola… Nous allons nous amuser un peu : où est le problème ?

Détournant le regard, Viola essuya ses paumes moites sur sa jupe.

— Je ne veux pas monter dans cette barque, et je n'y monterai pas !

La pointe de détresse dans le ton de sa voix attira son attention. Par-dessus son épaule, il lui jeta un regard inquisiteur.

— Serait-ce donc que vous êtes malade en bateau ?

Pressant une main sur son ventre, Viola pinça les lèvres et secoua négativement la tête. Nul besoin pour elle de dérive au fil de l'eau pour être malade : la peur y suffisait.

Pensif, John la dévisagea un instant. Reposant les rames dont déjà il s'était emparé, il la rejoignit et lui demanda doucement, lui agrippant le bras pour qu'elle le regarde :

— Viola… qu'est-ce qui vous pose problème ?

— Je ne sais pas nager ! avoua-t-elle, au désespoir.

Cela le fit rire.

— C'est tout ?

— Comment cela, « c'est tout » ! explosa-t-elle. Et si la barque se retourne ? Je pourrais me noyer !

Il prit le visage de Viola en coupe entre ses mains.

— Aucun risque ! Je suis un excellent nageur. Je vous sauverai.

Croisant les bras, elle secoua la tête d'un air buté.

— Non, pas question !

— L'eau est peu profonde ! insista-t-il. De toute façon, au cas bien extraordinaire où la barque se retournerait, il ne vous arrivera rien puisque je serai là.

Il se pencha vers elle et lui déposa un chaste baiser sur la joue.

— Il vous suffit de me faire confiance, conclut-il en lui prenant la main. Venez. Je ne laisserai rien vous arriver. Je vous le promets.

— Je suis sûre que je vais détester cela, bougonna-t-elle en se laissant entraîner de mauvaise grâce.

Un pied sur le ponton, John posa l'autre au fond de la barque pour l'attirer bord à bord avec le quai.

— Voilà… expliqua-t-il d'une voix rassurante. Je l'ai stabilisée. À présent, vous pouvez monter.

Viola prit une profonde inspiration, agrippa d'une main ses jupons pour qu'ils ne l'entravent pas, et de l'autre la main secourable que John lui tendait. Avec un luxe de précautions, elle posa un pied, puis le deuxième, sur le fond plat de la barque. Lentement, elle ploya les jambes pour s'asseoir sur le banc, et quand il lui lâcha la main, elle se cramponna solidement aux bords de l'embarcation. Si elle ne se couvrait pas de honte en vomissant son déjeuner, songea-t-elle, le pire était derrière elle.

John libéra d'un coup sec l'amarre de son mouillage, et s'empara des rames dont il se servit pour repousser la barque loin du quai. Puis, après les avoir assujetties dans leur logement, il se mit à ramer pour remonter la petite rivière. Rapidement, il tira sur les rames à une cadence soutenue, imprimant à l'embarcation une allure respectable.

— Vous me préviendrez lorsqu'il nous faudra bifurquer, dit-il à Viola qui n'en menait pas large.

— Nous y sommes déjà, le prévint-elle en jetant un coup d'œil inquiet par-dessus son épaule. Un peu plus sur votre gauche…

Avec habileté, John négocia leur passage dans le cours d'eau sinueux, aux berges ombragées de saules pleureurs et de bouleaux.

— Ça va mieux? Vous vous sentez moins nerveuse?

— Oui, mentit-elle.

— Vous voyez, ce n'est pas si terrible de se lancer dans l'inconnu. D'abord une première leçon d'escrime, à présent une promenade en barque… Bientôt je vous apprendrai à nager.

— Certainement pas! protesta-t-elle en ouvrant de grands yeux.

— Bien sûr que si!

Tirant sur les rames avec une vigueur renouvelée, il ajouta:

— Mais je ne vous donnerai votre première leçon de natation que si nous nous baignons nus. Et au clair de lune.

Une bouffée de chaleur empourpra le visage de Viola, qui fit mine de s'abîmer dans la contemplation du paysage.

— De mieux en mieux… maugréa-t-elle. On peut dire que vous avez de l'imagination.

Avec un sourire mystérieux, John la détailla de la tête aux pieds.

— Oh, ça oui! approuva-t-il avec ferveur. Il est vrai que j'ai pas mal d'imagination…

Le courant était assez faible, et John ramait sans effort. Son corps puissant en mouvement, ses gestes fluides et pleins d'aisance offraient à Viola un spectacle bien plus fascinant à contempler que le tableau champêtre dans lequel ils évoluaient.

— Vous ramez très bien… dit-elle pour combattre la langueur qui l'envahissait.

— Rien de plus normal. Je me suis suffisamment entraîné lorsque j'étais étudiant. Durant les quatre années que j'ai passées à Cambridge, lors des courses d'aviron organisées pendant les fêtes de mai, j'étais le capitaine de notre équipe.

— En sortiez-vous vainqueurs?

— Et comment! répondit-il en riant. Percy était notre barreur – et un bon, croyez-moi… Il pouvait impulser la cadence mieux que n'importe qui.

— Il vous manque…

Toute trace de gaieté disparut instantanément du visage de John, qui cessa de ramer. L'embarcation s'immobilisa et partit à la dérive, mais il ne parut pas le remarquer. Appuyant sur les rames, il fit sortir les pales de l'eau. Viola retint son souffle, certaine qu'il allait évoquer le souvenir de son cousin, mais il n'en fit rien. Tournant la tête vers la berge et les bois qui la recouvraient, le visage fermé, il s'abîma dans ses pensées.

— John… murmura-t-elle au bout d'un instant. À quoi pensez-vous?

— Il me manque, admit-il d'une voix brisée. Il me manque énormément et cela fait mal.

Il secoua la tête et se remit à ramer avec deux fois plus de vigueur.

— Parlons de choses plus plaisantes! reprit-il d'une voix à la gaieté forcée. Nous sommes ici pour nous amuser. Quel poète aimeriez-vous entendre? Choisissez donc un romantique, que je puisse donner libre cours à une passion débridée apte à vous rendre folle de moi…

Bien loin de se sentir flattée, Viola se demanda s'il avait souvent répété cette scène, et à combien de femmes il avait proposé une promenade en barque pour leur réciter des vers enflammés. Résolument, elle repoussa cet accès de jalousie.

— John… vous n'avez pas à me réciter de la poésie.

Sans tenir compte de ses réticences, il déclama d'une voix insouciante:

— «Nul visage plus plaisant que le sien/Ne peut exister dans le monde./De ma vie les plus précieux instants/Sont ceux que partage ma blonde.»

Viola ne reconnut pas le poème, mais la lueur qui illuminait le regard de John tandis qu'il le lui récitait ne lui était pas inconnue. Par deux fois déjà, ce jour-là, elle l'avait vue briller au fond de ses yeux – au petit déjeuner, à propos d'une tache de confiture, et quelques instants plus tôt, quand il lui avait proposé des leçons de natation d'un type tout particulier.

— De qui est-ce? s'enquit-elle en détournant le regard. Il ne me semble pas connaître ces vers.

— J'aurais été surpris du contraire. Je viens juste de les inventer.

Viola le dévisagea avec étonnement.

— À l'instant?

Un sourire modeste au coin des lèvres, il hocha la tête.

— Je n'étais pas que capitaine de l'équipe d'aviron dans mon jeune temps. Il m'arrivait aussi de taquiner la muse.

— Vous écriviez de la poésie? Je ne le savais pas.

— J'ignorais quant à moi que vous ne savez pas nager. À ce propos, il va nous falloir débuter les leçons au plus vite. Et si nous commencions ce soir?

— Au lieu de dire des bêtises, ramenez-moi à la maison. Il fera nuit dans quelques heures, et je voudrais avant le dîner me baigner et me changer. Nous vivons ici à l'heure campagnarde, ne l'oubliez pas. Le dîner est servi à cinq heures.

La tête penchée sur le côté, il lui fit un clin d'œil.

— Dans vos travaux de rénovation, avez-vous prévu une baignoire pour deux?

— Votre imagination vous joue de nouveau des tours. Rentrons, John.

Il n'insista pas sur le sujet. Tourné sur le côté et actionnant une seule rame, il fit faire demi-tour à leur embarcation.

Cette fois, il eut à ramer avec le courant et dut y mettre moins d'énergie. L'esprit tout encombré des rimes qu'il venait de lui dédier, Viola fit mine de s'absorber dans la contemplation des splendeurs de la nature. Sa raison lui soufflait que cet élan poétique ne signifiait pas grand-chose, qu'il ne pouvait être sincère, mais son cœur paraissait décidé à ignorer la voix de la sagesse.

Ce fut John, le premier, qui brisa le silence retombé entre eux. Il cessa de ramer et ramena les rames au fond de l'embarcation, l'immobilisant au milieu de l'étendue d'eau.

— Puisque mon petit poème semble vous avoir laissée de marbre, dit-il d'une voix enjouée, j'en ai un autre à vous proposer. Un *limerick*.

— Un *limerick* à mon sujet? s'enquit Viola, rendue méfiante par son air malicieux.

Sans répondre, John posa une main sur son cœur et récita avec emphase :

— «Je reste prisonnier du sourire de ma belle/Et je suis ébloui par l'or de ses cheveux./Chacun de ses baisers me trouble et m'émerveille/Et je chéris l'eau limoneuse de ses yeux.»

— Quoi! s'indigna Viola en se redressant sur le banc. Mes yeux n'ont rien à voir avec une «eau limoneuse».

— Ils ont exactement la même couleur. La preuve...

D'un geste de la main, John désigna l'eau de la rivière.

— Vos yeux ont la même nuance. Un magnifique brun verdâtre.

La voyant suffoquer de plus belle, il précisa :

— Je ne vois pas en quoi cela vous vexe. C'est tout à fait britannique. Et éminemment poétique.

— Poétique? répéta-t-elle, les bras croisés. Les poètes ne sont-ils pas supposés voir dans les yeux des femmes des cieux étoilés? Si comparer mes yeux à une eau fangeuse fait partie de votre stratégie pour reconquérir mes faveurs, je vous garantie que ça ne marche pas!

Toute trace de plaisanterie déserta le regard de John, qui quitta son banc et se rapprocha d'elle. Viola, alertée, retint son souffle en découvrant la soudaine intensité de son expression. Agenouillé au fond de la barque, il se pencha et agrippa ses mains au bord du banc qu'elle occupait, de part et d'autre de ses hanches. Avant qu'elle ait eu le temps de deviner ses intentions, il effleura ses lèvres avec les siennes et lui donna le plus ténu des baisers.

— Et ça? susurra-t-il contre sa bouche. Cela fonctionne mieux?

Viola se raidit pour résister au frisson qu'elle sentait monter au plus profond de son être.

— Non! décréta-t-elle, pinçant les lèvres.

— Viola, soyez juste... Je sais que j'ai comparé vos yeux à une eau limoneuse, mais n'ai-je pas également évoqué l'or de vos cheveux, et le trouble de vos baisers qui m'émerveillent?

Du bout des dents, il mordilla sa lèvre inférieure et conclut :

— Alors émerveillez-moi encore et donnez-moi tout de suite un baiser.

Pour prévenir tout risque qu'elle puisse malgré elle lui donner satisfaction, Viola tourna la tête sur le côté.

— Il est hors de question que je vous embrasse… dit-elle en riant. Il est trop tard pour vous rattraper. Vous avez tout gâché avec votre petit couplet sur mes yeux.

D'un rire de gorge, grave et profond, John l'accompagna dans son hilarité.

— Pourtant le limon d'une eau anglaise est très joli ! protesta-t-il. Je l'aime, ce limon !

Ses mains se nouèrent dans le dos de Viola. Avec une soudaineté qui lui arracha un petit cri de surprise, il l'attira à lui pour la faire asseoir sur ses genoux. Prise de cours, elle se débattit entre ses bras, faisant tanguer la barque.

— John ! cria-t-elle, tandis que l'embarcation donnait de la gîte de manière de plus en plus inquiétante. Arrêtez tout de suite !

Mais, loin d'obtempérer, il redoubla d'efforts pour la retenir dans ses bras et lui arracher ce baiser qu'elle lui refusait.

Tant et si bien qu'un instant plus tard la barque se retournait, les plongeant tous deux dans la rivière.

L'eau se referma sur la tête de Viola alors qu'elle riait encore, lui emplissant aussitôt la bouche et le nez. Les yeux écarquillés, les poumons en feu, elle agita les membres en tous sens, incapable de distinguer quoi que ce soit dans les profondeurs fangeuses. Heureusement, les mains de John ne tardèrent pas à se refermer autour de ses bras. D'une traction puissante, il la tira hors de l'eau et la remit sur ses pieds.

— Je vous tiens ! lança-t-il en la serrant contre lui. Ça va aller…

Hoquetant, Viola crispa les doigts dans la toile mouillée de sa chemise. La panique cédait peu à peu du terrain en elle. John la tenait fermement contre lui, ses pieds reposaient sur le fond vaseux, et le niveau de l'eau atteignait à peine sa poitrine.

Se reculant légèrement pour mieux la dévisager, John repoussa quelques mèches mouillées de son visage.

— Vous allez bien?

— Je vais bien, le rassura-t-elle en se frottant les bras. Juste un peu froid.

John passa un bras derrière ses genoux, l'autre sous ses épaules, et la souleva.

— Belle récompense pour mon poème! plaisanta-t-il en la ramenant vers la rive. Un bain glacé et pas de baiser!

— Bien fait pour vous! triompha-t-elle alors qu'il la reposait sur la berge. Vous n'aviez qu'à surveiller vos métaphores.

Tandis qu'il retournait récupérer la barque, Viola agrippa à pleines mains ses jupes trempées et escalada le monticule herbeux. Luttant pour ne pas claquer des dents, elle lança par-dessus son épaule:

— À présent, vous saurez véritablement ce qu'est une eau limoneuse!

Mais, en dépit de son ton vindicatif, un sourire réjoui s'attardait sur ses lèvres.

15

Après leur plongeon dans l'eau boueuse de la rivière, il devint plus que jamais nécessaire pour Viola et John de prendre un bain et de se changer avant le dîner. Un ballet de servantes venues de la cuisine commença à convoyer des baquets d'eau chaude jusqu'à la salle de bains pour remplir la baignoire en cuivre.

Viola passa la première et, tandis que Céleste lui lavait et lui séchait les cheveux, elle ne put penser à rien d'autre qu'à l'éclat particulier qu'elle avait vu briller dans les yeux de John, lorsqu'il avait récité ces quelques vers inspirés par elle. Avait-il réellement pensé ce qu'il disait?

La question la hantait encore quand Céleste l'aida à sortir du bain et à se sécher, avant de lui tendre un lourd peignoir de soie rose. La femme de chambre sur ses talons, elle passa dans le dressing-room adjacent et, tandis que celle-ci choisissait quelques robes à lui présenter, l'esprit de Viola n'aurait pu être plus éloigné de ce qu'elle allait porter pour le dîner.

John était-il sincère, ou n'avait-il troussé ces quelques lignes à la hâte que pour l'amadouer? Avec toutes les femmes qui étaient passées entre ses bras, comment pourrait-elle jamais croire qu'elle comptait plus pour lui qu'aucune autre? Et quand bien même elle parviendrait à y croire, comment pourrait-elle être sûre que cela durerait?

En entendant dans la pièce voisine reprendre le ballet des servantes apportant l'eau chaude du bain de John, elle ne put empêcher une image très précise de se former dans son esprit : son mari entrant nu dans la baignoire. Elle se souvenait parfaitement de ce à quoi ressemblait son corps. Son imagination et sa fantaisie faisant le reste, il ne lui était pas difficile de se tourmenter dans l'instant, tout comme ses rêves l'avaient fait les nuits précédentes.

John avait prétendu être prisonnier de son sourire. Il lui avait dit que nul visage à ses yeux n'était plus plaisant que le sien. Lui arrivait-il de croire vraiment certaines des paroles qui sortaient de ses lèvres ? Agacée, Viola tenta de se rappeler que les mots ne signifiaient pas grand-chose dans la bouche d'un séducteur, pas plus que le désir n'était gage d'amour éternel. Mais il lui était difficile de garder cela à l'esprit, quant la passion menaçait de l'emporter chaque fois qu'il l'embrassait.

— *Vous rappelez-vous combien vous me désiriez, vous aussi, chaque matin au petit déjeuner ?*

Elle s'en rappelait…

Désorientée, si tourneboulée qu'il lui était difficile d'aligner deux pensées cohérentes, Viola ferma les yeux et pressa une main sur son front.

— Milady ? s'inquiéta Céleste. Vous ne vous sentez pas bien ?

Elle rouvrit les yeux, laissa retomber sa main et lui adressa un sourire rassurant.

— Tout va bien, Céleste. Je vous remercie.

La brave femme, qui se trouvait à son service depuis qu'elle avait quinze ans, lui rendit son sourire et lui présenta une robe sur chaque bras.

— Ivoire, ou bleu nuit ?

— Bleu, répondit-elle sans même réfléchir.

Emportant la robe qu'elle venait de choisir, la servante quitta la pièce mais Viola s'attarda dans le dressing-room. De l'autre côté de la porte close de la salle de bains, elle entendait la voix assourdie de John qui s'adressait à Stephens. Elle ne prit pas garde à ce qu'il disait, car sous son crâne retentissait le discours qu'il lui avait tenu ce matin-là.

— Je vous désire, et je désire que vous me désiriez en retour. Ce désir est si fort, en fait, qu'il me rend un peu fou... Même à l'époque où nos relations étaient au plus mal, je ne pouvais m'empêcher d'espérer secrètement qu'un jour il nous serait de nouveau possible de vivre ensemble.

Soudain, tout lui parut très clair, et toutes ses hésitations furent balayées par une simple décision. Sans s'attarder davantage, elle rejoignit sa femme de chambre qui déposait la robe bleue sur le lit.

— Céleste, dit-elle d'un ton décidé, envoyez quelqu'un prévenir aux cuisines que le dîner sera décalé d'au moins deux heures.

Si elle fut surprise par cette annonce, la servante n'en montra rien.

— Bien, milady.

— Et, dans les deux heures à venir, trouvez-vous quelque chose à faire jusqu'à ce que je vous fasse appeler. Si jamais je vous fais appeler. Il se peut que ce ne soit pas nécessaire.

Une lueur de compréhension passa dans le regard de la servante, qui se retira après une brève révérence. Une fois seule, Viola rejoignit sa coiffeuse, sur laquelle elle ramassa un peigne d'ivoire. Avec soin, elle démêla ses cheveux humides mais ne prit pas la peine de les natter, préférant les laisser tomber librement sur ses épaules. Après un dernier regard à son miroir qui lui renvoyait l'image d'une femme déterminée mais rongée par le trac, elle retourna dans le dressing-room.

John n'avait pas terminé de prendre son bain. À travers la porte fermée, elle pouvait entendre les bruits d'eau qu'il provoquait dans la baignoire et le son de sa voix lorsqu'il s'adressait à son valet. La main sur la poignée, elle prit le temps d'inspirer profondément pour se donner du courage, puis ouvrit la porte.

Adossé à la baignoire, John laissait ses bras reposer sur les rebords en cuivre. À deux pas de lui se tenait Stephens, un drap de bain entre les mains. À son entrée dans la pièce, les deux hommes tournèrent la tête vers elle en même temps.

Viola s'adressa directement à son mari.

— Le pensiez-vous? s'enquit-elle sans préambule. Ce que vous m'avez dit…

John se tourna vers le domestique et lui indiqua d'un hochement de tête qu'il pouvait disposer. Déposant la serviette sur un banc, Stephens sortit et referma avec soin la porte derrière lui.

Souhaitant paraître plus calme qu'elle ne l'était en réalité, Viola croisa les mains derrière le dos pour les empêcher de trembler.

— Eh bien? le pressa-t-elle. Le pensiez-vous?

— De quoi voulez-vous parler? demanda-t-il avec un sourire innocent que démentait l'espièglerie de son regard. De la couleur de vos yeux?

Mal à l'aise, Viola reporta le poids de son corps d'un pied sur l'autre. Était-elle sur le point de commettre une grave erreur? La peur la submergea de nouveau. Son cœur se mit à battre à coups redoublés, si fort qu'elle était certaine que John pouvait l'entendre.

— Non, marmonna-t-elle tout bas. Je vous parle de l'autre poème. Celui qui parlait de ces «précieux instants» et de ce «visage plaisant» dont vous seriez soi-disant prisonnier. Et puis aussi… ce que vous me disiez ce matin, à propos de votre espoir que nous puissions un jour vivre ensemble. Étiez-vous sincère, ou n'avez-vous prononcé ces paroles que parce que vous pensiez que je voulais les entendre?

John ne répondit pas tout de suite, et elle sentit d'un coup tout courage la quitter.

— Aucune importance, murmura-t-elle en se détournant pour regagner le refuge de sa chambre.

Un grand bruit liquide retentit dans son dos. Elle n'avait pas fait deux pas que John la rattrapa et la prit dans ses bras, la serrant très fort contre lui.

— Je le pensais… dit-il enfin d'une voix basse et fervente, en déposant un baiser dans son cou. Je le pensais, Viola.

Dans son dos, le corps de John était humide et chaud. Sur sa peau, ses lèvres paraissaient brûlantes. La conjonction de ces deux sensations acheva de balayer ses dernières résistances. Comme une digue cédant sous la pression des eaux, la faim qu'elle se déniait le droit d'assouvir depuis tant d'années s'imposa à elle dans toute son urgence. Avec un petit cri de frustration, elle se tourna entre les bras de John et se pendit à son cou. Assaillant ses lèvres avec passion, elle lui donna un baiser fiévreux, un baiser impudique, dans lequel passait toute sa rage d'avoir été si longtemps privée de lui, tout son désespoir d'être restée seule et malheureuse depuis ce qui lui semblait une éternité.

Surpris dans un premier temps par cet assaut, John poussa un gémissement étonné contre sa bouche. Mais, bien vite, ses bras se refermèrent autour d'elle et il lui rendit son baiser avec fougue. Sa langue se mit à danser un ballet troublant autour de la sienne, ses mains se refermèrent autour de ses fesses, et le monde aux yeux de Viola perdit toute substance. Tout ce qui n'était pas John n'existait plus pour elle.

Tout en la guidant vers le dressing-room et sa chambre au-delà, il ne cessa de la dévorer de baisers, ses lèvres se faisant tour à tour tendres et exigeantes, voraces ou caressantes.

Après avoir refermé la porte derrière eux d'un coup de pied, il continua de la guider vers le lit comme s'ils étaient engagés dans une danse. Quand le dos de Viola vint buter contre le mur, John dénoua la ceinture de son peignoir et l'en dépouilla bien vite d'une main experte. Le vêtement atterrit comme une flaque de soie à ses pieds et elle se retrouva aussi nue que lui entre ses bras.

Il faisait un peu frais dans la chambre où le feu n'avait pas été allumé dans la cheminée, mais la chaleur de ses mains sur sa peau y suppléait aisément. John cueillit ses seins en coupe. Il caressa les pointes durcies, les fit rouler doucement entre ses doigts tout en couvrant ses joues, son menton, son front de baisers.

Abandonnée contre lui, Viola posa les mains sur ses larges épaules encore humides du bain qu'il venait de prendre. Du regard, elle suivit le trajet de ses doigts le long de son torse. Elle s'émerveilla de ne pas avoir oublié les détails saisissants de sa musculature, de pouvoir aujourd'hui comme hier faire frémir sous ses caresses les reliefs sculptés de sa poitrine ou de ses abdominaux. Tel était le corps de John, aussi beau et puissant aujourd'hui qu'il l'avait été neuf ans plus tôt. Ses mains descendirent se plaquer sur son ventre plat, mais avant qu'elle ait pu s'aventurer plus bas, il les saisit et les écarta.

— Pas maintenant… murmura-t-il en réponse à son grognement de protestation.

— Mais… je veux vous toucher, moi aussi!

— Plus tard.

Pour s'épargner toute protestation supplémentaire, il l'embrassa longuement. Puis il pencha la tête et prit entre ses lèvres un de ses mamelons durcis. Avec sa bouche, avec sa langue, il le titilla, le suçota, le tirailla sans merci.

Viola se tortilla, pour échapper à cette délicieuse torture autant que pour mieux en profiter. Et quand ses dents, à leur tour, agacèrent la chair sensible de ses seins, elle se laissa aller à émettre un râle de plaisir.

À présent, il lui tardait qu'il se décide à pousser plus loin son exploration.

— John… supplia-t-elle d'une voix étranglée. Caressez-moi, je vous en prie…

Il n'éloigna sa bouche de son sein que pour répondre de manière laconique:

— N'est-ce pas ce que je suis en train de faire?

Tenaillée par une envie dévorante de le toucher, Viola s'arc-bouta vers lui, mais John la maintenait fermement clouée au mur et son corps lui demeurait inaccessible.

— Ne vous moquez pas de moi! gronda-t-elle. Je veux que vous… me touchiez.

— Où cela?

— Vous le savez bien.

— Non, je ne le sais pas. Dites-le-moi donc. J'adore que vous m'indiquiez vos préférences. Souvenez-vous…

Viola, qui n'avait nul besoin de ses encouragements pour se remémorer la liberté de leurs ébats d'antan, sentit une bouffée de chaleur venue du creux de son ventre irradier tout son corps. La gorge nouée, elle laissa son front retomber contre l'épaule de John et secoua négativement la tête. Il lui demandait trop, et trop vite.

Portant l'une de ses mains au sommet de ses cuisses, il demanda gentiment :

— Est-ce ici ?

Rouge de confusion, Viola acquiesça contre son épaule. Alors, John glissa un doigt entre ses jambes pour caresser l'endroit secret et brûlant comme un volcan où elle avait le plus envie de lui. Elle se raidit sous l'effet de l'audacieuse caresse, et il s'agenouilla devant elle. Sachant ce qui allait suivre, elle frissonna alors qu'il déposait de multiples baisers le long de son ventre, de plus en plus bas. Ses doigts, suivant le chemin emprunté par sa bouche, s'attardèrent autour de son nombril puis descendirent jusqu'à la marque de naissance en forme de violon qu'elle portait à l'aine.

— Je me rappelle parfaitement cette marque, murmura-t-il d'une voix rauque. Elle m'a inspiré dernièrement quelques rêves bougrement érotiques…

Du bout de la langue, il dessina le contour de la marque de naissance avant de déporter sa bouche vers la gauche, jusqu'à effleurer le sommet de la toison de Viola. Instantanément, elle se cabra contre lui dans un gémissement de supplique. Les mains de John, agrippant ses hanches, la plaquèrent de nouveau contre le mur.

Puis sa langue se mit en action et Viola, les doigts crispés dans ses cheveux humides, s'abandonna au vertige. Avec une torturante lenteur, il explora le sillon de son sexe.

— John ! Oh, John ! gémit-elle, pantelante.

Roulant des hanches, elle tenta de se libérer de l'emprise qu'il lui imposait, mais rien n'y fit. Il la conduisait vers le plaisir à son idée, à son rythme, avec une connaissance parfaite de son corps et de ses besoins. Et lorsque enfin il explora du bout de la langue le bourgeon de chair de son clitoris, elle soupira de soulagement et de bonheur. Adoptant un rythme tour à tour effréné puis langoureux, il jouait de sa langue et de ses lèvres avec une habileté consommée. Puis, juste au moment où la jeune femme pensait qu'elle allait devenir folle, il lâcha ses hanches, la laissant libre de se mouvoir en cadence pour atteindre elle-même contre sa bouche le paroxysme du plaisir.

L'orgasme la cueillit avec une telle puissance et une telle soudaineté qu'elle sentit ses jambes se dérober sous elle. En hâte, John se redressa et la tint contre lui. Les bras passés autour de ses hanches, alors qu'elle reprenait avec difficulté son souffle et ses esprits, il pressa avec urgence son bassin contre le sien, plaquant contre son ventre son sexe dressé. Électrisée, Viola sentit le désir renaître en elle. Elle le prit dans sa main, entreprit de le caresser, surprise de sentir ses doigts se prêter si facilement à cet exercice depuis longtemps oublié. Mais il lui bloqua le poignet.

— Pas comme ça! protesta-t-il d'une voix étranglée. Je veux être en vous!

L'entraînant sur le lit, il la fit rouler sur le dos et prit place au-dessus d'elle, insinuant nerveusement son genou entre ses cuisses.

— Ouvrez-vous! la pressa-t-il. Ouvrez-vous à moi, Viola… Maintenant!

Après le délicieux supplice qu'il lui avait fait endurer, songea-t-elle avec satisfaction, il pouvait bien à son tour attendre un peu… Mais parce qu'il lui tardait de le sentir en elle, de retrouver cette intimité suprême dont ils avaient été si longtemps privés, elle écarta les jambes pour l'accueillir.

Avec un grognement libérateur, John pénétra en elle et Viola retint son souffle, bouleversée par l'émotion autant que par le plaisir. Elle était prête. Dorénavant, il n'était plus nécessaire de feindre l'indifférence ou l'oubli. Oui, elle se rappelait bien cette incomparable sensation de le sentir se fondre en elle. Il n'y avait plus que John, son mari, qui se frayait un chemin au plus intime de son être. À cet instant, plus rien ne comptait que lui, l'homme qu'elle n'avait au fond jamais cessé d'aimer. Il lui embrassait et mordillait le cou, la gorge, les épaules, tout en roulant souplement des hanches au-dessus d'elle, s'enfonçant plus profondément à chaque poussée de ses reins.

Rattrapée par l'urgence de son propre désir, Viola le rejoignit dans cette danse immémoriale des amants. Les doigts crispés dans l'épaisseur de l'édredon, elle pressa son bassin contre le sien, l'encouragea en proférant à mi-voix des mots qui auraient dû la faire rougir de honte. Appuyé sur les avant-bras, stimulé par ses propos, John redoubla d'ardeur et d'énergie, se ruant et se ruant encore en elle, jusqu'à lui offrir un nouvel orgasme plus éblouissant encore que le précédent.

Viola se livra à la jouissance sans retenue, émettant de petits gémissements de plaisir, empoignant à pleines mains les fesses dures et rondes de John pour le retenir en elle le plus profondément et le plus longtemps possible. Il lui fit écho, étouffant ses propres gémissements de plaisir contre sa chevelure. Il frissonna violemment tandis qu'il jouissait à son tour, puis se raidit de tous ses membres, de tous ses muscles, avant de retomber comme un chêne abattu sur elle.

Les deux mains de John s'élevèrent en tremblant vers le visage de Viola pour se refermer sur ses joues.

— Oh, mon Dieu... murmura-t-il en couvrant son visage de baisers. Oh, mon Dieu, Viola! Je le pensais... J'en pensais chaque mot!

Elle sourit de bonheur et laissa ses doigts courir le long des reliefs musculeux de son dos. Sur elle reposait le corps massif, si séduisant et familier, de son mari, mais elle n'en éprouvait pas le moindre inconfort.

Bienvenue, John... songea-t-elle en le serrant contre elle comme s'ils ne devaient plus faire qu'un. Bienvenue à la maison...

16

— John?

John comprit en s'éveillant au son de la voix de Viola qu'il avait fini par s'assoupir contre elle. Une fraîche odeur de violette lui assaillit les narines, réveillant instantanément ses ardeurs et lui remettant en mémoire les détails de leurs ébats passionnés. Ses bras se refermèrent sur elle et il la serra contre lui.

— Mum? fit-il en déposant un chapelet de petits baisers le long de la ligne épurée de son épaule.

— Il est largement l'heure de dîner, répondit-elle en s'étirant contre lui. Je suis affamée.

— Moi aussi.

Et pour le lui prouver, John suivit du plat de la main la courbure émouvante de sa taille et de ses hanches. Cela fit rire Viola, mais elle n'en éloigna pas moins sa main avec détermination.

— J'ai faim de nourriture! précisa-t-elle sévèrement.

John posa une main sur son ventre, l'autre en coupe contre un de ses seins.

— Ne pouvons-nous pas batifoler d'abord et aller dîner ensuite?

— On ne peut batifoler le ventre vide.

Mais, tout en disant cela, elle commençait à se rendre à ses arguments, pressant langoureusement ses fesses contre son sexe dressé. John fit descendre ses doigts le long du ventre de Viola jusqu'au buisson de son mont de Vénus. En quelques caresses précises, il découvrit qu'elle était déjà prête à l'accueillir.

— Dîner? demanda-t-il d'une voix badine contre son oreille. Ou batifoler?

— Dîner!

— Vraiment? insista-t-il en la caressant doucement. Il me semble que vous êtes bien plus affamée de caresses.

Dans la faible lumière du soir tombant qui s'insinuait à travers une faille dans les rideaux fermés, il la vit se mordre les lèvres et secouer négativement la tête.

— Pas du tout, mentit-elle tout en commençant à se mouvoir au rythme de ses doigts. Je veux manger.

— Et moi, je suis certain que vous préférez batifoler d'abord.

John insinua l'extrémité d'un doigt dans la fente de son sexe et le fit doucement aller et venir.

— Allons, Viola... Laissez-vous aller.

De nouveau, elle fit non de la tête, mais son souffle précipité donnait à John une tout autre réponse. Incapable de résister plus longtemps au désir qui le tenaillait, il présenta son sexe érigé contre le sien, mais sans pousser plus loin et sans cesser de la caresser du bout des doigts. Les yeux clos, la tête rejetée en arrière, Viola laissa échapper de ses lèvres ces petits cris inarticulés qui lui indiquaient l'imminence de son plaisir.

— Si vous souhaitez réellement aller dîner, chuchotat-il d'une voix rauque contre son oreille, je peux très bien m'arrêter là. Voulez-vous que j'en reste là?

— Non, non, non! supplia-t-elle dans un souffle. Je vous en prie, John, n'arrêtez pas!

— En êtes-vous vraiment sûre?

Viola déglutit et hocha frénétiquement la tête.

— Certaine!

— Vous avez plus envie de moi que de votre dîner, n'est-ce pas?

— Oui! Oui! Oui! s'écria-t-elle, au désespoir. Allez-vous vous décider, à présent?

D'une poussée continue et puissante des reins, John la pénétra sans cesser pour autant ses caresses. Viola jouit presque instantanément. Galvanisé par l'intensité et la rapidité de son orgasme, John ne tarda pas à se laisser glisser lui aussi dans le plaisir.

Bien longtemps après qu'ils furent tous deux comblés et repus, il demeura soudé contre elle, son corps alangui épousant le moindre relief de celui de Viola. Après l'amour, il aimait rester ainsi uni à elle au plus intime de leurs êtres. Il avait toujours aimé cela.

— John?

Viola commençait à s'agiter nerveusement.

— Mum?

— Pouvons-nous aller dîner, à présent?

Il éclata de rire et roula sur le dos.

— Je l'espère bien! s'exclama-t-il gaiement. Si vous persistez à me réclamer sans cesse de telles démonstrations d'affection, il faut me nourrir de temps à autre...

L'oreiller qu'elle venait de lui lancer à la tête l'empêcha d'en dire plus.

Au cours du dîner, Viola eut beau tenter de ne pas se focaliser sur son mari, assis à l'autre bout de l'imposante table, elle ne put empêcher son regard de revenir se poser régulièrement sur lui. Il était toujours étrange pour elle de le voir installé là, même si à présent sa compagnie lui était agréable.

John, qui avait surpris l'un de ses regards en biais, s'étonna en souriant:

— Pourquoi me dévisagez-vous avec tant d'insistance?

— J'essaie de m'habituer à vous avoir en face de moi pour le dîner.

Après avoir siroté une gorgée de vin, il insista:

— Est-ce une sensation agréable pour vous, ou pas si agréable que cela?

Il ne plaisantait pas, cela se devinait à l'intensité de son regard autant qu'à la tonalité de sa voix.

— Agréable, admit-elle en soutenant son regard. Encore un peu étrange, mais agréable.

Ils furent interrompus par les serviteurs venus faire le service.

— Le dessert, milord… annonça Hawthorne en déposant devant John une coupe en verre, pendant qu'un valet faisait de même pour Viola.

Elle n'eut pas le temps d'élever sa cuillère pour goûter le *trifle* que John, soudain blême, ordonna :

— Remportez-le !

Sa voix avait sonné aux oreilles de Viola comme celle d'un autre homme. Le changement d'attitude était radical et brutal.

Comme s'il avait senti son regard posé sur lui, John s'agita nerveusement sur sa chaise et marmonna sans la regarder :

— Je ne mange jamais de *trifle*.

— C'est vrai, dit-elle en reposant sa cuillère. J'avais oublié à quel point vous le détestez. Hawthorne, prenez le mien également.

Pendant que le domestique s'exécutait, John secoua la tête et la dévisagea d'un air sombre.

— Vous n'avez pas à faire ça, protesta-t-il.

— Je pense que si. Manifestement, la seule vue de ce malheureux dessert vous insupporte.

John n'ajouta rien, mais c'était inutile. Viola devinait à quel point son rejet du *trifle* se fondait sur tout autre chose qu'un simple dégoût. Voyant qu'il se cantonnait dans un silence prudent, elle insista :

— Pourquoi, John ?

Il détourna le regard.

— Est-ce donc si dur de me le dire ? s'étonna-t-elle.

Comme il ne semblait guère avoir l'intention de lui répondre, Viola mit de côté son désappointement et orienta la discussion vers des sujets moins sensibles. Mais alors qu'ils poursuivaient la soirée en allant se promener dans les jardins d'Enderby dominant la Tamise, pas une minute elle ne cessa de se demander pourquoi John se montrait aussi secret dès qu'il s'agissait d'aborder des sujets intimes.

Pas plus aujourd'hui qu'hier, elle ne pouvait comprendre ce qui motivait cette réserve.

Dans la chaleur de son lit, cette nuit-là, à la faveur des ténèbres, John ne fit cependant preuve d'aucune réserve. Il n'y avait rien d'inquiétant, d'étranger ni de mystérieux dans ses caresses, dans ses baisers, dans sa façon de faire l'amour. Viola savoura chaque instant de cette seconde nuit de noces avec la voracité née de huit années d'abstinence.

Pourtant, tous les obstacles n'avaient pas été levés entre eux. Sans son amour, de quoi disposait-elle pour le retenir près d'elle? Viola avait bien peur que, quoi qu'elle puisse faire, quoi qu'elle puisse dire, rien ne serait jamais suffisant pour lui faire avouer pourquoi il n'aimait pas le *trifle* et en quoi son enfance avait été un cauchemar. Elle avait peur de ne jamais trouver la clé de son cœur. Et plus que tout, elle avait peur qu'il ne réserve pas tous ses sourires, tous ses baisers, toutes ses caresses et tous ses poèmes à elle et à elle seule.

Viola adorait faire l'amour au réveil mais, aussitôt que John ouvrit un œil ce matin-là, tout sembla se liguer contre eux pour les empêcher de sacrifier à cette tradition. À peine eut-il le temps de lui donner un baiser – un seul tout petit baiser! – avant la première interruption.

Un grattement à la porte fut le seul avertissement avant que celle-ci s'ouvre sur Tate, la secrétaire de Viola, qui pénétra dans la pièce en examinant le paquet de lettres qu'elle tenait à la main.

— Le courrier du matin, milady...

Alors seulement, elle releva les yeux. Quand elle vit la maîtresse d'Enderby assise à califourchon sur les hanches de son époux, à peine voilée par un drap, elle vira instantanément au rouge pivoine.

— Oh, mon Dieu! gémit-elle en laissant les lettres glisser sur le sol. Je suis affreusement désolée...

Tournant les talons, elle quitta la pièce comme si elle avait le diable aux trousses.

— Avez-vous vu son visage? murmura Viola, bien plus amusée que fâchée par cet épisode. Nous venons de lui donner le choc de sa vie…

John la fit rouler sous lui.

— Oublions Tate… Où en étions-nous, déjà?

Les yeux mi-clos, Viola fit mine de réfléchir.

— Voyons voir… il me semble que vous m'embrassiez.

— C'est bien cela, approuva-t-il en penchant la tête avec une lenteur étudiée pour goûter de nouveau ses lèvres. Je regrette de ne pas avoir sous la main de confiture de mûres.

Comme pour répondre à sa requête, un autre grattement se fit entendre contre la porte et une servante fit son entrée, porteuse d'un plateau.

— Votre déjeuner, milady. Oh!

Les yeux écarquillés, la jeune fille porta une main à sa bouche et déposa en toute hâte le plateau sur une console avant de s'éclipser.

John patienta quelques secondes – au cas où une imprudente s'aviserait de venir ranimer le feu dans la cheminée – et reprit son exploration du corps délectable de son épouse.

— Vous ne voulez pas un peu de thé? s'enquit celle-ci, malicieuse.

D'autorité, John glissa un genou entre ses jambes.

— J'ai d'autres priorités.

Dans la chambre voisine, la porte donnant sur le corridor s'ouvrit et la voix de Stephens se fit entendre.

— Milord? s'exclama-t-il, étonné de ne pas le trouver au lit. M. Stone est en bas et se tient à votre disposition.

— Stephens! cria John pour se faire entendre par la porte de communication entrouverte. Fichez-moi le camp!

— Bien, milord.

John entendit la porte se refermer discrètement. Il voulut en revenir à son occupation précédente, mais l'intrusion de son valet avait achevé de le déconcentrer.

— Rappelez-moi d'organiser au plus vite une réunion avec les domestiques, grogna-t-il en se laissant retomber sur le dos. Afin de leur préciser nos priorités quant aux routines matinales…

Viola, en riant, roula de nouveau sur lui et entreprit de lui démontrer sans délai quelles étaient les siennes.

Son secrétaire l'attendait à l'étude lorsque John l'y rejoignit.

— Heureux de vous revoir, Stone… lança-t-il en allant prendre place derrière le bureau.

— Moi de même, milord, répondit le secrétaire en ouvrant la mallette en cuir posée sur ses genoux. J'ai pris sur moi de vous rejoindre ici, car vous avez pas mal de courrier en souffrance.

— Vraiment? fit John, intrigué. Du courrier urgent?

Au lieu de lui répondre, Stone tourna la mallette vers lui afin qu'il puisse en examiner le contenu. Elle était pleine à ras bords de petits plis roses qu'il reconnut au premier coup d'œil. Emma…

— Grands dieux! s'exclama-t-il. Combien y en a-t-il?

— Cinquante-neuf, milord. Tous expédiés de Calais.

— Et tous arrivés au cours de ces dix derniers jours?

Impassible, le secrétaire acquiesça d'un hochement de tête. John se leva et prit une poignée de lettres. L'entêtement de son ex-maîtresse lui procurait un sentiment de colère mêlé de curiosité. Quel genre de femme fallait-il être pour se conduire de la sorte? Songeant à celle qui avait partagé son lit durant l'automne et l'hiver précédents, il ne se rappelait que de choses sans importance – des cheveux roux, des yeux verts, un charme certain mais superficiel, vite apprécié et vite oublié.

— Qu'espère-t-elle donc en me harcelant ainsi? grondat-il. Plus d'argent encore?

Sachant la question de pure forme, Stone se garda d'y répondre, attendant simplement ses ordres.

— Stone, reprit John d'un air décidé. Je veux que…

La porte s'ouvrit, l'empêchant de conclure. Viola, qui venait d'apparaître sur le seuil, se figea en découvrant la poignée de lettres roses dans sa main. Elle devint livide, et John put lire à livre ouvert sur son visage les émotions qui se bousculaient en elle.

— Viola… commença-t-il.

— Désolée, l'interrompit-elle. Je ne voulais pas vous déranger. Pardonnez-moi.

Pendant qu'elle tournait rapidement les talons, John jeta rageusement les lettres dans la mallette et ordonna à Stone, assez fort pour que Viola puisse l'entendre :

— Brûlez ces satanés courriers ! Mieux encore : retournez-les à Mlle Rawlins, avec une lettre lui disant qu'elle n'obtiendra rien de plus de moi et la priant de ne plus jamais me contacter. C'est compris ?

Sans attendre de réponse, il se lança à la poursuite de Viola. Il la découvrit sur la terrasse, debout devant la balustrade, observant d'un air absent les eaux de la Tamise que la vive lumière matinale faisait miroiter. Elle ne se retourna pas, mais elle avait dû l'entendre arriver, car elle demanda avant même qu'il l'ait rejointe :

— Ce sont des lettres d'amour, n'est-ce pas ?

— Cette femme continue de m'écrire, soupira-t-il. Cela ne signifie nullement que je lui réponds.

Sans quitter des yeux le fleuve au loin, Viola hocha la tête.

— Je vois, dit-elle d'un ton posé.

Le grand calme dont elle faisait preuve poussa John à s'expliquer.

— J'ai mis fin à mes relations avec elle il y a des mois !

— Vous n'avez pas à vous justifier.

— Parce qu'il n'y a rien à justifier ! s'emporta-t-il. Entre elle et moi, tout est terminé.

Viola croisa les bras et tourna légèrement la tête dans sa direction.

— En êtes-vous sûr? Vu l'importance de la correspondance qu'elle continue de vous adresser, Emma ne semble pas s'en rendre compte ou l'accepter.

— Elle le devrait! J'ai été clair avec elle. Je lui ai réglé son contrat. Je l'ai fait longtemps avant la mort de Percy. Depuis, il n'y a eu pour moi aucune autre femme que vous.

Cette fois, Viola chercha son regard.

— Je vous crois. Mais peut-être Emma Rawlins est-elle amoureuse?

— Amoureuse!

John la vit tressaillir en l'entendant répéter ce mot avec mépris. D'une voix radoucie, il ajouta :

— Elle était ma maîtresse, Viola. Je l'ai dédommagée pour cela. Il ne peut être question d'amour dans ce genre d'arrangement. Ne le comprenez-vous pas?

— Je pense que c'est Mlle Rawlins qui ne le comprend pas, conclut Viola en reportant son attention sur le paysage.

John étouffa un juron entre ses dents et s'éloigna.

17

Cette année-là encore, le bal de charité au profit des hôpitaux de Londres connut un franc succès. Des milliers de livres furent ainsi levés car, pour participer à cet événement qui était devenu en quelques années l'un des plus en vue de la saison londonienne, chaque invité avait à s'acquitter d'une exorbitante participation.

Viola fut heureuse de ce succès, mais le bal en lui-même s'avéra épuisant. John s'y était rendu avec elle – chose qui ne s'était jamais produite auparavant – et les spéculations allèrent bon train à leur sujet. La conclusion générale serait sans doute, le lendemain dans les salons, que lord et lady Hammond avaient contre toute attente fini par se réconcilier.

Viola n'en était plus tout à fait sûre elle-même. Ils avaient effectué le trajet de Chiswick à Londres dans un silence complet, ni elle ni John n'ayant jugé nécessaire d'entretenir la conversation. Les lettres d'Emma Rawlins, bien que renvoyées à leur expéditrice, étaient restées entre eux aussi sûrement que si elles avaient été empilées sur le plancher de la voiture. Viola savait que John ne comprenait pas sa réaction. Comment aurait-il pu en être autrement, alors qu'il refusait d'envisager que même une maîtresse rétribuée pour ses faveurs puisse être amoureuse?

À l'ouverture du bal, ils avaient dansé un quadrille tous les deux avant de se séparer pour se mêler aux invités. Mais, après un couple d'heures passées à devoir se coller sur le visage un sourire artificiel en croisant les invitées de lady Deane, Viola avait éprouvé le besoin de se retirer dans un coin tranquille de la salle bondée pour récupérer. Elle se rendait compte à présent que n'avoir pas soumis elle-même à la baronne sa propre liste était une erreur tactique que celle-ci lui faisait chèrement payer. Car Emma Rawlins mise à part, toutes les anciennes maîtresses de John participaient à la soirée.

Du renfoncement où elle était assise, Viola chercha leurs visages dans la foule. Anne Pomeroy, toujours raffinée et élégante. Peggy Darwin, enjouée et jolie. Jane Morrow, blonde aux yeux noisette, comme elle. Maria Allen, cheveux noirs et yeux de biche. Elizabeth Blunt, une autre de ces comtesses jolies et peu farouches avec qui il lui avait fallu au cours des ans jouer aux cartes et boire le thé, sachant qu'elle quittait à peine le lit de John. Même Elsie Gallant était là, marquée par les années qui avaient transformé la demi-mondaine vive et mignonne qu'elle avait été en courtisane vieillissante.

Viola prit le temps de les étudier l'une après l'autre et fut surprise de constater qu'elle éprouvait à leur égard, bien plus que de la colère ou de la jalousie, une certaine forme de pitié. De son propre aveu, John n'avait jamais aimé aucune d'elles. Mais elles, comment l'avaient-elles vécu? C'était bien un élan de tendresse qu'elle avait surpris sur le visage de Peggy Darwin, le jour où elles s'étaient croisées chez le drapier. La comtesse avait un jour été amoureuse de John. Cela crevait les yeux et il n'y avait que lui pour refuser de le voir. Au souvenir de la multitude de lettres roses empilées dans la mallette du secrétaire de son mari, son cœur se serra. Pauvre Emma Rawlins…

Peut-être aurait-elle été plus avisée de s'apitoyer sur son propre sort, elle qui était sa femme. Pourtant, si elle n'avait pas eu de dot, si elle ne l'avait pas épousé, elle serait tout de même tombée amoureuse de John Hammond. En étant qui il était, sans même s'en rendre compte, il rendait la chose facile et naturelle. Cela tenait à son sourire, à son charme, à son aptitude à faire rire une femme quand bien même à cause de lui elle aurait dû pleurer. Mais aussi charmant et séducteur fût-il, jamais son cœur n'était engagé.

Aussitôt qu'ils purent le faire sans froisser personne, John et elle s'éclipsèrent du bal. Ils dormirent séparément cette nuit-là, et il ne fit rien pour s'y opposer. Viola en était soulagée, car elle n'aurait pas aimé devoir étouffer ses sanglots dans son oreiller pour les lui cacher.

Peu à peu, Viola se retirait dans sa coquille. John le sentait, aussi sûrement que l'on sent la chaleur décroître lorsque le soleil se couche. Allongé dans le noir sur son lit, les bras croisés derrière la nuque et incapable de trouver le sommeil, il tentait de se convaincre que son attitude de retrait n'était due qu'à ce satané bal auquel avaient été invitées toutes ses anciennes maîtresses. Il maudissait la malignité de lady Deane, mais il n'était pas assez malhonnête pour ne pas reconnaître sa propre culpabilité.

En se passant la main sur le visage, John se demanda une nouvelle fois ce que Viola attendait de lui. Que pouvait-il bien faire, ou dire, pour arranger la situation et sauver leur mariage? Il ne possédait pas la réponse à cette question, mais il n'avait pas renoncé à la trouver. Il devait y avoir une réponse – il *fallait* qu'il y en ait une.

Les années défilèrent dans sa mémoire comme les pages d'un livre effeuillées par le vent. Les plus lointaines étaient celles sur lesquelles invariablement revenait se fixer son esprit. À Hammond Park, tout particulièrement, ils avaient été heureux.

Alors, avec une clarté aveuglante, lui apparut ce qu'il devait faire. Pour ne pas perdre ses chances de la ramener à lui, il devait l'emmener chez eux, là où ils auraient dû rester, dans le berceau de sa famille, où ils avaient vécu leurs jours les plus heureux. Ils pourraient dormir dans le grand lit d'acajou de leur chambre, jouer aux échecs dans la bibliothèque, faire de longues promenades à cheval à travers la campagne. Il imagina Viola, chevauchant la jument nerveuse et racée qu'il avait achetée pour elle, laisser le vent lui ravir son chapeau et secouer en riant sa chevelure couleur de soleil…

Ce fut sur cette image radieuse que John, finalement, parvint à trouver le sommeil.

Viola ne fit pas la moindre objection pour quitter Londres, mais, au cours du long trajet en voiture, John ne parvint pas à lui soutirer une parole. En récompense de ses efforts pour la distraire, il eut bien droit à quelques sourires et même à quelques rires, mais la plupart du temps elle demeura silencieuse et réservée. Si bien que lorsqu'ils atteignirent Hammond Park au septième jour de voyage, son attitude vis-à-vis de lui était presque redevenue aussi distante qu'aux pires époques de leur relation.

Mais, cette fois, John était fermement décidé à ne plus tolérer de lits séparés. Viola était assise devant sa coiffeuse quand il pénétra à la nuit tombée dans leur chambre. Déjà vêtue de sa chemise de nuit, elle se brossait les cheveux. En le voyant pénétrer dans la pièce, elle suspendit son geste un instant puis reprit sa tâche.

John se rendit au dressing-room où il découvrit sans surprise un lit pliant dressé à son intention. Rapidement, il se débarrassa de ses vêtements et alla se camper derrière la chaise de Viola. Dans le miroir, elle croisa son regard et cessa de se brosser les cheveux. Passant les bras autour d'elle, il se pencha pour déposer un baiser sur son cou. Aussitôt, elle reposa sa brosse dans un claquement sec, dénoua ses bras et les repoussa.

John se redressa et s'enquit d'une voix posée :

— Sommes-nous sur le point de nous disputer ?

— Pourquoi me demandez-vous cela ? répliqua-t-elle en soutenant son regard d'un air de défi. Parce que je ne suis pas d'humeur à faire l'amour avec vous ?

John soupira longuement, songeant que c'était dans des moments tels que celui-ci que les femmes pouvaient se montrer les plus déroutantes.

— Il ne s'agit pas de cela. Depuis quelques jours, vous n'êtes plus la même. Manifestement, vous avez quelque chose à me reprocher et je voudrais bien savoir ce que c'est.

— C'est juste que…

Viola n'acheva pas sa phrase et se retourna, levant vers lui des yeux si pleins de tristesse que John se sentit remué jusqu'aux tripes.

— Dites-moi ce qui ne va pas, insista-t-il. Êtes-vous encore en colère contre moi à cause des lettres d'Emma?

— Ces lettres ne m'ont jamais mise en colère, John.

— Alors pourquoi cette humeur distante et morose? Regrettez-vous que nous ayons quitté Londres avant la fin de la saison?

— Grands dieux, non!

À bout de patience, John s'énerva.

— Allez-vous enfin me dire de quoi il s'agit?

Viola se dressa sur ses jambes.

— Je me sens tellement triste pour cette femme…

Il en fut ébahi.

— Quelle femme? Emma! Pour quelle raison vous apitoyez-vous sur elle?

— Oh, John, vraiment! s'impatienta-t-elle, comme s'il était le plus borné des hommes. Il est manifeste qu'elle tient à vous et vous aime désespérément, sinon elle ne renoncerait pas à sa propre fierté en vous envoyant des lettres par dizaines!

John posa doucement ses mains sur les épaules de Viola et laissa son front reposer contre le sien.

— Que suggérez-vous que je fasse pour remédier à cette situation?

Viola haussa les épaules, comme si elle avait voulu se débarrasser de ses mains.

— Je ne sais pas, reconnut-elle.

— Je vais sans doute vous paraître obtus, mais je ne vois toujours pas où est le problème.

— Je sais ce qu'elle ressent, John... murmura-t-elle. Voilà où est le problème.

Les doigts de John se crispèrent sur ses épaules.

— Ce n'est pas la même chose.

— C'est exactement la même chose! protesta Viola. Les hommes s'imaginent-ils réellement que leurs maîtresses n'ont aucun sentiment, qu'elles sont incapables de tomber amoureuses? J'ai déjà tenté de vous alerter à ce sujet quand nous avons croisé Peggy Darwin chez le drapier. Elle aussi est tombée amoureuse de vous. Je l'ai tout de suite deviné. Pourquoi croyez-vous qu'il m'ait été si pénible de surprendre le regard qu'elle vous lançait?

— Je n'ai jamais été amoureux de Peggy Darwin.

— Ce n'est pas de vos sentiments dont il est question mais des siens, de ceux d'Emma Rawlins – et des miens également. Oh, John! Êtes-vous donc incapable de le comprendre? Les femmes tombent tout naturellement amoureuses de vous. Cela tient à votre sourire, à ce que vous leur dites. Cela tient à tout ce que vous êtes, en fait.

Rien n'aurait pu paraître plus absurde à John. Gêné par son insistance, il détourna les yeux.

— Je ne peux pas croire qu'une femme puisse tomber amoureuse simplement à cause d'un sourire et de quelques mots aimables.

— Vous êtes un homme incroyablement séduisant, mais il ne s'agit pas que de cela. Il se dégage de votre personne un magnétisme et un charme qui transforment les femmes en argile malléable entre vos mains.

Elle marqua une pause puis, comme à regret, ajouta:

— C'est ce qui m'est arrivé, à moi aussi.

Autant parce que cette idée l'amusait que pour détendre l'atmosphère, John plaisanta:

— Si c'était vrai, j'aurais déjà une demi-douzaine de fils à l'heure qu'il est.

Se libérant de son emprise, Viola fit un pas de côté et gagna le lit.

— Je suis fatiguée, lança-t-elle. Je dois dormir.

Par-dessus son épaule, John lança un coup d'œil au lit de fortune qui avait été préparé pour lui.

— Vous attendez-vous à ce que je dorme dans le dressing-room? demanda-t-il de but en blanc.

Mal à l'aise, Viola détourna le regard.

— Je ne veux pas faire l'amour… répondit-elle. Je ne dis pas ceci parce que je suis en colère contre vous. C'est juste… que je n'y suis pas disposée ce soir.

Pour couper court, John se décida à faire ce qu'il s'était pourtant promis de ne jamais recommencer.

— Si vous n'en avez pas envie, alors je n'en ai pas envie non plus, mentit-il. Où vais-je dormir, Viola?

Elle baissa le regard, angélique avec ses cheveux d'or répandus librement sur les épaules de sa nuisette blanche. Il lui parut s'écouler une éternité avant que, d'un geste, elle n'écarte le drap de l'autre côté du lit pour l'inviter à y entrer. John se sentit envahi par un soulagement si intense qu'il lui fallut lutter pour ne pas le montrer.

Sans attendre, il se glissa à côté d'elle, et lorsqu'elle bougea pour lui tourner le dos, il la prit dans ses bras, la serra fort contre lui et enfouit son visage dans ses cheveux.

— John… gronda-t-elle d'un ton de reproche.

Mais elle ne fit rien pour se soustraire à lui.

Raidi par le désir, John se figea derrière elle et demeura très longtemps dans le noir, le corps de Viola pressé contre le sien, aussi malheureux qu'un homme mourant de soif mais s'interdisant de boire à une fontaine coulant à portée de main. En ne voulant pas dormir ailleurs que dans le lit conjugal, il se torturait délibérément et le savait. Mais si c'était le prix à payer pour regagner la confiance de Viola, il voulait bien le payer cent fois.

Il avait amené sa femme à Hammond Park en imaginant que cela suffirait à résoudre leurs problèmes. Pour s'être montré si naïf et présomptueux, il méritait ce qui lui arrivait. En ce qui concernait Viola, rien n'était jamais si facile qu'il y paraissait.

John n'était plus à son côté lorsque Viola s'éveilla. Se redressant sur le lit, elle écarta les cheveux tombés sur son visage. À la faveur du soleil matinal qui s'infiltrait par les fentes des rideaux, elle jeta autour d'elle un long regard curieux.

Il était étrange de se retrouver là. Étrange et pourtant si familier. Adossée à la tête de lit sculptée, elle sourit de la couleur rouge brique des murs. John lui avait rappelé il y avait quelque temps à quel point, à l'époque, le choix de cette peinture les avait divisés. Ce souvenir, elle l'avait oublié, mais lui s'en était souvenu.

Après s'être annoncée en frappant à la porte, une jeune servante fit son entrée, porteuse d'un plateau.

— Bonjour, milady… dit-elle en souriant timidement. Je m'appelle Hill, seconde femme de chambre. Mme Miller m'a demandé de vous porter votre petit déjeuner.

— Miller est toujours là?

— Bien sûr! Elle dit qu'elle ne partira que le jour où elle sera incapable de tourner le pudding…

Cela fit rire Viola, qui s'exclama joyeusement:

— Je me rappelle parfaitement du pudding de Noël de Miller! Elle commence à le préparer en septembre, et tout le monde en cuisine doit y donner un tour de cuillère avant qu'elle ne le mette dans la réserve.

— Elle le fait toujours, milady! Chaque année. Même le maître doit mettre la main à la pâte.

— À ce propos, où est mon époux ce matin?

— Il est avec M. Whitmore, le régisseur.

— Je vois.

Laissant Hill déposer le plateau sur ses genoux, Viola lutta contre le désappointement qui se faisait jour en elle. John avait un domaine à gérer, et elle savait pour avoir pris en charge Enderby durant des années que ce n'était pas un mince travail, surtout après une longue absence. Elle ne pouvait attendre de son mari qu'il prenne tous les matins son petit déjeuner avec elle. Même au tout début de leur mariage, cela n'avait pas été possible.

— Milady? Je peux ouvrir les rideaux?

— Faites, je vous en prie.

Un soleil éclatant inonda la pièce aussitôt que la jeune servante se fut exécutée. Émerveillée, Viola écarta son plateau et se leva pour gagner la fenêtre.

— Quelle merveilleuse journée!

— Oui, pour une fois il ne pleut pas. Le maître a laissé des consignes pour vous prévenir que, si vous allez vous promener, il préfère que vous évitiez les écuries. Il tient à vous les faire visiter lui-même.

Viola sentit toute trace de désappointement s'évanouir en elle. Un sourire illumina son visage. La passion des chevaux était une des rares choses qui les avaient toujours réunis, John et elle.

— Merci, Hill. Voulez-vous demander à Céleste de me rejoindre? Et dites à miss Tate que je voudrais la voir à l'étude dans une heure.

— Bien, milady.

La jeune fille lui rendit son sourire, fit une révérence et tourna les talons. Avant de quitter la pièce, elle se retourna une dernière fois et lança :

— C'est bon de vous revoir, milady. Tout le monde ici est heureux que vous soyez rentrée.

— J'en suis heureuse aussi.

Dans la bouche de Viola, ce n'était pas une parole en l'air.

La jument était le plus magnifique pur-sang que Viola ait vu depuis longtemps.

— John! s'écria-t-elle tandis que le groom lui amenait l'animal. Où l'avez-vous eue? Tattersall's?

— Il y a un mois de cela. Vous l'aimez?

— Si je l'aime? s'exclama-t-elle en flattant les naseaux du cheval vif et racé. Comment pourrais-je ne pas l'aimer!

Viola se retourna, juste le temps de se jeter au cou de son mari pour le remercier d'un baiser, avant de revenir bien vite à la jument.

— Venez! reprit-elle en saisissant les rênes. Allons voir ce qu'elle a dans le ventre.

John l'aida à monter en amazone, et lorsqu'il se fut mis en selle sur son étalon préféré, ils se lancèrent tous deux dans un grand tour du domaine. Il se fit un point d'honneur de lui faire visiter chaque ferme, expliquant avec force détails les améliorations qu'il avait apportées au fil des ans. Ensuite, ils prirent la direction des collines qui s'étendaient à perte de vue, où ils purent galoper tout à leur aise.

Ivre du sentiment de liberté que lui procurait la course, Viola défit le ruban de son chapeau, laissant le vent jouer avec ses cheveux. Derrière elle, elle l'entendit rire et lui crier:

— J'adore quand vous faites cela!

Par-dessus son épaule, elle lui lança un rapide sourire.

— Je sais! C'est pour cela que je le fais…

Ils arrêtèrent leur course échevelée au bord d'une falaise pour permettre aux chevaux de se reposer. Assis sur l'herbe rase, ils embrassèrent du regard le paysage champêtre émaillé de chaumières qui s'étalait sous leurs yeux.

— Comme tout a changé… murmura Viola d'un ton admiratif. Le domaine avait l'air bien moins prospère quand vous m'avez amenée ici pour la première fois.

Sans quitter des yeux le panorama, John fit la grimace.

— Vous n'avez pas eu droit au pire, dit-il. La situation était bien plus dramatique avant notre mariage.

— Est-ce pour cela que nous sommes restés en Écosse si longtemps?

— En effet. J'ai utilisé votre dot pour effectuer une partie des travaux les plus urgents. J'ai également emprunté une forte somme à votre frère pour payer mes dettes les plus criantes et faire curer les canaux de drainage. Après seulement, je me suis décidé à vous amener ici.

— Vous avez abattu un travail colossal, reconnut Viola. Tout a l'air si prospère…

— Grâce à votre argent. Et grâce aux rentes que ce domaine génère de nouveau.

Se tournant vers elle, John prit les mains de Viola dans les siennes, le regard grave :

— Je voulais absolument vous montrer ce que j'ai pu accomplir grâce à vous.

Élevant leurs mains jointes, elle les embrassa et murmura :

— Je vous en remercie.

John reporta son regard sur la vallée en contrebas et eut un rire sans joie.

— Le plus curieux, c'est que je détestais cet endroit avant d'hériter de mon titre. Je n'y venais jamais. Quand j'étais petit garçon, Hammond Park était le foyer le plus sinistre qui se puisse imaginer. Surtout après que…

John marqua une pause et secoua la tête avant de poursuivre :

— Je ne voyais ma mère qu'une demi-douzaine de fois par an, lorsqu'elle daignait quitter les bras de son amant du moment. Je me rappelle à peine d'elle. Mon père n'avait cure de ses infidélités. Il passait lui-même le plus clair de son temps avec ses maîtresses, sauf quand il était trop soûl pour leur rendre visite. Chaque fois qu'il était au domaine, le voir rouler sous la table n'était pas rare au cours des repas. Finalement, les seuls bons souvenirs que je conserve de mon enfance sont ceux chez Percy lors des vacances d'été.

Viola ne pipait mot. Il était si rare d'entendre John évoquer de tels sujets qu'elle ne voulait pas gâcher la magie de l'instant par une question maladroite. Sa main serrée dans la sienne, simplement, elle l'écoutait.

Après avoir gardé le silence un instant, le regard vague, comme s'il se replongeait dans ce douloureux passé, John reprit sa confession.

— Devenir pensionnaire est bien la meilleure chose qui me soit arrivée. Percy et moi sommes allés à Harrow, et je n'ai ensuite pratiquement plus revu mes parents. Au décès de ma mère, je suis revenu de Cambridge pour assister à ses funérailles et ne suis resté que deux heures avant de repartir. Je n'avais aucun désir de m'attarder à Hammond Park et, jusqu'à la mort de mon père, je n'y ai pas remis les pieds.

Il se tourna vers elle et la fixa droit dans les yeux:

— Vous m'avez dit ne pas me connaître vraiment et le regretter. Si je n'ai jamais aimé me confier à vous, c'est parce que je ne voulais pas m'exposer à vos yeux comme le vaurien que j'ai été avant de vous épouser. Votre frère avait raison de vous mettre en garde. Je savais que vous n'étiez pas d'accord avec lui, que vous me preniez pour le plus merveilleux des hommes… et je dois avouer qu'il me coûtait de détruire cette image.

Mal à l'aise, il toussota dans son poing d'un air gêné.

— À Cambridge, j'étais l'étudiant le plus dissipé. J'ai failli être renvoyé une douzaine de fois. Je dépensais jusqu'au dernier shilling de ma pension, empruntais ce qui me manquait. Je me suis couvert de dettes. J'ai perdu au jeu de fortes sommes. Je me suis mis à boire.

Il porta la main de Viola à ses lèvres, puis la lâcha pour prendre appui sur ses deux bras tendus derrière lui.

— Je ne passerai pas sous silence les femmes, maugréa-t-il après une courte pause. J'ai eu des maîtresses dès l'âge de quinze ans. Je leur ai offert les cadeaux les plus extravagants. Pourquoi me serais-je privé? Un jour ou l'autre, j'allais être vicomte. Je dépensais sans compter et sans me soucier de savoir d'où venait l'argent que je jetais par les fenêtres. Je ne voulais pas le savoir. En un mot, j'étais comme mon père, même si je le méprisais.

Viola était peinée de l'entendre parler en ces termes, mais elle savait qu'il y avait beaucoup de vrai dans ce qu'il disait, et qu'il était important pour John de le reconnaître. Si elle espérait un jour le comprendre, il lui fallait l'accepter tel qu'il était.

— Je n'avais pas la moindre idée de ce qu'était devenu Hammond Park durant ma longue absence, expliqua-t-il.

Pour être franc, il ne m'était jamais venu à l'esprit de m'en soucier. Après Cambridge, j'ai emménagé à Enderby. Ensuite, j'ai voyagé dans toute l'Europe. Mon père continuait de me faire parvenir les subsides dont j'avais besoin, et je continuais d'en dépenser le moindre sou. Puis il est mort de la fièvre typhoïde, et j'ai dû rentrer au pays.

D'un grand geste du bras, il engloba le paysage devant eux.

— Tout cela était désormais à moi – et quel pathétique héritage cela faisait... J'ai vite appris à mon retour que l'épidémie dont mon père avait été victime était la conséquence d'un réseau de drainage mal entretenu. Hélas, il n'a pas été le seul à subir les conséquences de son incurie. Des dizaines d'autres ont succombé à l'épidémie. En visitant le domaine, j'ai été choqué de voir l'état d'abandon dans lequel il se trouvait. Les métayers vivaient dans la misère, les animaux étaient malades, les champs restaient en jachère, les créanciers guettaient pour prendre tout ce qui n'avait pas déjà disparu.

Ce que John lui révélait n'était pas une surprise pour Viola. Anthony, à l'époque de leurs fiançailles, avait tenté de la mettre en garde sur l'état réel des finances de son soupirant et sur ce qu'il pouvait viser en l'épousant. Elle n'avait pas voulu l'entendre, choisissant de préférer son doux rêve à la réalité.

— Cela a dû vous faire un sacré choc, compatit-elle.

Sans lui répondre, il pointa du doigt le toit de chaume d'une ferme dans la vallée.

— Une fille d'une douzaine d'années vivait là, raconta-t-il d'une voix nouée. Nan était son nom. Sa mère venait de mourir de la typhoïde. J'inspectais les lieux, et elle est apparue sur le seuil de ce cottage – un vrai taudis, à l'époque – portant sa jeune sœur sur la hanche. Elle était sale, maigre à faire peur, et portait pour tout vêtement une robe légère en loques. Elle m'a demandé si j'étais le nouveau lord, et quand je lui ai répondu oui, elle m'a lancé ce regard que je n'oublierai jamais. Elle m'a détaillé de la tête aux pieds, prenant le temps d'examiner mes vêtements à la dernière mode, et lorsque ses yeux sont revenus se fixer aux miens, ils étaient emplis d'un tel mépris que j'aurais voulu disparaître sous terre. Jusqu'à ma mort, je me rappellerai ce qu'elle m'a dit alors.

Voyant qu'il éprouvait quelque difficulté à poursuivre, Viola l'encouragea gentiment.

— Que vous a-t-elle dit?

— Elle m'a dit: «On ne peut pas attendre d'un fruit qu'il tombe loin de son arbre, pas vrai?» Puis elle m'a tourné le dos pour rentrer chez elle. Je suis resté pétrifié. Ses mots m'avaient frappé comme un direct à l'estomac, mais ils provoquèrent un choc salutaire. J'ai su dès ce jour que c'était à moi de faire le nécessaire pour réparer tout ce que mon père avait laissé dépérir. J'étais le nouveau lord. Il était de ma responsabilité de trouver des solutions.

— C'est alors que vous avez décidé de faire un mariage de raison avec une femme richement dotée.

John tourna les yeux vers elle.

— Oui. J'étais suffisamment désespéré par le poids de mes responsabilités et effrayé par la tâche qui m'attendait pour abuser la femme que je convoitais. Je lui ai menti pour gagner ses faveurs. Chaque fois que l'occasion s'en est présentée, je l'ai manipulée. Et je l'ai laissée tomber amoureuse de l'homme qu'elle pensait que j'étais. Si c'était à refaire, je le referais. Je ne regrette rien.

Il saisit Viola aux épaules et lui donna un baiser fougueux, qui la mettait autant au défi que la flamme qui brillait au fond de ses yeux. Doucement, il l'allongea sur le sol et ils roulèrent ensemble au fond d'une petite cuvette herbeuse qui les dérobait aux regards. Là, il se pencha sur elle et passa un bras sous sa nuque avant de conclure:

— Et je ne regretterai jamais rien.

Viola soutint le regard fier de son si séduisant mari.

— Moi non plus, dit-elle.

— C'est vrai? s'étonna-t-il.

— On ne peut plus vrai. Je ne saurais vous dire quand je m'en suis rendu compte, mais je ne regrette plus de vous avoir épousé. Peut-être est-ce le jour où vous avez improvisé ce poème à mon sujet, lors de la promenade en barque.

Avec un sourire rêveur, elle enroula autour de son doigt une mèche des cheveux de John et ajouta :

— Vous avez toujours été un beau parleur.

Il fit mine de baisser modestement les yeux.

— Cela signifie-t-il que j'ai des chances aujourd'hui de parvenir à vous voler quelques baisers?

Comme si la question méritait réflexion, Viola arbora une moue dubitative.

— Cela dépend, répondit-elle enfin. Êtes-vous décidé à faire tout d'abord la paix avec moi?

— Non.

Disant cela, John empoigna ses jupons et entreprit de les relever.

— Comment cela, non? s'offusqua-t-elle.

— C'est toujours moi qui cherche à faire la paix. Cette fois, c'est à vous de faire cet effort.

Sans trop de conviction, Viola tenta de repousser sa main qui progressait le long de sa jambe.

— Rien de plus normal, rétorqua-t-elle. C'est toujours vous qui avez quelque chose à vous reprocher.

La main de John, parvenue à sa cuisse, y déposait de savantes caresses.

— Vous ne manquez pas de toupet! s'exclama-t-il. Ce n'est peut-être pas vous qui m'avez torturé toute la nuit en vous refusant à moi?

Tandis que les caresses de John se faisaient plus précises et insistantes, Viola ferma les yeux, renonçant à lutter contre son désir grandissant. Avec ses mains, John était capable de faire d'elle ce qu'il voulait. Il en avait toujours été ainsi, et cela n'était manifestement pas près de changer.

— Toute une nuit… répéta-t-elle, haletante. Mon Dieu! Comme vous avez dû souffrir.

— Plus que vous ne pouvez l'imaginer.

Sa main remonta plus haut encore, à l'endroit où se trouvait sa marque de naissance.

— Soyez raisonnable, Viola… susurra-t-il. Dites que vous êtes désolée de m'avoir si cruellement torturé…

Elle secoua la tête dans l'herbe et se mit à rire.

— Ce serait faux! Je n'en suis absolument pas désolée.

Brusquement, la main de John vint se lover entre ses cuisses, et toute envie de rire la déserta aussitôt. Avec un petit gémissement plaintif, elle souleva les hanches, mais habilement il se déroba. Du bout des doigts, il effleurait sa toison pubienne.

— Dites quand même que vous êtes désolée, insista-t-il. Et que vous voulez faire la paix avec moi.

— Je ne le peux pas! lâcha-t-elle dans un souffle.

Enfin, il se mit à la caresser. Viola s'arc-bouta pour mieux se prêter au rythme lancinant imprimé par ses doigts.

— Dites-le, répéta-t-il. Vous voulez faire la paix?

— Jamais.

— Très bien…

Retirant sa main, John s'écarta.

— Oh! s'exclama-t-elle en riant. Ce que vous pouvez être insupportable, parfois!

Viola se dressa sur son séant et ajouta en se penchant au-dessus de lui:

— C'est vous qui devriez être désolé de me tourmenter de la sorte. Mais je sais comment obtenir ma revanche.

Sa main, après s'être posée délicatement sur la poitrine de John, descendit lentement le long de son ventre. Avec détermination, elle empoigna son entrejambe, peu surprise de découvrir sous la toile du pantalon son sexe en érection. John retint son souffle lorsqu'elle se mit avec une lenteur étudiée à déboutonner sa braguette. Et quand elle empoigna son membre, il poussa un gémissement sourd.

Elle s'ingénia à faire durer le plaisir. Il y avait bien longtemps de cela, il lui avait appris comment s'y prendre et elle n'avait pas oublié ses leçons. Bientôt, ce fut à son tour de s'arc-bouter sur la pelouse pour exiger plus. Elle sourit et approcha lentement ses lèvres, sous les yeux fiévreux de John, de l'extrémité de son sexe dressé. Alors, furtivement, elle y déposa un baiser puis recula.

— Attendez, attendez! s'écria-t-il, pantelant. Vous avez gagné. C'est moi qui suis désolé… Faisons la paix, Viola.

Satisfaite, elle souleva ses jupons, s'installa sur lui à califourchon, et le prit en elle sans attendre. Elle le sentit jouer des hanches pour s'enfouir avec frénésie au plus profond d'elle-même, encore et encore. Elle fut heureuse de lire la jouissance sur son visage, son plaisir décuplant le sien.

Quand tout fut terminé, elle s'abattit sur lui, l'embrassa tendrement et le taquina:

— Cette fois, c'est moi qui me suis jouée de vous!

John ouvrit les yeux, gratifia Viola d'un de ses sourires qui lui faisaient battre le cœur plus vite, et repoussa ses cheveux pour lui caresser le visage.

— J'espère, murmura-t-il, que vous aurez à cœur cette nuit de vous jouer à nouveau de moi…

18

John ne perdit pas de temps à expliquer au personnel de Hammond Park qu'il suffisait le matin de déposer le plateau du petit déjeuner à la porte de leur chambre. Tant que le plateau vidé n'avait pas été remis en place, nul n'était autorisé à les déranger – sauf en cas de force majeure. Durant tout le mois de juin, Viola et lui purent ainsi prendre leur petit déjeuner au lit – et se repaître de nourriture moins substantielle – à peu près chaque matin.

Le soir, il la battait régulièrement aux échecs mais la laissait gagner au piquet pour se faire pardonner. Comme promis, il lui avait appris également à nager – ils se baignaient nus au clair de lune, prélude à d'autres délices. Ils donnèrent une grande fête, à laquelle participa la bonne société des environs, et reçurent à dîner toute la gentry locale. Ils galopèrent tant et plus dans les collines, et c'était à chaque fois le même ravissement pour John de voir les cheveux de Viola voler dans le vent. Il dépensa beaucoup d'argent à remplacer ses chapeaux perdus. Il en aurait volontiers dépensé beaucoup plus encore.

Ils passèrent de juin à juillet dans cet état de bonheur conjugal. Insensiblement, le grand vide que John avait gardé en lui disparaissait, remplacé par un sentiment de plénitude et de contentement. À s'endormir toutes les nuits en serrant Viola dans ses bras, il commençait à oublier que durant de longues années il n'en avait pas été ainsi. Bien sûr, tout n'était pas toujours rose entre eux et ne le serait sans doute jamais. Ils se disputaient parfois, la plupart du temps parce qu'elle voulait parler de choses personnelles, ce qu'il évitait autant qu'il le pouvait. Leurs réconciliations n'en étaient que plus douces. Et torrides...

John adorait toujours autant taquiner Viola, qui tombait avec candeur dans ses provocations et ses pièges. Aussi, lorsqu'elle lui suggéra d'inviter Dylan, Grace, Anthony et Daphné à Hammond Park, ne se priva-t-il pas de l'occasion qui lui était offerte.

— Il n'en est pas question, répondit-il d'une voix ferme.

Délaissant le plateau du petit déjeuner, Viola le dévisagea, les yeux écarquillés.

— Pourquoi cela? s'enquit-elle calmement.

— Votre frère me hait.

— C'est faux. Il ne vous hait pas.

John prit le temps de goûter au bacon avant de répondre:

— S'il n'en tenait qu'à lui, il y a belle lurette qu'il m'aurait passé au fil de l'épée.

— Dylan sera là pour empêcher tout débordement.

— Vous plaisantez, je suppose? objecta John avec un rire sarcastique. Il soufflera sur les braises et se repaîtra de nous voir nous entre-déchirer.

— Vous oubliez qu'il a beaucoup changé. Et puis il y aura aussi Grace. Et Daphné.

Repoussant le plateau sur le lit, elle se rapprocha de lui et ajouta:

— Daphné vous aime beaucoup. Elle est de votre côté et vous défend depuis longtemps.

— J'ai moi-même énormément de respect pour elle, reconnut John. Il n'empêche que votre frère me déteste.

Viola leva la tête pour déposer un baiser sur sa joue.

— Justement. Le moment ne peut être mieux choisi pour que vous fassiez la paix tous les deux.

— Et si je consens à cette invitation? demanda-t-il de manière nonchalante. Que recevrai-je en récompense?

S'imaginant avoir partie gagnée, Viola sourit victorieusement.

— Que désirez-vous?

Il se fit un plaisir de le lui dire à l'oreille, ce qui la fit rougir comme une pivoine...

Dix jours plus tard, les Tremore et les Moore recevaient une invitation à venir passer les deux dernières semaines d'août à Hammond Park.

Vint le mois d'août, avec ses journées surchauffées propices à l'alanguissement. John n'était jamais à cours d'idées pour faire rire Viola. Il inventait les *limericks* les plus absurdes, ou lui lisait les poèmes qu'elle lui inspirait. Par petites touches, elle appréhendait la personnalité de son mari et ce qui l'avait forgée. Il lui fallait procéder prudemment, car l'amener à se confier était aussi délicat qu'obliger une huître à s'ouvrir... Par une pirouette verbale ou un commentaire drolatique, John était passé maître dans l'art de changer de sujet.

Viola avait appris à ne pas poser de questions gênantes. Elle acceptait le fait qu'il ne se livrerait à elle que lorsqu'il serait prêt à le faire. Aussi était-elle toujours prise de court dans les rares occasions où il arrivait à John de soulever un coin du voile. C'est ainsi qu'elle finit par apprendre les raisons de son aversion pour le *trifle,* un soir où ils étaient dans la bibliothèque en train de superviser les menus qui seraient servis à leurs invités.

Viola, qui passait au crible les suggestions de menus soumises par Mme Miller, secoua la tête et s'empara d'une plume qu'elle trempa dans l'encrier pour biffer une ligne.

— Non, non, non... murmura-t-elle pour elle-même. Cela ne va pas. Trouvons autre chose.

— Qu'est-ce qui ne va pas? demanda John en lui jetant un coup d'œil par-dessus son journal.

— Du pâté de foie en hors-d'œuvre. Anthony déteste le foie. Il lui suffit de penser à des abats pour devenir vert.

— Dommage, regretta-t-il en riant. J'aimerais beaucoup voir Tremore verdir un peu.

— John... protesta-t-elle en le toisant d'un œil sévère. Cette invitation a en partie pour but que vous puissiez vous réconcilier tous les deux. Vous vous rappelez ? J'aimerais beaucoup que mon mari et mon frère puissent se fréquenter sans risquer le duel à chaque rencontre.

— Je sais, je sais... marmonna John avec un soupir à fendre l'âme. Tant pis pour le pâté de foie. De quelles autres délices vais-je être privé durant le séjour de Sa Grâce le duc de Tremore ?

— Si c'est ce qui vous inquiète, précisa-t-elle gentiment, il n'y aura pas de *trifle* au dessert.

— J'espère bien, ou je donne son congé à Miller !

Sachant l'inutilité de poursuivre sur ce sujet, Viola en revint à la consultation de ses menus. Après avoir remplacé le pâté de foie par du saumon fumé, elle supprima un plat de mouton, qui lui faisait horreur, et ajouta au café une sélection de chocolats pour Daphné, qui en raffolait. Elle commençait à examiner la liste des vins quand John reprit la parole.

— C'est la mort de ma sœur qui en est la cause.

Il avait parlé d'une voix si basse qu'elle doutait de l'avoir entendu.

— Votre sœur ? répéta-t-elle en relevant les yeux.

Mais John ne la regardait pas, et c'est en faisant mine de continuer à lire son journal qu'il précisa :

— Cette aversion que j'ai pour le *trifle*... C'est à la mort de ma sœur Kate qu'elle m'est venue. J'avais sept ans. Je me trouvais à l'étage, à la nursery, en train de prendre mon dîner, quand on m'a appris la nouvelle. C'est ma nounou qui s'en est chargée. Ma mère se trouvait à Paris, dans les bras d'un amant, et mon père était en visite chez sa plus ancienne maîtresse dans le Yorkshire. C'est étrange...

Viola, qui avait du mal à l'entendre tant sa voix était faible et douloureuse, se leva pour le rejoindre et s'assit sur l'accoudoir de son fauteuil.

— Qu'est-ce qui est étrange ? insista-t-elle en posant une main sur son épaule.

— Comment un traumatisme enfantin peut poursuivre un homme sa vie durant. Je ne me rappelle pas grand-chose de ce jour funeste, mais je n'oublierai jamais le dessert que l'on m'a servi avant de m'annoncer le décès de Kate. J'étais assis là, devant ce bol dans lequel se diluaient mes larmes. Je ne pouvais penser qu'à une chose : que le *trifle* était le dessert favori de ma sœur, et qu'elle ne pourrait plus jamais en manger.

Le journal s'était froissé dans son poing crispé. Ce fut à travers ses dents serrées, comme s'il s'arrachait chaque mot, qu'il poursuivit :

— Aujourd'hui encore, elle me manque énormément. Vous comprenez… Grandir avec Kate à mes côtés rendait les choses tellement plus supportables. Il y a vingt-huit ans qu'elle est morte, mais même si je sais que c'est stupide, chaque fois que je me retrouve face à du *trifle,* j'ai sept ans de nouveau, et j'ai au creux du ventre cette sensation affreuse, ce manque déchirant.

Lâchant son journal, il détourna pudiquement le regard et se passa le dos des mains sur les paupières. Au bord des larmes elle-même, la jeune femme contempla le fier profil de son mari, songeant à ce qui l'avait attirée vers lui au premier regard, alors qu'elle n'avait que dix-sept ans. Elle était tombée amoureuse de son sourire, de son esprit fantasque, de ses bons mots qui la faisaient rire. À présent, il y avait bien plus pour les réunir…

Ce fut sans doute à cet instant que Viola tomba pour la seconde fois éperdument amoureuse de John Hammond.

19

Malgré les doutes que John continuait d'entretenir au sujet de cette visite, Viola avait hâte de revoir son frère et sa belle-sœur. Ne serait-ce que par amour pour elle et pour sauvegarder les apparences, elle était certaine qu'Anthony mettrait un frein à son antipathie envers son mari. De plus, elle savait pouvoir compter sur Daphné pour œuvrer à la cessation des hostilités entre les deux hommes. Grace et Dylan seraient d'une grande utilité aussi. Avant la fin de cette quinzaine qu'ils allaient vivre ensemble, elle espérait que le duc et le vicomte, à défaut d'être frères, pourraient au moins être amis.

Mais, comme pour contredire ces espérances, le séjour démarra sous de bien mauvais auspices. Les premiers jours furent tendus au-delà de tout ce qu'elle aurait pu craindre. Manifestement, son frère et son mari faisaient de gros efforts pour rester courtois, mais les tentatives de John pour alléger l'atmosphère n'amusaient pas Anthony, qui continuait à en vouloir à son hôte pour son comportement passé.

Au dîner, de longs silences gênés n'étaient rompus que par les commentaires occasionnels de Dylan, relayés par les trois femmes qui déployaient des trésors de patience et de tact pour faire comme si de rien n'était et entretenir la conversation. Mais la partie la plus délicate de leurs soirées survenait après le repas, quand Viola, Grace et Daphné se retiraient au salon, laissant les hommes entre eux autour d'une bouteille de porto et d'une boîte de cigares. Même si l'usage exigeait que cet intermède dure au moins une demi-heure, il ne s'écoulait généralement pas plus de dix minutes avant que leurs époux ne les rejoignent. Du moins en fut-il ainsi jusqu'à la cinquième soirée qu'ils passèrent ensemble, et qui devait changer l'ambiance du tout au tout.

Un quart d'heure s'écoula, puis une demi-heure, puis une heure…

— À votre avis, que sont-ils en train de faire? demanda Viola en s'efforçant de masquer sa nervosité. Ils font la paix ou ils s'entre-tuent?

À cet instant leur parvinrent depuis le rez-de-chaussée des éclats de rire masculins et indéniablement complices. Agrippant le bras de Daphné, Viola tendit l'oreille.

— Écoutez! lança-t-elle dans un souffle. Ils rient… John et Anthony se trouvent ensemble, et pourtant ils rient!

— Probablement parce qu'ils sont soûls, suggéra Grace en sirotant une gorgée de madère.

Une lueur de malice brillait dans son regard quand elle leva les yeux pour expliquer à Viola qui la dévisageait:

— Dylan m'a dit ce matin que cette brouille entre ses deux meilleurs amis avait assez duré. Il voulait les faire boire jusqu'à les enivrer.

— Les faire boire! répéta Viola, horrifiée. C'est tout ce qu'il a trouvé pour les réconcilier? Et s'ils se tuaient plutôt l'un l'autre?

— Je lui ai posé exactement la même question. Selon Dylan, cela ne risque pas de se produire. John n'est jamais aussi drôle que lorsqu'il est ivre. Quant à Anthony, l'alcool lui fait perdre un peu de sa superbe et le rend plus aimable.

De nouveaux rires, plus éclatants encore, s'insinuèrent jusque dans le salon. N'y tenant plus, Viola se dressa sur ses jambes.

— J'avoue que je suis dévorée par la curiosité. Je veux savoir de quoi ils rient… Venez!

Ses deux amies ne se firent pas prier pour lui emboîter le pas. Elles se pressèrent contre la porte close de la salle à manger et ne tardèrent pas à découvrir l'objet de l'hilarité de leurs maris. En leur absence, les trois hommes composaient des *limericks* plutôt lestes…

Lorsque Viola entrouvrit prudemment la porte pour jeter un coup d'œil à l'intérieur, Dylan se lançait dans la composition de l'un d'eux.

— « Une catin sans beauté mais pleine de talents... » À votre avis, les amis... qu'est-ce qui pourrait bien rimer avec « talents » ?

Sur ce, il se versa une généreuse rasade de la bouteille aux trois quarts vide qui se trouvait devant lui.

— Question stupide, Moore ! répondit John en avalant cul sec le contenu de son propre verre. Dans ce contexte, la seule rime possible est « clients ».

Le cheveu en bataille et l'œil brillant, Anthony tapa du poing sur la table et s'écria victorieusement :

— J'ai trouvé ! Écoutez-moi un peu ça... « Une catin sans beauté mais pleine de talents/Tirait grand parti de ses généreux appas./Elle savait si bien faire jouir ses clients/Qu'ils accouraient en foule dans ses bras. »

Tous trois éclatèrent d'un rire tonitruant. John salua la prouesse poétique à sa juste mesure.

— Le diable m'emporte, Tremore, vous êtes vraiment doué pour la rime ! Essayons-en un autre...

En refermant la porte tout doucement, Viola chuchota :

— Dire que ce sont les hommes qui mènent le monde !

— Effrayant, n'est-ce pas ? approuva Grace.

Elles se retirèrent sur la pointe des pieds à l'étage. De retour dans le salon, Daphné se laissa glisser sur une chaise et dit à Viola :

— Je pense que nous pouvons être à présent sûres de deux choses. La première, c'est que mon mari et le tien s'entendront bien mieux, désormais.

Puis, se tournant vers Grace, elle ajouta :

— La seconde, c'est que ton mari et les nôtres risquent d'avoir un réveil difficile demain matin !

Viola se joignit à leurs rires joyeux, songeant que c'était un mince tribut à payer en échange de la paix des foyers.

La prédiction de Daphné se révéla tout à fait exacte, mais le succès de cette soirée n'en fut pas moins éclatant. Au bout d'une semaine de cohabitation forcée à Hammond Park, Anthony et John discutaient d'entreprises pour lesquelles ils comptaient s'associer, projetaient des parties de pêche à la truite, et s'accordaient sur nombre de sujets politiques.

Viola remarqua que Dylan adoptait systématiquement le contre-pied de leurs positions, ce qui obligeait ses deux amis à faire front contre lui. Bien plus que de son esprit de contradiction, songea-t-elle, cette attitude témoignait de son amitié pour eux et de son habileté diabolique.

Au huitième jour de leur visite, ils allèrent tous prendre le thé chez lord et lady Steyne, ce qui cimenta un peu plus leurs bonnes relations, le vieux comte étant un ami de John et une connaissance respectée d'Anthony.

Le lendemain matin, ils partirent tous les six pour une promenade. Anthony se montra tellement impressionné par la nouvelle monture de sa sœur qu'il insista pour qu'ils lui réservent le poulain qui naîtrait de sa première saillie. En regardant son mari et son frère discuter de chevaux, Viola songea qu'elle avait été bien inspirée de leur offrir la chance d'apprendre à se connaître.

Tandis qu'un peu plus tard ils montaient les marches du perron, Daphné se retourna pour admirer les alentours et lança joyeusement :

— Hammond, vos jardins sont magnifiques !

Puis, se tournant vers son mari, elle ajouta :

— J'ai à présent de nouvelles idées pour Tremore Hall !

Anthony sourit.

— Ma femme est une adepte des jardins anglais. Savez-vous pourquoi ? Parce qu'elle aime s'y promener sous la pluie... Selon elle, la campagne anglaise sous le crachin serait ce qui se rapproche le plus du paradis !

Avant que quiconque ait pu discuter cette assertion, un bruit de roues ferrées roulant sur le gravier se fit entendre, précédant une voiture tirée par deux chevaux, qui vint s'arrêter au bas des marches. Un valet de pied sauta à terre depuis son poste à l'arrière, ouvrit la portière, déplia un marchepied et se retira respectueusement. Une jeune femme mince habillée de vert descendit du véhicule. Tous, sur le perron, avaient reconnu Emma Rawlins avant même qu'elle n'ait relevé la tête vers eux.

Viola n'en croyait pas ses yeux. La jeune femme, en l'apercevant, ne fut pas moins surprise, mais ce fut à John qu'elle s'adressa.

— Milord, dit-elle en grimpant sur la première marche, nous avons à discuter vous et moi d'une affaire importante.

Il était tout à fait incorrect, de la part d'une ex-maîtresse, de venir réclamer des comptes – surtout en public et en présence de sa femme – à l'homme qui l'avait quittée. Mais, manifestement, Emma était au-delà de tout souci d'étiquette.

John la toisa durement.

— Nous n'avons plus rien à discuter ensemble, madame. Il me semblait avoir été clair sur ce point.

— Clair? s'indigna-t-elle, un ton plus haut. Comment auriez-vous pu être clair sans m'écrire ni répondre à mes lettres?

— J'ai répondu aux trois premières. Ensuite, je n'en ai plus vu l'utilité.

— Vous ne les avez même pas lues avant de me les renvoyer!

Emma plongea la main dans la poche de sa jupe et la ramena pleine de ces plis roses et parfumés que Viola avait vus à Enderby. D'un geste sec, elle les lança à la face de John et s'écria:

— Vous êtes l'homme le plus cruel que j'aie jamais connu!

— Contrôlez-vous, mademoiselle Rawlins... dit-il tandis que les lettres tombaient à ses pieds comme des confettis. Nous ne sommes pas seuls.

— Me contrôler? répéta-t-elle rageusement. Pourquoi faire? Parce que votre femme est là? Parce que vous avez des invités? Parce que vous vous sentez humilié?

Son visage se tordit en une expression de souffrance terrible et des larmes roulèrent sur ses joues.

— C'est moi qui suis humiliée! reprit-elle. Pas vous!

Comme si tout courage lui avait subitement fait défaut, elle se laissa glisser à ses pieds.

— Je vous aimais... gémit-elle. Dieu, que je pouvais vous aimer! Je vous ai tout donné, John. Tout! Comment avez-vous pu me faire cela?

Les épaules de la jeune femme furent secouées de sanglots. Non loin des bottes de John, ses doigts s'agrippèrent à la pierre grise et froide des marches. Viola regarda autour d'elle pour chercher de l'aide, mais tout le monde demeurait paralysé, y compris les serviteurs qui étaient sortis de la maison en entendant une voiture arriver. Chacun observait Emma avec une fascination mêlée d'effroi, comme on peut contempler sans oser intervenir la victime d'un horrible accident.

— Vous m'aimiez, vous aussi! poursuivit-elle dans un cri. Vous m'aimiez, sinon vous ne m'auriez pas dit toutes ces choses si gentilles... Vous n'auriez pas eu tous ces gestes tendres pour me plaire... Les roses jaunes que vous me faisiez porter chaque semaine, sachant que je les aime. Et le thé de Ceylan que vous m'aviez offert parce qu'il m'était arrivé de dire au détour d'une phrase que c'est mon préféré... Vous m'aimiez, j'en suis sûre! Vous ne pouviez que m'aimer...

Le cœur lourd, Viola s'obligea à scruter le visage de son mari. Les mains croisées derrière le dos, les lèvres pincées, il contemplait son ex-maîtresse effondrée à ses pieds. Il avait le visage blême, le corps raidi dans une pose guindée. Il eût été vain de chercher dans son attitude la plus petite émotion, un reliquat de l'affection qu'il avait témoignée à cette femme, et a fortiori la moindre trace de compassion pour elle.

Le visage noyé par les larmes, Emma releva la tête vers lui et s'écria avec un regain de passion:

— Qu'ai-je fait de mal pour que vous me quittiez? Dites-moi donc ce que vous me reprochez! Je vous ai écrit pour

vous le demander… Des pages et des pages et des pages!
C'est votre secrétaire qui me les a renvoyées, avec un mot
m'interdisant de vous écrire encore.

Elle eut un petit cri plaintif, si semblable à celui d'un
animal blessé que Viola en eut la chair de poule.

— Votre secrétaire! répéta-t-elle en agitant ses boucles
rousses. Après tout ce que nous avons partagé, tout ce qui
s'est passé entre nous, vous n'avez même pas trouvé le
courage de m'écrire cette lettre vous-même!

Viola ne pouvait en supporter davantage. Le cœur prêt
à éclater de tristesse, elle descendit quelques marches pour
porter secours à cette pauvre créature, tellement aveuglée
par l'amour qu'elle renonçait à toute dignité. Pourtant, au
dernier moment, elle se ravisa. En tant que légitime épouse
de John, elle était la plus mal placée pour lui venir en aide.
Daphné et Grace, qui avaient deviné son dilemme, descendirent à leur tour les marches du perron pour aller
encadrer Emma et l'aider à se relever. Mais, à l'instant où
leurs mains se tendaient vers elle, celle-ci se dressa d'un
bond, comme un chat hérissé.

À reculons, elle descendit les marches et rejoignit l'allée gravillonnée sans quitter John des yeux.

— Je vous hais! cria-t-elle de toutes ses forces, serrant
les poings contre ses flancs. Je vous ai donné tout l'amour
dont j'étais capable, et tout ça pourquoi?

Elle marqua une pause, comme dans l'attente d'une
réponse qui ne pouvait venir, et conclut avec rage:

— Je vais vous montrer pourquoi!

Dans un tourbillon de jupons, elle se précipita vers sa
voiture dont elle ouvrit la portière à la volée. Un instant
plus tard, elle en ressortait avec un paquet dans les bras.
Ce fut seulement lorsqu'elle se fut approchée du perron
que Viola découvrit qu'il s'agissait d'un bébé emmailloté
de langes.

— Regardez-le! ordonna Emma en tendant l'enfant vers
John, à bout de bras. Regardez votre fils! Que pensez-vous
que je vous disais dans toutes ces lettres que vous n'avez

pas voulu lire ? Je vous disais que j'étais enceinte ! Ce garçon est le vôtre, John. Selon les termes de notre contrat, c'est à vous d'assumer les frais de son éducation !

Ce disant, elle secouait le nourrisson comme s'il n'était rien d'autre qu'une poupée sans vie. Brusquement réveillé, l'enfant se mit à hurler, ce qui poussa Viola à l'action. En quelques secondes, elle eut rejoint la jeune femme au bas des marches. Aussi gentiment qu'elle le put, elle prit le bébé et s'éloigna de sa mère déchaînée. Celle-ci, les yeux fixés sur John, le remarqua à peine.

Pour tenter de calmer le bébé qui pleurait, Viola le berça dans ses bras et lui murmura des mots doux. D'un rapide coup d'œil, elle observa son mari et découvrit que celui-ci, complètement indifférent à son ex-maîtresse, n'avait d'yeux que pour elle. Son visage figé, totalement inexpressif, aurait pu être sculpté dans la pierre.

En dépit de la chaleur qui régnait, un frisson glacé remonta l'échine de Viola. Il lui semblait insupportable qu'un homme pût être la cause d'un tel gâchis, d'une telle dévastation, et regarder son monde s'écrouler autour de lui sans émettre un mot de regret ou de consolation. Elle lui rendit son regard et attendit qu'il se décide enfin à réagir. Un muscle se contracta sur sa mâchoire, ses lèvres s'entrouvrirent, mais pas un son ne sortit de sa gorge. En désespoir de cause, il tourna les talons et disparut dans la maison.

— Je vous hais, John ! hurla Emma derrière lui. Je vous hais et je vous haïrai jusqu'au jour de ma mort !

De nouveau, elle rejoignit son véhicule, dont elle tira un sac de voyage en cuir qu'elle jeta négligemment aux pieds de Viola. Puis, sans un regard pour l'enfant, elle empoigna ses jupons et grimpa en voiture, claqua violemment la portière, et tapa impatiemment du poing contre le toit. Après avoir replié le marchepied en hâte, le valet de pied sauta à l'arrière et l'attelage fouetté par le cocher s'ébranla.

Laissant les autres rejoindre John à l'intérieur, Viola contourna la maison et alla trouver refuge à l'ombre des arbres sur le premier banc qu'elle trouva. Dans ses bras, le bébé continuait de hurler et de pleurer toutes les larmes de son corps. Ne sachant que faire d'autre, elle tenta de le consoler en le berçant et en déposant de petits baisers sur sa joue mouillée de pleurs.

— Ça va aller... murmura-t-elle, même si elle n'en croyait pas un mot. Je te promets que ça va aller...

Sa voix s'étrangla sur ces derniers mots et ses propres larmes débordèrent de ses yeux.

John ne fit que traverser la maison en trombe pour ressortir par l'arrière. Il se rua dans les jardins, dépassa les écuries et s'enfonça dans les bois. Il étouffait d'indignation, mais son mécontentement ne suffisait pas à masquer le bruit des sanglots déchirants d'Emma Rawlins. Il croyait les entendre tout autour de lui – tombant des arbres et du ciel, surgissant du sol sous ses pieds.

En vain tentait-il de se convaincre qu'il était en droit d'être en colère contre Emma pour l'horrible scène qu'elle venait de lui infliger sous les yeux de Viola. Bien plus encore, il maudissait le sort qui lui donnait au moment le plus inattendu un fils, qui ne pourrait jamais être l'héritier dont il avait besoin. Mais, ce qui lui paraissait par-dessus tout inacceptable, c'était le fait qu'une maîtresse pût tomber amoureuse. Le thé, les roses, les mots doux, toutes ces choses innocentes... Comment une femme pouvait-elle s'imaginer que ces rétributions d'un service rendu pouvaient équivaloir à de l'amour?

La voix de Viola fit écho en lui.

— Oh, John! Êtes-vous donc incapable de le comprendre? Les femmes tombent tout naturellement amoureuses de vous.

Lorsqu'elle lui avait fait cette mise en garde, il avait pensé qu'elle se laissait aller au sentimentalisme envers une femme qu'elle aurait eu toutes les raisons de mépriser. L'idée qu'Emma Rawlins pût être tombée amoureuse de lui était tout à fait absurde. Et pourtant, ne venait-elle pas de le prouver en s'humiliant publiquement à ses pieds? Comme d'habitude, Viola s'était montrée tellement plus perspicace que lui...

N'ayant rien su de ce qui se passait, pouvait-il en être tenu pour responsable? Pas une seconde il ne s'était douté que cette femme entretenait à son égard des sentiments aussi passionnés. Quant à la possibilité qu'un enfant ait pu naître de leurs relations, elle ne lui avait jamais effleuré l'esprit. Il avait usé de toutes les protections nécessaires. Pouvait-il être sûr que cet enfant était bien le sien? Et de toute façon, le fait inacceptable qu'une maîtresse se laisse aller à tomber amoureuse ne valait-elle pas rupture de contrat?

Mais ses pathétiques tentatives de justification, au fur et à mesure qu'il les élaborait dans son esprit, l'emplissaient d'une sensation nauséeuse. Bientôt, la nausée fit place à un profond dégoût – dégoût de lui-même, de son cœur endurci, et de son indifférence aux sentiments d'autrui.

Il comprit alors que telle était réellement la cause de sa colère. La cause n'en était pas la pauvre Emma, qui était partie, enceinte, se réfugier en France pour y cacher sa honte, lui avait écrit toutes ces lettres désespérées qu'il n'avait jamais lues, s'était sans doute rongé les sangs de peur qu'il n'assume pas ses responsabilités.

John arrêta sa marche sans but et se laissa glisser le long d'un tronc d'arbre. Rien n'avait changé, constata-t-il avec désespoir. Malgré tous les efforts qu'il avait consentis ces dernières années pour se conduire en homme responsable, pour remplir son devoir envers sa famille et envers son nom, pour gérer son bien et celui de sa femme au mieux de leurs intérêts, il était demeuré dans sa vie privée un aussi piètre individu qu'il l'avait été aux pires années de sa jeunesse. Il lui fallait à présent se confronter à ce qu'il avait toute sa vie refusé d'appréhender. Il lui fallait reconnaître la faiblesse de son caractère...

Viola l'avait épousé parce qu'elle était tombée amoureuse de lui au premier regard. Elle lui avait fait confiance, et en retour il lui avait menti sans vergogne. Cela lui avait paru être sans conséquence, à l'époque. Il était presque parvenu à se convaincre que c'était, pour elle comme pour lui, la meilleure chose à faire.

— M'aimez-vous? lui avait-elle demandé, avec toute la candeur de ses dix-sept ans.

— Vous aimer? s'était-il récrié. Mais, très chère, je ne vous aime pas… je vous adore!

Il n'avait pas réalisé quelle terrible blessure il lui infligeait en faisant passer ce mensonge avec un rire insouciant et un fougueux baiser. Cela n'avait été pour lui que le moyen le plus simple d'arriver à ses fins, d'obtenir ce dont par-dessus tout il avait besoin. Son père, à sa place, ne se serait pas conduit autrement…

Pour la première fois de son existence, John comprenait la nature profonde de son être et de qui il la tenait. Un bourreau des cœurs, voilà ce qu'il avait toujours été… Il avait accepté avec insouciance que Viola lui offre son cœur, et avec plus d'insouciance encore il le lui avait brisé, sans même se rendre compte de ce qu'il faisait.

Peggy Darwin avait été une autre de ses victimes. Elle aussi était tombée amoureuse de lui. Un jour, en riant, elle avait eu le courage de le lui avouer, se rétractant bien vite, les yeux emplis de souffrance, lorsqu'il ne lui avait pas retourné ce tendre aveu. Mariée à un homme qui n'était pas amoureux d'elle, Peggy était affamée d'affection et de tendresse. C'était bien volontiers que John y avait pourvu, et sans le moindre regret qu'il l'avait quittée.

Quatre années s'étaient écoulées sans qu'ils se voient. Mais en ce jour où ils s'étaient croisés chez le drapier, quelques mois plus tôt, il était passé dans le regard de Peggy Darwin le même amour inconditionnel qu'il avait surpris dans ses yeux quand elle lui avait avoué qu'elle l'aimait. C'était ce même amour transmué en rage impuissante qu'il avait découvert dans les yeux d'Emma aujourd'hui. Ce même amour que Viola lui avait offert en l'épousant.

Ce fut l'idée que Viola devait à présent le haïr qui ramena John à l'instant présent. Sans doute à cette minute le méprisait-elle autant qu'il se méprisait lui-même. Mais, avant de songer à réparer ses torts envers elle, il lui fallait parer à des obligations plus pressantes. D'une manière qu'il n'aurait jamais imaginée, le destin lui avait donné un fils et il lui fallait remplir son devoir le concernant.

Cette fois-ci, se promit-il, il n'y aurait de sa part ni fuite ni faux-semblant.

Déterminé à faire ce qu'il savait être juste, John se releva et se rendit aux écuries où il ordonna à un laquais de seller un cheval. Quelques minutes plus tard, il partait au galop.

Les larmes de Viola avaient eu le temps de sécher quand Anthony la rejoignit dans les jardins. S'asseyant près d'elle, il resta un long moment à la regarder bercer dans ses bras l'enfant assoupi.

— Je pourrais tuer Hammond, dit-il enfin d'une voix dépourvue d'émotion. Mais tu ne me laisserais pas faire, n'est-ce pas?

— Non, répondit-elle en lui souriant. Mais je te remercie d'y avoir pensé. Très noble et fraternel de ta part...

— Si cela peut te réconforter, il a réellement rompu avec cette Emma Rawlins avant même le début de la saison. Je m'en suis assuré.

— Je le sais.

Viola marqua une pause et reprit, comme à regret:

— Je l'aime, tu sais. Je l'ai toujours aimé, même quand j'imaginais le haïr.

Sur le dossier du banc, Anthony passa un bras autour de ses épaules avant de proposer gentiment:

— Veux-tu que je t'emmène loin d'ici?

Cela faisait une heure que Viola réfléchissait à cette éventualité. Elle songea à son mari, cet homme charmant qui pouvait rendre la vie de tous les jours tellement agréable.

En vain tentait-elle de faire le lien avec celui qu'elle venait de voir rester de marbre devant une femme au cœur brisé effondrée à ses pieds. Pourtant, dans un soudain éclair de conscience, elle comprit ce qui se jouait pour lui lorsque John arborait cette implacable expression. Ce visage, c'était celui d'un homme qui voudrait bien faire mais ne sait comment s'y prendre et ne récolte jamais que des désastres.

Sa décision prise, Viola se leva.

— Non, Anthony... Je n'irai nulle part, car ma place est ici. J'aimerais en revanche que vous rentriez chez vous. Hammond et moi avons besoin d'être seuls pour traverser cette crise.

À son tour, il se leva et lui posa la main sur l'épaule.

— Tu en es sûre?

Viola baissa les yeux pour contempler le bébé endormi dans ses bras – le fils de son mari. La liaison qu'il avait eue avec Emma Rawlins avait pris fin avant qu'il ne revienne vers elle, et elle avait choisi de ne plus s'attarder sur ses erreurs passées. Ce qui avait été ne pouvait être changé. Seul l'avenir importait.

Elle connaissait suffisamment John pour savoir qu'il aurait à cœur de faire son devoir envers son fils, à présent qu'il en avait appris l'existence. Étant donné qu'elle l'avait abandonné derrière elle sans regret, il paraissait évident que sa mère ne voulait pas de lui. Le bébé resterait donc à Hammond Park, conclut Viola. Et elle aussi.

Avec un pincement au cœur, elle se rendit compte de ce que cela signifiait. Elle était mère sans avoir accouché, et comme toutes les mères elle avait une kyrielle de détails à régler pour assurer le confort et le bien-être de son fils. La nursery devait être nettoyée et réaménagée dans l'heure. Il lui fallait en donner l'ordre à Miller au plus tôt. Il faudrait également embaucher une nourrice, puisqu'elle ne pouvait allaiter.

Viola resserra l'emprise de ses bras sur le nourrisson. En se penchant pour l'embrasser sur la joue, elle lui fit une promesse silencieuse. Puisque la femme qui lui avait donné le jour ne voulait pas de lui, elle serait celle qui l'aimerait, comme tout enfant doit l'être pour bien démarrer dans la vie. Pour lui, elle serait la meilleure mère possible.

Enfin, elle releva la tête pour répondre à Anthony, d'une voix parfaitement calme et assurée.

— Oui, j'en suis sûre.

20

Comme il se l'était figuré, Emma s'était arrêtée à l'auberge du village, le Wild Boar. Après avoir confié sa carte à la femme de l'aubergiste pour qu'elle la lui fasse porter, il attendit au salon. Dix minutes plus tard, elle fit son entrée dans la pièce, refermant soigneusement la porte derrière elle et s'adossant au vantail.

— Cet enfant est le vôtre, lança-t-elle sans préambule. Avez-vous la prétention de le nier?

Le visage d'Emma était pâle, encore gonflé par les larmes. Son ressentiment à son égard était palpable, sa souffrance manifeste.

— Non, répondit-il en faisant un pas vers elle. Je vous crois.

Il baissa les yeux sur le chapeau qu'il retournait entre ses mains, prit une profonde inspiration et se força à la fixer droit dans les yeux.

— Je suis désolé, assura-t-il simplement. Je suis affreusement désolé…

Traversant la pièce, elle alla s'asseoir sur un divan installé sous une fenêtre. John l'y rejoignit.

— Pensez-vous qu'il suffit d'être désolé pour régler le problème? demanda-t-elle, le regard fixé sur ses mains qui se tordaient dans son giron.

— Non, admit John en posant son chapeau entre eux. Mais je me suis laissé dire dernièrement que bien qu'étant doué pour dire des bêtises, je suis moins loquace dès qu'il s'agit de ce qui importe vraiment. Je crois que des excuses s'imposent, Emma. Je vous les dois, ainsi que tant d'autres choses encore…

John vit une larme tomber sur la main de son ex-maîtresse. Luttant contre l'impulsion de se lever et de s'enfuir, il sortit un mouchoir de sa poche et le lui tendit.

— Je vous demande de me croire, reprit-il. Je n'étais pas au courant, pour le bébé.

D'un geste sec, Emma s'empara du mouchoir.

— Si vous aviez lu mes lettres, vous l'auriez été.

— J'ai lu les trois premières. Pourquoi ne pas me l'avoir annoncé tout de suite?

Emma essuya ses larmes puis roula le mouchoir en boule entre ses doigts. Sans le regarder, elle marmonna:

— Au début, je ne voulais pas y croire moi-même. J'ai tant voulu me persuader que ce n'était pas vrai… Comme c'était stupide de nier l'évidence!

— Je comprends, murmura John.

Et ce n'était pas un vain mot. Il comprenait vraiment.

— Lorsque nous nous sommes vus au bal de lady Kettering, reprit-elle, j'avais fini par accepter la vérité et je voulais vous voir en privé pour vous en faire part. Hélas, vous étiez avec votre femme, et vous n'avez même pas daigné lever les yeux vers moi…

Ces derniers mots avaient été prononcés sur un ton assassin qu'il préféra ignorer.

— Poursuivez… l'encouragea-t-il.

— Alors je suis allée vous voir chez vous, à Bloomsbury Square, mais vous n'y étiez pas. Du moins est-ce ce que votre majordome a prétendu…

— Je vous assure que je n'ai rien su de votre visite. Sans doute devais-je être réellement absent lorsque vous êtes passée.

Hochant tristement la tête, Emma redressa les épaules et poursuivit:

— Quand mon état a commencé à se voir, il m'a fallu quitter la ville. Je ne pouvais supporter l'idée d'être l'objet de ragots. J'ai pris ce qui me restait de l'argent que vous m'aviez donné et je me suis réfugiée en France, chez une cousine, à Calais. C'est de là que je vous ai écrit toutes ces lettres pour vous prévenir.

— Lorsque vous avez constaté que je ne vous répondais pas, pourquoi n'avoir pas envoyé un émissaire?

— Qui aurais-je bien pu vous envoyer? protesta-t-elle, ses yeux verts agrandis par la détresse. À l'exception de ma cousine, elle-même veuve, ma famille m'a répudiée quand j'ai épousé Rawlins. Erreur fatale… Il n'était qu'un voyou qui ne m'a rien laissé en mourant.

Emma se remit à pleurer dans le mouchoir. En l'écoutant, John avait enfin pris conscience que c'était ainsi que certaines femmes se résignaient à devenir les maîtresses d'hommes riches: poussées par la nécessité bien plus que par choix personnel. Il était bien placé pour savoir à quelles extrémités peut conduire le désespoir.

Au temps de leur liaison, pas une seule fois il n'avait cherché à en apprendre plus sur sa maîtresse, sur sa vie, ses antécédents ou l'état de ses finances. Les motivations qui l'avaient conduit à rechercher sa présence avaient été uniquement égoïstes, et la honte qu'il éprouvait le poursuivrait sans doute toute sa vie.

— Quel est le nom de mon fils, Emma?

— James.

Réalisant que leur enfant allait porter le même nom que son grand-père paternel, John faillit se mettre à rire. Quelle ironie!

— Que comptez-vous faire au sujet de cet enfant?

— Je ne peux pas le garder! s'écria-t-elle, au désespoir. Cela m'est impossible. C'est un bâtard. Les gens ne sont pas tendres. Ils diront des choses terribles sur son compte et sur le mien. Je ne pourrai pas le supporter.

Baissant les yeux, elle ajouta dans un souffle:

— J'ai bien peur de ne pas être très douée pour être une maîtresse…

— Vous n'êtes pas assez dure pour cela, assura-t-il avec gentillesse. J'aurais dû m'en rendre compte. Quels sont vos projets?

— Je pars pour les Amériques. Je voudrais y refaire ma vie et je ne peux prendre le bébé avec moi. La malle-poste part dans quelques heures et je dois la prendre. Le prochain bateau pour New York quitte Liverpool dans deux jours. J'ai déjà réservé mon passage…

Avec un reniflement, elle conclut d'un air gêné:

— Je sais. C'est terriblement égoïste de ma part…

— Non, cela ne l'est pas. C'est au contraire tout à fait compréhensible.

Avant de poursuivre, John inspira profondément et prit le temps de choisir ses mots avec soin.

— Si vous ne pouvez garder cet enfant et l'élever, alors j'aimerais le faire.

— Comment! s'exclama-t-elle en redressant vivement la tête. Vous voulez l'élever dans votre propre maison? Un bâtard?

— Oui.

Les yeux d'Emma s'emplirent à nouveau de larmes et elle détourna le visage, pressant le mouchoir roulé en boule sous son nez. John savait que son souhait le plus cher aurait été qu'il ne fût pas marié, afin qu'ils puissent élever cet enfant – leur enfant – tous les deux.

Au bout d'un moment, elle reprit la parole d'une voix hésitante.

— Qu'avons-nous… à faire? Je suppose qu'il y a des papiers à signer, des démarches à accomplir. Je n'ai pas beaucoup de temps…

— Mon homme de loi est installé un peu plus loin dans High Street. Allons-y et faisons le nécessaire tout de suite. Ne vous inquiétez pas… Vous aurez largement le temps de monter sur ce bateau.

— Oui, allons-y! approuva-t-elle en se dressant sur ses jambes, manifestement soulagée. Allons-y tout de suite.

Une heure plus tard, les documents officiels qui faisaient de James son fils se trouvaient dans la poche de John. Sans la moindre difficulté, Emma avait renoncé à tous ses droits sur l'enfant, acceptant une compensation financière en échange. L'homme de loi avait haussé un sourcil lorsque John avait mentionné la somme, mais il savait quant à lui que rien, jamais, ne suffirait à réparer ses torts.

Après avoir quitté l'étude du notaire, ils allèrent attendre ensemble l'arrivée de la malle-poste.

— Emma? fit John alors qu'elle s'apprêtait à monter dans le véhicule.

Debout sur le marchepied, elle tourna la tête vers lui.

— Si jamais vous avez besoin de quoi que ce soit, de l'argent, des conseils, une recommandation, n'hésitez pas à m'écrire.

Une ébauche de sourire passa sur ses lèvres avant qu'il ne conclue:

— Cette fois, je vous promets de lire la lettre.

Les yeux embués, Emma s'empressa de se retourner pour prendre place sur la banquette. Avant que l'attelage ne s'ébroue, par la vitre ouverte de la portière, elle eut le temps de lui lancer:

— Ne lui dites rien à mon sujet, John. Jamais!

— Adieu, Emma.

Un long moment, John demeura immobile au bord de la chaussée, à regarder la malle-poste s'éloigner dans un nuage de poussière. Il savait qu'en dépit du souhait exprimé par Emma, il aurait un jour à parler à leur fils de sa mère. L'enfant se poserait des questions, et il avait le droit de savoir qu'une femme douce, dont le seul tort avait été de tomber amoureuse de l'homme qu'il ne fallait pas, lui avait donné le jour.

Tournant les talons, il se mit en route pour récupérer son cheval. Arrivé au niveau de l'auberge, il s'apprêtait à la contourner pour gagner l'écurie lorsqu'un riche attelage garé de l'autre côté de la chaussée attira son attention. Chargée de malles, la voiture stationnait devant le Wild Boar et arborait sur ses portières le blason du duc de Tremore.

Sous l'effet de la surprise et de la colère, John sentit le sang lui monter à la tête. Une fois encore, Viola le quittait et retournait panser ses plaies chez son frère. Mais, cette fois, son cœur autant que son esprit refusaient de se plier à la décision de sa femme. D'un pas décidé, il se mit en marche vers le Wild Boar.

Avant de reprendre la route pour Londres, les Tremore et les Moore avaient souhaité s'arrêter à l'auberge prendre leur déjeuner. Peu pressée de leur faire ses adieux, Viola avait choisi de les accompagner.

Laissant Dylan et Anthony aller passer commande et se renseigner par la même occasion sur l'état des routes, les trois femmes s'étaient installées à la seule table encore libre au milieu de la grande salle.

— Comment fait-on pour trouver une nourrice? s'enquit Viola. Je n'en ai pas la moindre idée.

— Demande au docteur, conseilla Daphné. Lui le saura.

— Excellente idée! Aussitôt que vous serez partis, j'irai rendre au Dr Morrison une petite visite.

— Es-tu certaine de ton choix, Viola? s'inquiéta Grace. Ta décision va faire jaser dans le pays. Les ragots les plus perfides vont se déchaîner contre toi. Assumer l'éducation d'un enfant illégitime n'est pas une sinécure.

— Pourtant, tu t'en es bien tirée…

Viola faisait référence à Isabel, la fille de Dylan, âgée de huit ans, dont la mère avait été une courtisane.

— Certes. Mais Isabel était plus âgée, et Dylan et moi n'étions pas mariés à l'époque. De plus, aussi génial et réputé puisse-t-il être, mon mari ne fait pas partie de la noblesse. Ta situation est bien différente. Aucune lady ne prendrait le risque de prendre chez elle le bâtard de son mari pour en faire son fils. Et si John n'était pas d'accord?

— John voudra garder l'enfant.

Viola en était absolument certaine, même si elle n'aurait su dire pourquoi. Peut-être parce qu'elle se rappelait l'expression de ravissement qui était passée sur son visage lorsqu'il avait tenu dans ses bras le petit Nicholas.

Dylan et Anthony les rejoignirent à cet instant.

— Je suis du même avis que Viola, approuva Dylan en posant sur la table sa pinte de bière. Hammond voudra garder l'enfant. Il ne jure que par les bébés à présent.

Anthony fit entendre un grognement qui exprimait son scepticisme.

— Quant à savoir s'il sera un bon père, dit-il, c'est une autre histoire.

— Une seule chose importe vraiment, intervint Daphné en se tournant vers sa belle-sœur. Viola... Hammond est-il amoureux de toi, oui ou non?

Viola lui adressa un sourire tremblant.

— Honnêtement, je ne le sais pas...

À ce moment, la porte du Wild Boar s'ouvrit à la volée et l'objet de leur discussion fit une entrée remarquée dans la pièce. John ne jeta qu'un regard à la foule avant de se diriger vers eux. D'un grand geste, il ôta son chapeau et vint se camper devant sa femme, ignorant délibérément tous les autres. Et quand il lui adressa la parole, un seul mot sortit de ses lèvres.

— Non!

— Je vous demande pardon? murmura Viola en battant des paupières. «Non» quoi? Êtes-vous en train de parler du bébé?

— Non, vous ne me quitterez pas! Je ne vous le permets pas!

Viola entrouvrit les lèvres tandis que progressivement ses paroles faisaient sens en elle.

— John... commença-t-elle.

— Je ne tolérerai aucune discussion à ce sujet, Viola!

D'un grand geste du bras, il engloba la tablée et poursuivit:

— Ils peuvent tous rentrer chez eux, mais vous, vous n'irez nulle part sans moi.

À présent amusée par la cocasserie de la situation, la jeune femme sourit et fit une nouvelle tentative.

— Je n'ai...

— Quant à James, je vous annonce que nous le gardons.

— James?

— Le bébé! expliqua-t-il d'un air agacé. J'ai décidé de le garder avec nous, à Hammond Park, où nous l'élèverons comme notre fils. Vous et moi. Ensemble. Voyez-vous, j'ai longuement réfléchi à la situation et c'est la seule chose à faire. Je sais que je n'ai aucun droit d'exiger cela de vous, je sais aussi que cela ne va pas être facile, mais nous devons le faire. Cet enfant est à présent sous ma responsabilité, et c'est à moi de veiller à son éducation.

— Oui, bien sûr, mais…

— Quant à Emma, elle est en route pour les Amériques. Elle ne veut pas de ce bébé, alors que moi j'en veux! Vous allez devoir m'aider à l'élever. Cet enfant a besoin d'une mère, cette mère ne peut être que ma femme, et ma femme c'est vous! Raison de plus pour ne pas me quitter.

Un muscle se crispa sur sa mâchoire, et ce fut avec une énergie nouvelle, les yeux flamboyants de colère, qu'il poursuivit sa plaidoirie.

— Nous en avons fini de nous fuir l'un l'autre, Viola! C'est là notre problème, depuis trop longtemps. Nous n'avons pas arrêté, au cours de ces dix années, de chercher à nous éviter. Moi plus que vous – je dois l'admettre – mais cela ne risque plus de se reproduire. Je vous l'ai promis. Vous vous rappelez? Je vous ai juré que je ne vous tournerai plus le dos à la première difficulté, et je tiendrai parole. Tout comme je ne vous laisserai pas me tourner le dos non plus!

Viola effectua une dernière tentative.

— John, je n'ai pas…

— Bon sang! fulmina-t-il en jetant rageusement son chapeau sur le sol. J'essaie de vous parler, femme! Voudriez-vous bien cesser de m'interrompre pour que je puisse le faire?

Renonçant à intervenir, elle croisa les bras et le regarda s'énerver de plus belle.

— Grands dieux, Viola! Parfois vous me rendez fou… Depuis le temps que vous souhaitez que je vous parle, vous pourriez au moins…

John conclut sa phrase par un grognement de frustration et se tut quelques secondes, durant lesquelles il la fixa avec une étrange intensité.

— Aucune femme ne me fait autant d'effet que vous... reprit-il enfin d'une voix plus calme. Et le pire, c'est que je ne sais même pas pourquoi.

Viola réprima le sourire qui lui montait aux lèvres. Un sourire aurait eu pour effet de ruiner tous les efforts de John, alors que ses propos commençaient à devenir intéressants.

— Je ne sais pas pourquoi vous me faites cet effet-là, mais personne d'autre que vous ne peut d'un seul regard réprobateur me réduire à l'état de loque. De même, vous êtes la seule à faire s'ouvrir les cieux devant moi rien qu'en me souriant... Dieu sait que j'ai connu beaucoup de femmes dans ma vie, mais une seule est parvenue à me faire sentir que j'avais un cœur au creux de la poitrine et non un trou béant. Cette femme, c'est vous.

Toute envie de sourire avait déserté Viola. De toute évidence, John était d'une sincérité absolue. Il n'y avait plus rien de drôle ni de décalé dans ses propos. Il venait de lui offrir le compliment le plus touchant qu'elle eût jamais entendu.

Après avoir repris son souffle, il continua sur sa lancée:

— J'aime vos yeux couleur de limon anglais et vos cheveux dorés comme le soleil. Chaque matin, je remercie Dieu d'avoir inventé la confiture de mûres. J'aime cette petite fossette, au coin de votre bouche, et j'aime la voir se creuser quand vous riez. J'aime me disputer avec vous, à cause de nos réconciliations. Lorsque j'ai improvisé ce poème sur vous dans la barque, j'en pensais profondément chaque mot. Nulle autre que vous ne m'est plus chère, ni ne le sera jamais. Pour chaque instant qu'il me reste à vivre, vous êtes la seule pour moi.

Il prit le temps de ramasser son chapeau à ses pieds et de l'épousseter du plat de la main avant de poursuivre, plus ombrageux et séduisant que jamais:

— Quant à ma poésie, sachez que nulle autre que vous n'a jamais eu l'honneur de l'entendre. Et je suis peut-être l'homme le plus stupide sur terre…

— Vous voyez, intervint Anthony d'une voix grinçante, je ne m'étais pas trompé à son sujet.

Sans se laisser troubler, John choisit de l'ignorer.

— … et il m'a peut-être fallu neuf ans pour y voir clair, mais aujourd'hui je peux vous affirmer que je sais ce qu'est l'amour. Je le sais parce que vous me l'avez appris. Je vous aime, Viola. Je ne vous mérite pas, je ne vous ai jamais méritée, mais le fait est que je vous aime. Plus que tout au monde. Plus que ma vie même…

Sur ces dernières paroles prononcées avec ferveur, John se tut. Viola attendit un moment, toussota dans son poing fermé, et demanda d'une petite voix émue :

— En avez-vous terminé ?

John lança un long regard panoramique sur la salle. Viola comprit alors qu'il enregistrait seulement la présence de tous les clients de l'auberge qui, depuis le début de sa surprenante déclaration, n'avaient d'yeux que pour lui.

Le plus dignement possible, il redressa les épaules, pointa le menton et rajusta sa cravate.

— Oui.

Raide comme la justice, il tourna les talons et regagna la porte, au seuil de laquelle il s'arrêta pour se retourner vers elle.

— Je rentre à Hammond Park… lança-t-il avec dans la voix une nuance de défi. *Notre* maison. J'y attendrai le retour de *ma* femme dans *notre* foyer, où se trouvent sa place et son devoir.

Sur ce, il ouvrit la porte et la claqua derrière lui, aussi violemment qu'il l'avait ouverte quelques minutes plus tôt.

Après son départ, l'assistance demeura aussi silencieuse qu'une assemblée de moines. Ce fut Dylan qui, le premier, récupéra suffisamment ses esprits pour lancer d'une voix railleuse :

— Ma chère Viola, je ne pense pas qu'il soit utile de nous pencher plus longuement sur le sujet. Il me paraît clair que votre mari est follement amoureux de vous, car il vient de se conduire en parfait idiot devant tous ses voisins rien que pour vos beaux yeux…

La nursery était l'un des rares endroits de Hammond Park où John n'allait jamais. Cet après-midi-là, en rentrant chez lui, il s'y rendit tout droit. À son arrivée dans la pièce, une des femmes de chambre, Hill, s'y trouvait déjà, assise sur une chaise à côté du berceau. Sans doute, songea-t-il, devait-il s'agir du même berceau dans lequel il avait dormi autrefois. Un chaud soleil d'été pénétrait dans la pièce, baignant les murs couleur ivoire d'une belle lumière dorée.

Le voyant approcher, Hill se dressa sur ses jambes et lui fit une révérence. S'approchant, John baissa les yeux sur le berceau. Le bébé y était endormi dans ses langes blancs rudimentaires, un bonnet de lin sur le crâne. Des touffes de cheveux sombres en émergeaient, mais ce qui retint tout de suite l'attention de John, ce furent ses cils recourbés, d'une longueur extravagante.

Il l'observa ainsi une minute avant d'oser tendre la main pour caresser sa joue du bout du doigt.

— Il est si petit… murmura-t-il en la retirant bien vite.

— Il grandira, milord… répondit Hill en souriant. À mon avis, il n'a pas plus d'un mois. Encore beaucoup de croissance à faire…

Sans doute réveillé par le bruit de leurs voix, le bébé ouvrit les yeux – des yeux d'un beau marron doré, de l'exacte nuance du brandy, comme les siens.

— Hello, James! lança John en lui souriant timidement.

Mal à l'aise, il se retourna vers Hill :

— J'aimerais bien le prendre dans mes bras, mais il a l'air si fragile…

— Aucun bébé n'est si fragile que cela… fit valoir la jeune fille, s'amusant de la proverbiale balourdise des hommes en matière d'enfants. Un bébé est toujours prêt à être câliné. Avec un nourrisson de cet âge, il y a juste quelques précautions à prendre. L'important est de bien lui soutenir la tête.

John ôta résolument son manteau, le déposant sur le dossier de la chaise.

— Montrez-moi!

Avec attention, il regarda comment la servante s'y prenait pour sortir James de son berceau, notant la position exacte de ses mains – une sous les fesses, l'autre sous le crâne. En douceur, elle lui plaça l'enfant au creux des bras. Il s'appliqua à l'imiter scrupuleusement, puis se laissa tout doucement glisser sur la chaise, sans quitter son fils des yeux.

— Est-ce que je m'y prends bien? chuchota-t-il d'un air inquiet.

— On dirait que vous avez tenu des bébés dans vos bras toute votre vie, milord.

Ce commentaire rappela à John celui de Beckham, la nourrice du fils de Daphné, lorsqu'il avait consolé celui-ci de la perte de son nounours. Il espérait qu'elles avaient raison, car il était bien décidé à devenir le meilleur père de toute l'Angleterre. Ce qui ne l'empêchait pas d'avoir l'impression d'être pour l'heure le plus incompétent…

Avec un petit soupir de contentement, James ferma les yeux et se laissa de nouveau aller au sommeil.

Hill soupira également et murmura d'une voix rêveuse:

— On dirait qu'il vous a reconnu…

Prise de remords, elle se mordit la lèvre et ajouta bien vite:

— Si vous n'y trouvez rien à redire, milord.

John n'y trouvait rien à redire.

Hill toussa discrètement dans son poing.

— Je dois aller faire un peu de lessive pour lui. À son réveil, il aura besoin d'être changé. Voulez-vous me le rendre, que je puisse le prendre avec moi dans son couffin?

Fasciné par son fils, John secoua négativement la tête sans le quitter des yeux.

— Allez faire votre lessive, Hill. Je reste là pour m'occuper de lui.

— Vous n'y pensez pas! protesta-t-elle, horrifiée. Je ne peux pas vous laisser seul avec lui. Et s'il se mettait à crier et à s'agiter? Les hommes détestent cela.

— Moi, ça ne me fait rien.

John se força à lever les yeux vers elle et lança gaiement:

— Hill… quittez cet air inquiet de votre joli visage et allez faire votre lessive.

Pour faire bonne mesure, il lui adressa un clin d'œil assorti d'un sourire enjôleur, ce qui la fit rire nerveusement. John songea qu'en dépit de ses bonnes résolutions, il demeurait le séducteur invétéré qu'il avait toujours été. Sans doute, conclut-il, était-ce en lui une seconde nature. Eh bien tant pis, il s'en accommoderait…

Après avoir fait sa révérence, la jeune fille sortit de la pièce, le laissant seul avec son fils.

De nouveau, John effleura sa joue, émerveillé de sentir sous son doigt la peau la plus douce et tiède qu'il eût jamais touchée.

— Je t'achèterai un domaine… dit-il tout haut. Et un stock d'actions de chemin de fer.

James s'agita entre ses bras et poussa un gémissement dans son sommeil.

— Qu'est-ce que tu as contre le chemin de fer? s'étonna John, un ton plus bas. C'est le moyen de transport de l'avenir! Attends d'avoir grandi quelques années et tu m'en diras des nouvelles… Avec un beau domaine et des investissements avisés, tu seras devenu un homme riche à ta sortie de Cambridge.

Le petit poing serré de son fils s'abattit contre sa poitrine sans qu'il se réveille.

— Cambridge! répéta fermement John. Il est hors de question que tu ailles à Oxford.

Les paupières du bébé, surpris par la fermeté de son ton, battirent quelques instants. Sa petite bouche aux lèvres ourlées s'ouvrit pour un long bâillement.

— Déjà ennuyé par l'école, mon fils? reprit John en riant doucement. Tu n'auras aucune idée de ce qu'est l'ennui tant qu'ils n'auront pas essayé de t'enfoncer un peu de latin dans le crâne...

Sur le front du bébé, il prit le temps de lisser les mèches brunes qui dépassaient du bonnet avant de reprendre d'un ton attristé:

— Ils se montreront cruels avec toi, James. Pas moyen d'y échapper... Ils te traiteront de bâtard, et j'en suis désolé pour toi. Mais je t'apprendrai à garder la tête haute et à te conduire comme si tu n'en avais cure. Car, vois-tu, c'est ainsi qu'un homme doit faire face à l'adversité.

James tourna la tête sur le côté, plongeant le nez dans le jabot de la chemise de son père. Dans son sommeil, il s'agrippa à la dentelle. Les yeux baissés, John admira l'absolue perfection des doigts potelés de son fils. Un torrent d'amour déferla en lui.

— Je prendrai soin de toi! promit-il dans un murmure farouche. Tu n'auras à t'inquiéter de rien. Je veillerai à ce que tu aies les moyens de conduire ta vie comme il te plaît, afin que jamais tu ne connaisses le besoin et le désespoir. Et je serai là pour te botter les fesses si jamais tu t'avises de dilapider stupidement ton bien. Pas de dettes! Pas de jeu! Pour ce qui est des femmes...

Songeur, John y réfléchit un moment puis soupira, se rendant à la conclusion inévitable.

— Je sais que la partie est perdue d'avance si je me risque à te raisonner sur ce point.

Après avoir déposé un baiser sur la joue de son fils, il soupira de nouveau.

— Nous n'en dirons rien à Viola. Elle pourrait se fâcher.

Si jamais elle revient... Le doute s'insinua en lui, aussi glaçant qu'un courant d'air dans une pièce surchauffée. Et si Viola ne rentrait pas, que pourrait-il bien faire?

Un terrible sentiment d'impuissance s'abattit sur lui, le même que celui qu'il avait ressenti au Wild Boar lorsqu'il avait tenté de convaincre sa femme de lui revenir. Il ne se rappelait pas un traître mot de ce qu'il avait pu lui dire, mais il avait la certitude que cela n'avait été ni très brillant, ni très drôle, et encore moins intelligent ou poétique… Viola était restée là sans réagir, à le contempler avec des yeux ronds, comme s'il avait perdu l'esprit.

Le cœur lourd, John arriva à la conclusion qu'il ne pouvait rien faire de plus pour la convaincre de lui redonner une chance. Rien de ce qu'il pourrait faire, rien de ce qu'il pourrait dire ne serait de nature à effacer ses torts passés. Rien. Elle ne lui reviendrait pas, et tout bien pesé, il n'avait que ce qu'il méritait.

Mais les hommes désespérés se résignent souvent aux actes désespérés. N'était-il pas mieux placé que tout autre pour le savoir? Au plus profond de son désespoir, John ferma les paupières et se mit à prier, serrant très fort son fils contre lui.

— Mon Dieu, faites qu'elle rentre… Je Vous en supplie, faites que Viola me revienne…

Cachée dans le renfoncement de la porte entrouverte, Viola, qui n'avait rien manqué de cette surprenante prière, pressa son poing contre sa bouche pour ne pas crier de joie. Dieu, qu'elle aimait cet homme! Aujourd'hui comme hier – et pour toujours, elle en était sûre à présent.

Repoussant doucement le battant, elle pénétra dans la nursery et découvrit son mari assis près du berceau. En le voyant serrer contre lui son fils endormi, son cœur se mit à vibrer d'une telle joie qu'elle en perdit le souffle. Toute sa vie, elle avait nourri le rêve de mériter un jour l'amour honnête et sincère d'un homme bon. Ce n'était plus un rêve désormais. C'était la vie, sa vie, même si elle ne ressemblait pas à ce qu'elle avait imaginé. Cela n'avait pas été facile, cela n'avait pas été le paradis, il lui avait fallu apprendre à souffrir et à retenir ses larmes, et chaque jour avait été une épreuve à traverser. Pourtant, rien n'était à ses yeux plus réel et précieux que cette vie qui était sienne, auprès de cet homme en qui elle pouvait dorénavant avoir toute confiance.

Depuis le seuil, elle fit un peu de bruit pour attirer l'attention de John sans réveiller le bébé. Il ouvrit aussitôt les paupières et, lorsqu'il la vit, il ne lui sourit pas, ne fit pas un geste, mais se contenta de la fixer avec une intensité qui la rendit presque timide.

Parce qu'il lui fallait bien se résoudre à faire le premier pas et à briser l'enchantement de cet instant magique, Viola s'avança.

— Je suis venue faire la paix, lui annonça-t-elle.

— Vraiment?

Hochant la tête, elle décida de ne pas lui révéler qu'elle n'avait jamais eu l'intention de le quitter. Un jour, peut-être, lorsqu'ils seraient très vieux tous les deux, elle le lui dirait. Ou peut-être pas...

— Votre petit discours m'a convaincue... C'était la chose la plus incohérente, la plus touchante et la plus magnifique que j'aie jamais entendue.

Près de lui, elle s'accroupit et posa la main sur son genou avant de conclure négligemment :

— Au fait... Est-il besoin de le préciser? Je vous aime, moi aussi.

John renversa la tête en arrière et lança vers le plafond un rire libérateur.

— Je me demande bien pourquoi... plaisanta-t-il.

Viola soutint le regard complice de son mari. Tendant la main vers lui, elle remit en place les mèches folles qui avaient glissé sur son front et lui sourit.

— Parce que vous seul pouvez autant m'agacer et me charmer...

Épilogue

Effectuant un demi-tour serré à l'extrémité de la longue galerie de Hammond Park, John revint vers les escaliers en rongeant nerveusement l'ongle de son pouce.

— Bon sang, Tremore! s'exclama-t-il. Laissez-moi y aller.

Anthony lui versa un verre de porto.

— Les hommes ne sont pas admis dans ces moments-là, expliqua-t-il d'une voix tranquille, au moins pour la vingtième fois.

— Stupide! s'emporta John. D'autant plus que nous sommes les premiers responsables de cette situation.

Passant une main dans ses cheveux, il lança un regard inquiet en direction du premier étage et retourna à sa déambulation de fauve en cage. Il haïssait cette attente interminable qui le plongeait dans l'angoisse.

Imperturbable, son beau-frère le rejoignit et lui tendit le verre de porto.

— Buvez. Ça vous fera du bien.

— Mais je ne veux pas boire! protesta-t-il. Comment faites-vous pour rester aussi calme?

Anthony soupira et alla reposer le verre sur une console que surplombait le portrait en pied du dixième vicomte Hammond, le grand-père de John.

— Je sais ce que vous ressentez, assura-t-il. Croyez-moi, je ne suis pas calme. Je fais semblant de l'être.

Un long cri de douleur leur parvint du premier, aussitôt suivi par le bruit d'une porte qui claque.

— C'en est assez! s'écria John en s'élançant vers les escaliers. Cette fois j'y vais…

Anthony parvint à lui barrer le chemin.

— Vous ne pouvez pas.

John n'eut d'autre choix que de se remettre à aller et venir le long de la galerie.

— Cela fait déjà plus de la moitié de la nuit qu'elle est en travail! Combien de temps cela va-t-il encore durer?

— Une éternité, répondit lugubrement Anthony.

Des bruits de pas précipités se firent entendre au-dessus de leurs têtes, mais une autre heure s'écoula sans que leur parvienne la nouvelle tant attendue. L'inquiétude de John montait d'un cran chaque fois qu'il effectuait un demi-tour au bout de la galerie, et il perdit définitivement patience lorsqu'un autre long cri poussé par sa femme retentit dans le silence de la vieille demeure où tout semblait s'être arrêté.

— Je monte! décréta-t-il en se ruant vers la première marche. Viola a besoin de moi.

Cette fois, Anthony ne put rien pour le retenir. Sur le palier, il vit Daphné venir à sa rencontre.

Aucun moment dans la vie de John n'avait jamais ressemblé à celui qu'il était en train de vivre. Les yeux rivés à ceux de sa belle-sœur, il se figea et demanda d'une voix blanche:

— Viola?

— Elle va bien. Je suis descendue vous le dire parce que je me doutais que vous étiez inquiet.

— Inquiet?

C'était un tel euphémisme que John faillit lui rire au nez. Posant la main sur son avant-bras, Daphné tenta de l'entraîner vers le rez-de-chaussée, mais il résista.

— John… dit-elle sans se départir de son calme ni de son assurance. Vous ne pouvez rien faire pour elle. Vous ne feriez que la gêner et rendre les choses plus difficiles.

Vaincu, il hocha la tête d'un air défait et redescendit avec elle.

— Il faut être patient pour ce genre d'épreuve, expliqua Daphné. À la naissance de Nicholas, je suis restée deux jours en travail…

— Seigneur!

Deux jours de ce supplice, songea-t-il anéanti, et il serait bon pour l'asile...

— Ne vous en faites pas, le tranquillisa-t-elle en lui tapotant gentiment l'avant-bras. Je gage que ce sera bien moins long pour elle. Cela n'en a peut-être pas l'air, mais la naissance de votre enfant s'annonce sous les meilleurs auspices.

Hochant longuement la tête pour mieux s'en convaincre, John la laissa remonter à l'étage et rejoignit Anthony. Il leur fallut attendre une heure encore avant de voir revenir Daphné. Las de déambuler sans fin, John s'était adossé au mur.

— À présent, vous pouvez monter, dit-elle.

— Est-ce qu'elle va bien? cria-t-il en contournant sa belle-sœur pour gravir les marches quatre à quatre.

— Aussi bien que possible.

Il lui fallait au plus vite le vérifier par lui-même. Dans la chambre, il ne perdit pas de temps à saluer le Dr Morrison qui s'essuyait soigneusement les mains. Il se rendit tout de suite au pied du lit et sentit son cœur battre follement dans sa poitrine. Le visage blême, les cheveux en broussaille, la jeune femme avait l'air si fatiguée...

— Viola...

D'un bond, il fut à son chevet, et ce fut alors seulement qu'il remarqua dans ses bras un bébé en pleurs, petite chose au visage rouge pourvue d'un nez adorablement minuscule.

— Viola... répéta-t-il, incapable d'exprimer autrement ce qu'il ressentait.

L'esquisse d'un sourire apparut sur ses lèvres, et ce fut d'une voix rauque et lasse qu'elle plaisanta :

— Qu'est devenu l'homme à la langue bien pendue que j'ai épousé?

Réduit au silence, John secoua piteusement la tête et éleva la main de Viola jusqu'à ses lèvres pour l'embrasser. Que diable un homme était-il censé dire dans un moment pareil? Il n'y avait pas de mots pour exprimer ce qu'il ressentait.

— John… dit-elle tandis qu'il se penchait pour lui embrasser fiévreusement la joue, le front, les cheveux. Je vais bien. Et le bébé va bien lui aussi.

— Certaine?

Elle acquiesça et dut se mordre la lèvre, saisie par l'émotion, avant de préciser:

— Nous avons une fille.

— Une fille?

John s'agenouilla sur le tapis et examina le bébé de plus près. Viola ouvrit son corsage et déposa l'enfant contre son sein gonflé de lait. Émerveillé, il vit leur fille à peine née se mettre à téter. Penché sur elle, il ne perdit pas une miette du touchant tableau, enregistrant chaque détail révélé par la lumière chiche de la lampe de chevet. Mais ce qui le mit en joie plus que tout, ce fut la petite fossette qu'il découvrit bientôt au coin de sa bouche.

Une joie intense balaya en lui toute trace d'inquiétude.

— Elle est merveilleuse! s'exclama-t-il, la gorge nouée. Grands dieux, qu'elle est belle… Elle ressemble tellement à sa mère!

— Oh, John! Arrêtez… protesta Viola, retrouvant d'un coup quelque couleur.

— Je vous assure qu'elle vous ressemble.

Se tournant vers Daphné qui les avait rejoints dans la pièce, il la prit à témoin.

— N'est-ce pas, qu'elle ressemble à sa mère?

— Je crois que vous avez raison, admit-elle en souriant.

— Évidemment que j'ai raison! Regardez…

Avec un luxe de précautions, il caressa le duvet blond à peine visible qui sur la tête de leur fille faisait office de chevelure.

— Elle a vos cheveux! lança-t-il à sa femme. Et cette petite fossette au coin des lèvres, de qui la tient-elle sinon de vous? Je parierais que ses yeux sont de la couleur d'un beau limon anglais…

Cela fit rire Viola, qui précisa:

— Nous n'en saurons rien avant longtemps. Tous les bébés ont les yeux bleus à la naissance. Il nous faudra être patients.

John n'était plus pressé et pouvait bien attendre. Il avait un beau bébé, une femme magnifique au cœur assez grand pour l'aimer tel qu'il était, et il avait un fils en pleine santé, endormi à l'étage supérieur, dans la nursery. Tout compte fait, il avait eu la chance d'obtenir de la vie bien plus que ce qu'aurait été en droit d'attendre un bourreau des cœurs insensible et inconstant tel que lui. Comment aurait-il pu ne pas lui en être reconnaissant?

AVENTURES
&PASSIONS

Vous souhaitez être informé en avant-première
de nos programmes, nos coups de cœur ou encore
de l'actualité de notre site J'ai lu pour elle ?

Abonnez-vous à notre *Newsletter* en vous connectant
sur **www.jailu.com**

Retrouvez-nous également sur Facebook pour avoir
des informations exclusives :
www.facebook/pages/aventures-et-passions
et sur le profil J'ai lu pour elle.

Découvrez les prochaines nouveautés
des différentes collections J'ai lu pour elle

AVENTURES
& PASSIONS

Le 4 avril

Inédit *Les fantômes de Maiden Lane - 2 -*
Troubles plaisirs ⌦ **Elizabeth Hoyt**
Si Hero trouve son fiancé ennuyeux et dépourvu d'humour, elle s'y
est résolue jusqu'au moment où elle rencontre le frère de ce dernier, Griffin Remmington, en plein cœur du quartier St. Giles.
Choqué de croiser une si sage lady dans ces ruelles, Griffin insiste
pour l'escorter. Hero est stupéfaite : ce débauché aux mœurs
dépravées, opposé en tout point à ce qu'elle aime, éveille en elle
une folle envie d'aventures...

Les blessures du passé ⌦ **Lisa Kleypas**
Ce jour-là, lady Aline accueille un homme d'affaires new-yorkais
et ses associés. Parmi les invités, elle remarque un homme aux
cheveux noirs. Soudain, l'inconnu se retourne, leurs regards se
croisent. Lady Aline tressaille : McKenna est de retour ! Elle aurait
préféré ne jamais le revoir...

Passion d'une nuit d'été ⌦ **Eloïsa James**
Quand Charlotte Calverstill a accepté de se rendre au bal masqué
de Stuart Hill avec son amie Julia, elle était loin d'imaginer que sa
vie basculerait ! Irrésistiblement attirée par un inconnu, elle
s'abandonne à lui sans réserve. La voilà irrémédiablement
compromise... Trois ans plus tard, elle reconnaît son amant d'un
soir en la personne d'Alexander, duc de Sheffield.

Le 18 avril

Inédit   *Les archanges du diable - 1 -*
Le cavalier de l'orage   **Anne Gracie**
Après avoir récolté gloire et honneur sur les champs de bataille, Gabriel Fitzpaine aspire enfin à vivre en paix et s'installe dans la splendide demeure qu'il vient d'hériter. Mais le danger rôde toujours et semble le guetter à chaque seconde… Une nuit, le long des falaises, il croise une ravissante lady en détresse.

Inédit   *Terres d'Écosse - 1 - Prisonnière de ton cœur*
  Mary Wine
Depuis la mort du roi, l'Écosse est en proie à de terribles complots. Avec effroi, lord Torin McLeren découvre que McBoyd, son voisin, conspire contre le royaume avec la complicité des Anglais. Pour Torin il n'y a qu'une façon d'éviter la guerre : enlever la fille de son ennemi, Shannon McBoyd, promise en mariage aux alliés de son père…

Les Lockhart - 2 - Le bijou convoité   **Julia London**
Le précieux dragon d'or, jadis volé au clan des Lockhart, aurait été offert à une certaine Amelia ! Chargé de récupérer l'objet, Griffin Lockhart s'installe à Londres sous une fausse identité. Aux bals de la saison, à défaut de retrouver Amelia, il rencontre la belle Lucy Addison. Mais sa sœur, Anna, comprend bientôt qu'il n'est pas celui qu'il prétend être…

Le 4 avril

CRÉPUSCULE

Le 4 avril

FRISSONS

Du suspense et de la passion

Le 18 avril

*P*assion
intense
Des romans légers et coquins

Carrément sexy ❧ **Erin McCarthy**

Après le décès brutal de son mari dans un accident de voiture, Tamara s'est promis de tirer un trait sur le monde des courses... Jusqu'à ce qu'elle rencontre Elec. Beau comme un dieu, il éveille instantanément en elle un brasier ardent. Mais voilà, Tamara est plus âgée que lui et mère de deux petits garçons... Jusqu'où l'entraînera la passion ?

Pris au jeu ❧ **Nicole Jordan**

Provoqué au jeu par Damien Sinclair, le prince des Libertins, Aubrey Wyndham dilapide tout son héritage en quelques parties de dés. Pour récupérer l'argent, sa sœur Vanessa a une solution, implorer la bonté de Sinclair. Mais pourquoi ferait-il preuve de clémence envers elle ? Contre toute attente, le débauché lui propose un marché : il annulera la dette si elle se soumet à ses moindres caprices...